발행일 2022. 1. 25. **1쇄 인쇄일** 2022. 1. 18.
신고번호 제2017-000193호 **펴낸곳** 한국교육방송공사 경기도 고양시 일산동구 한류월드로 281
기획 및 개발 송아름 김나진 윤영란 이상호 이원구 이재우 최영호
표지디자인 ㈜무닉 **편집** 더 모스트 **인쇄** 팩컴코리아㈜
인쇄 과정 중 잘못된 교재는 구입하신 곳에서 교환하여 드립니다.

수학 마스터
교재의 난이도 및 활용 안내

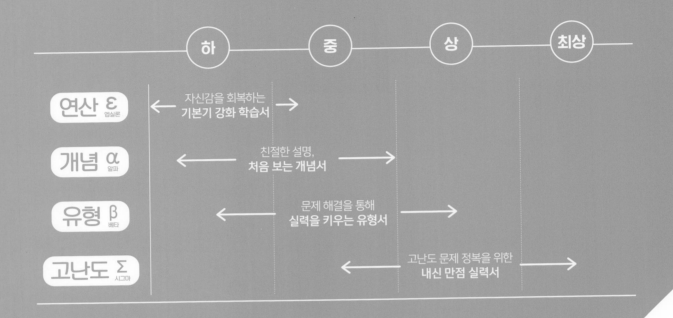

	하	중	상	최상
연산 ε 엡실론	← 자신감을 회복하는 기본기 강화 학습서 →			
개념 α 알파		← 친절한 설명, 처음 보는 개념서 →		
유형 β 베타			← 문제 해결을 통해 실력을 키우는 유형서 →	
고난도 Σ 시그마				← 고난도 문제 정복을 위한 내신 만점 실력서 →

수학 마스터

중학 수학의 기초력 강화

연산 3 엡실론

중학 수학 **1·2**

정답과 풀이는 EBS 중학사이트(mid.ebs.co.kr)에서 다운로드 받으실 수 있습니다.

교재 내용 문의	교재 내용 문의는 EBS 중학사이트 (mid.ebs.co.kr)의 교재 Q&A 서비스를 활용하시기 바랍니다.	교 재 정오표 공 지	발행 이후 발견된 정오 사항을 EBS 중학사이트 정오표 코너에서 알려 드립니다. 교재학습자료 → 교재 → 교재 정오표	교재 정정 신청	공지된 정오 내용 외에 발견된 정오 사항이 있다면 EBS 중학사이트를 통해 알려 주세요. 교재학습자료 → 교재 → 교재 선택 → 교재 Q&A

수학 마스터

중학 수학의 기초력 강화

연산 3 엡실론

중학 수학 1·2

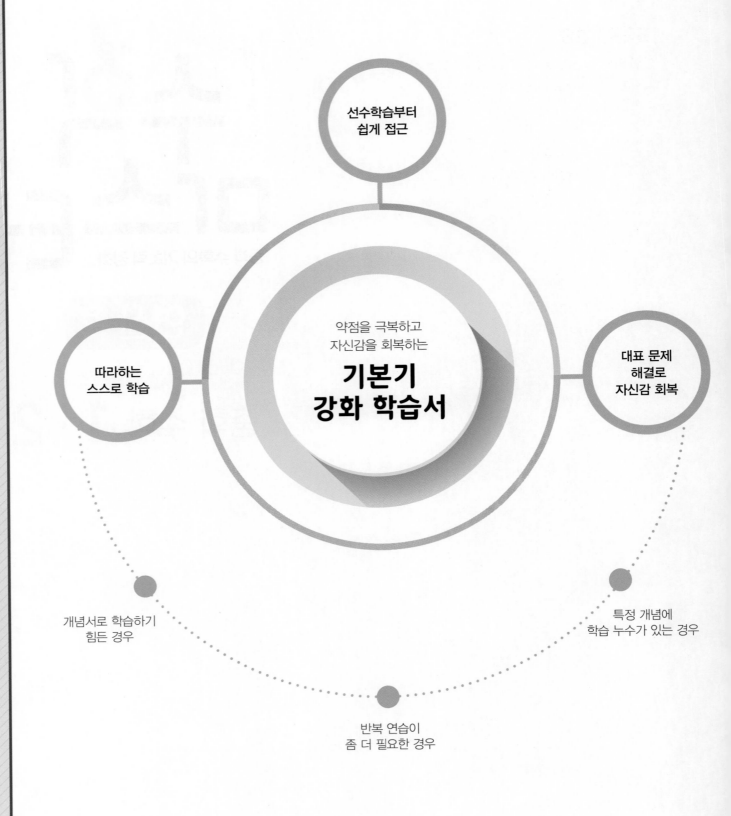

선수학습부터
쉽게 접근

약점을 극복하고
자신감을 회복하는

기본기
강화 학습서

따라하는
스스로 학습

대표 문제
해결로
자신감 회복

개념서로 학습하기
힘든 경우

특정 개념에
학습 누수가 있는 경우

반복 연습이
좀 더 필요한 경우

1 개별 문제 연습

❶ **개념 이해**: 학습의 누수가 없이 쉽게 따라갈 수 있도록 개념을 잘게 쪼개어 점진적으로 학습하는 스몰 스텝 학습

❷ 🥚 **따라하기**: 유형별로 자세하고 친절하게 문제 해결을 안내하여 풀이 방법을 습득, 적용할 수 있게 하는 스스로 학습 시스템

❸ 유형별 집중 연습 문제

❹ **대표 문제** ✍️: 계산 연습으로만 끝마치는 것이 아니라 개념이 적용된 핵심 문제의 형태를 경험하고 학습하는 내공 다지기 시스템

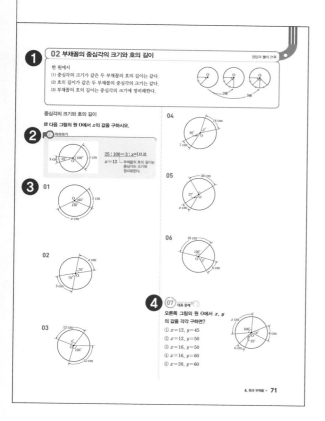

2 소단원 확인 문제

교과서 핵심 실전 문제로 소단원별 개념 학습 수준을 파악하는 이해도 평가 문제

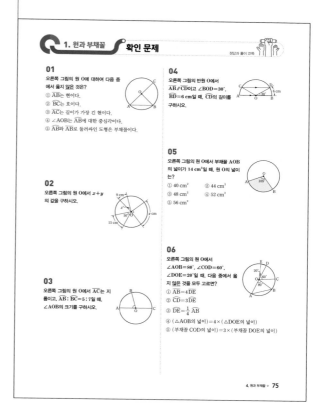

Contents 이 책의 차례

기본 도형

1. 점, 선, 면, 각

01 점, 선, 면

정답과 풀이 2쪽

(1) 도형의 기본 요소: 점, 선, 면

> 참고 점이 연속적으로 움직이면 선이 되고, 선이 연속적으로 움직이면 면이 된다.

(2) 평면도형과 입체도형

① 평면도형: 한 평면 위에 있는 도형

② 입체도형: 한 평면 위에 있지 않은 도형

 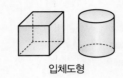

평면도형　　　　　　입체도형

(3) 교점과 교선

① 교점: 선과 선 또는 선과 면이 만나서 생기는 점

② 교선: 면과 면이 만나서 생기는 선

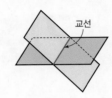 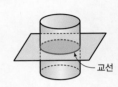

평면도형과 입체도형 구분하기

✖ 다음 도형이 평면도형이면 '평', 입체도형이면 '입'을 ( ) 안에 써넣으시오.

01　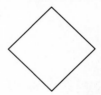　　(　)

02　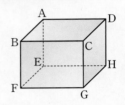　　(　)

03　　　(　)

04　　　(　)

입체도형에서 교점과 교선

✖ 아래 입체도형에서 다음을 구하시오.

05　모서리 AB와 모서리 BF의 교점

06　모서리 CD와 면 AEHD의 교점

07　모서리 AE와 면 EFGH의 교점

08　면 ABCD와 면 BFGC의 교선

09　면 ABFE와 면 AEHD의 교선

교점과 교선의 개수

✢ 다음 도형에서 교점과 교선의 개수를 구하시오.

10

교점: _____

11

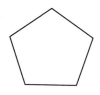

교점: _____

12

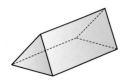

교점: _____
교선: _____

13

교점: _____
교선: _____

14

교점: _____
교선: _____

도형의 이해

✢ 다음 설명 중 옳은 것은 ○표, 옳지 않은 것은 ×표를 ( ) 안에 써넣으시오.

15 도형을 이루는 기본 요소는 점, 선, 각이다.

( )

16 선은 무수히 많은 점으로 이루어져 생긴다.

( )

17 면과 면이 만나면 교점이 생긴다. ( )

18 삼각형에서 교점의 개수는 꼭짓점의 개수와 같다.

( )

19 직육면체에서 교선의 개수는 모서리의 개수와 같다.

( )

20 대표 문제

다음 중에서 옳은 것을 모두 고르면? (정답 2개)

① 사각형, 정육면체는 모두 평면도형이다.

② 교점은 선과 선이 만나는 경우에만 생긴다.

③ 원기둥은 평면과 곡면으로 둘러싸여 있다.

④ 삼각뿔의 교점의 개수는 6이다.

⑤ 오각기둥의 교선의 개수는 15이다.

02 직선, 반직선, 선분

정답과 풀이 2쪽

(1) 직선이 정해질 조건

한 점 A를 지나는 직선은 무수히 많지만 서로 다른 두 점 A, B를 지나는 직선은 오직 하나뿐이다.

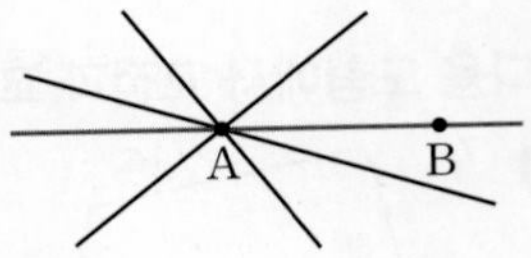

(2) 직선, 반직선, 선분

① 직선 AB: 서로 다른 두 점 A, B를 지나는 직선

→ $\overleftrightarrow{AB}(=\overleftrightarrow{BA})$

② 반직선 AB: 직선 AB 위의 점 A에서 출발하여 점 B의 방향으로 뻗은 부분

→ $\overrightarrow{AB}(\neq\overrightarrow{BA})$

③ 선분 AB: 직선 AB 위의 점 A에서 점 B까지의 부분

→ $\overline{AB}(=\overline{BA})$

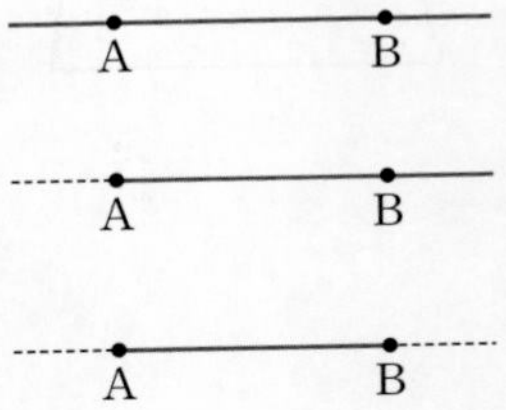

직선, 반직선, 선분을 기호로 나타내기

다음 도형을 기호로 나타내시오.

01

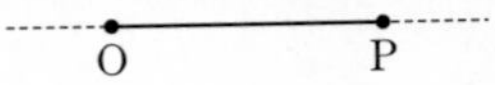

02

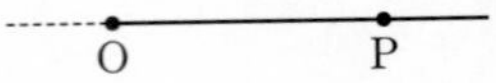

03

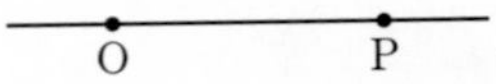

04

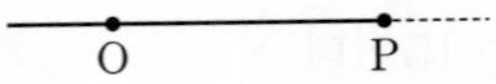

직선, 반직선, 선분 그리기

다음 기호를 주어진 그림 위에 나타내시오.

05 $\overleftrightarrow{AB}$

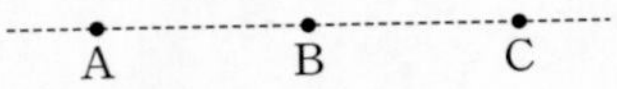

06 $\overrightarrow{CB}$

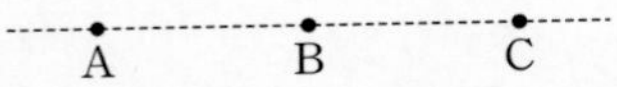

07 $\overrightarrow{BA}$

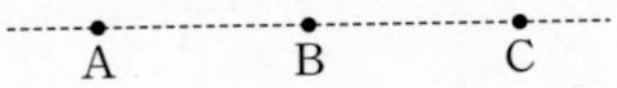

08 $\overline{AC}$

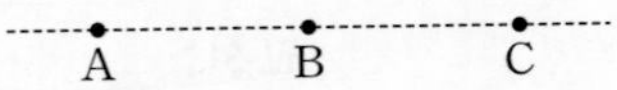

직선, 반직선, 선분 구분하기

다음 기호를 주어진 그림 위에 나타내고, ○ 안에 = 또는 ≠를 써넣으시오.

09 $\overleftrightarrow{BC}$ 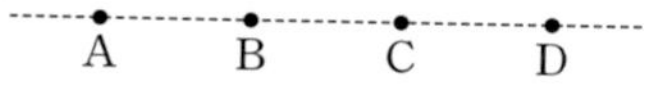

$\overleftrightarrow{BD}$ 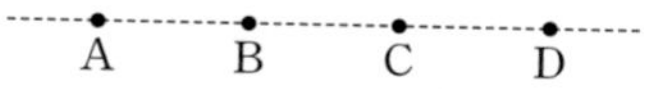

$\overleftrightarrow{BC}$ ○ $\overleftrightarrow{BD}$

10 $\overrightarrow{AB}$ 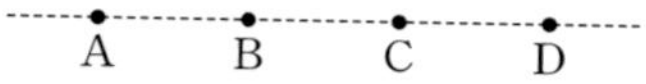

$\overrightarrow{BC}$ 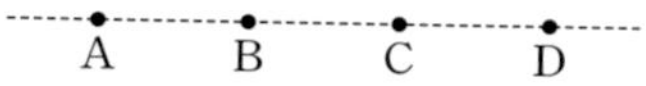

$\overrightarrow{AB}$ ○ $\overrightarrow{BC}$

11 $\overline{BC}$ 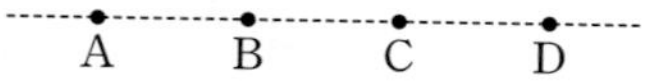

$\overline{BD}$ 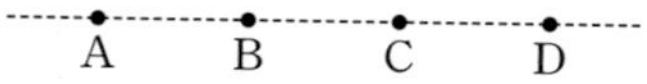

$\overline{BC}$ ○ $\overline{BD}$

12 $\overrightarrow{AC}$ 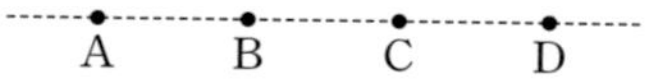

$\overrightarrow{CA}$ 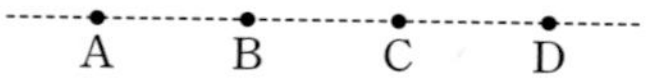

$\overrightarrow{AC}$ ○ $\overrightarrow{CA}$

직선, 반직선, 선분의 개수

다음 그림과 같이 한 직선 위에 있지 않은 세 점 A, B, C가 있다. 이 중 두 점을 이어서 만들 수 있는 서로 다른 직선, 반직선, 선분을 기호로 나타내시오.

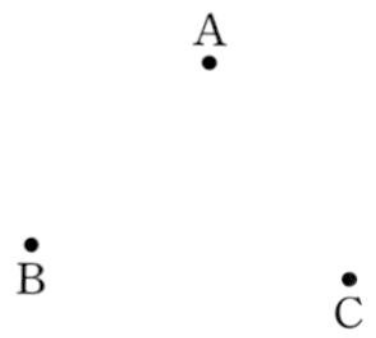

13 직선

14 반직선

15 선분

아래 그림과 같이 어느 세 점도 한 직선 위에 있지 않은 네 점 A, B, C, D가 있다. 다음을 구하시오.

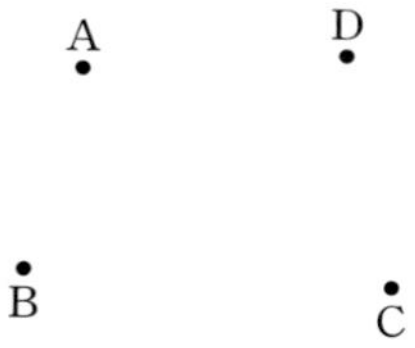

16 두 점을 지나는 서로 다른 직선의 개수

17 두 점을 지나는 서로 다른 반직선의 개수

18 대표 문제

다음 그림과 같이 직선 l 위에 네 점 A, B, C, D가 있을 때, 다음 중에서 $\overrightarrow{AD}$와 같은 것의 개수를 구하시오.

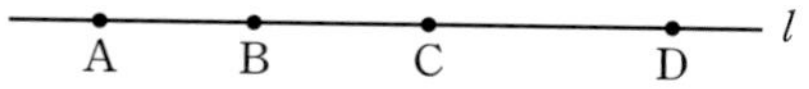

$\overrightarrow{AB}$ $\overleftrightarrow{AD}$ $\overrightarrow{DA}$ $\overrightarrow{AC}$
$\overline{AD}$ $\overleftrightarrow{BD}$ $\overrightarrow{DB}$

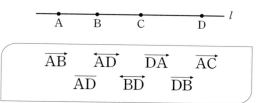

03 두 점 사이의 거리

정답과 풀이 2쪽

(1) 두 점 A, B 사이의 거리
두 점 A, B를 잇는 무수히 많은 선 중에서 길이가 가장 짧은 선인 선분 AB의 길이

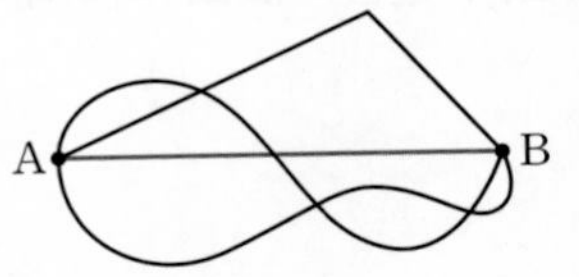

(2) 선분 AB의 중점
선분 AB 위의 한 점 M에 대하여 $\overline{AM}=\overline{BM}$인 점 M

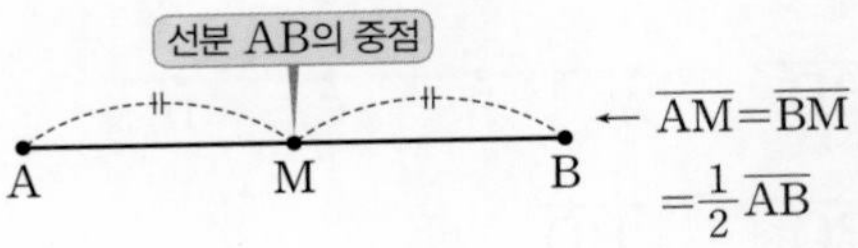

두 점 사이의 거리

아래 그림을 보고 다음을 구하시오.

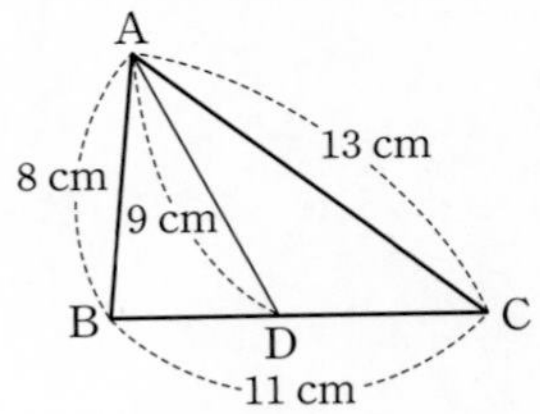

01 두 점 A, B 사이의 거리

02 두 점 A, C 사이의 거리

03 두 점 B, C 사이의 거리

04 두 점 A, D 사이의 거리

선분 AB의 중점

다음 그림에서 점 M이 선분 AB의 중점일 때, □ 안에 알맞은 수를 써넣으시오.

05

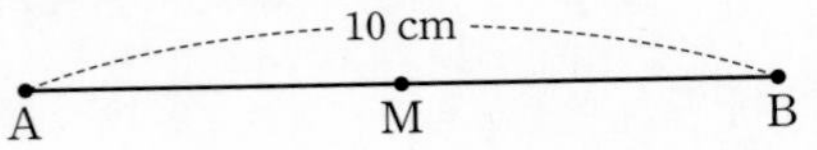

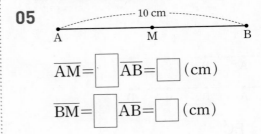

$\overline{AM}=$ □ $\overline{AB}=$ □ (cm)

$\overline{BM}=$ □ $\overline{AB}=$ □ (cm)

06

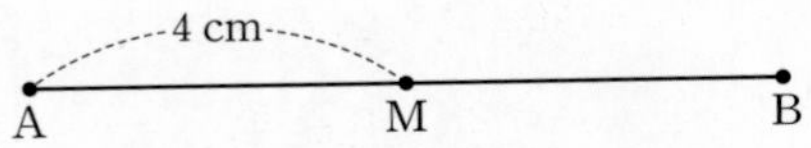

$\overline{BM}=\overline{AM}=$ □ (cm)

$\overline{AB}=$ □ $\overline{AM}=$ □ (cm)

07

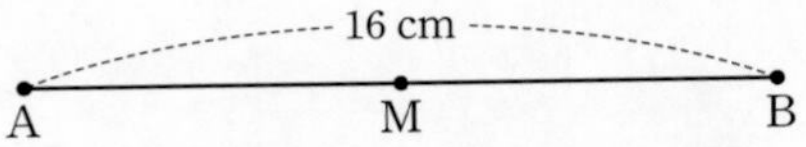

$\overline{AM}=$ □ cm, $\overline{BM}=$ □ cm

08

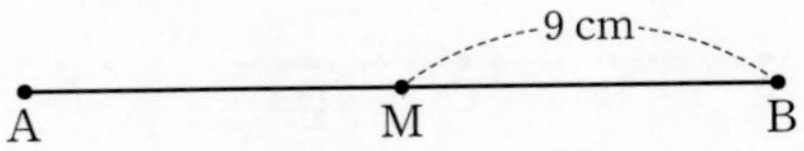

$\overline{AM}=$ □ cm, $\overline{AB}=$ □ cm

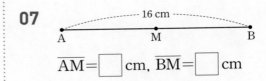

✽ 다음 그림에서 점 M은 선분 AB의 중점이고, 점 N은 선분 MB의 중점이다. $\overline{MN}=3\text{ cm}$일 때, 다음 선분의 길이를 구하시오.

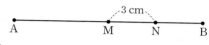

09 $\overline{MB}$

10 $\overline{AB}$

11 $\overline{AM}$

12 $\overline{AN}$

✽ 다음 그림에서 점 M은 선분 AB의 중점이고, 점 N은 선분 MB의 중점이다. $\overline{AB}=28\text{ cm}$일 때, 다음 선분의 길이를 구하시오.

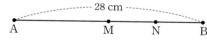

13 $\overline{AM}$

14 $\overline{MB}$

15 $\overline{MN}$

16 $\overline{AN}$

✽ 다음 그림에서 점 M은 선분 AB의 중점이고, 점 N은 선분 BC의 중점일 때, 다음을 구하시오.

17
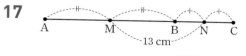

$\overline{AC}$의 길이: _____

18
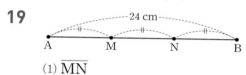

$\overline{MN}$의 길이: _____

선분 AB의 삼등분점

✽ 다음 그림에서 두 점 M, N이 선분 AB의 삼등분점일 때, 다음 선분의 길이를 구하시오.

19
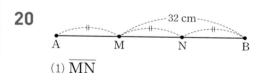

(1) $\overline{MN}$

(2) $\overline{AN}$

(3) $\overline{MB}$

20
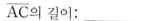

(1) $\overline{MN}$

(2) $\overline{AM}$

(3) $\overline{AN}$

(4) $\overline{AB}$

04 각

정답과 풀이 3쪽

(1) 각 AOB: 한 점 O에서 시작하는 두 반직선 OA, OB로 이루어진 도형

→ ∠AOB 또는 ∠BOA

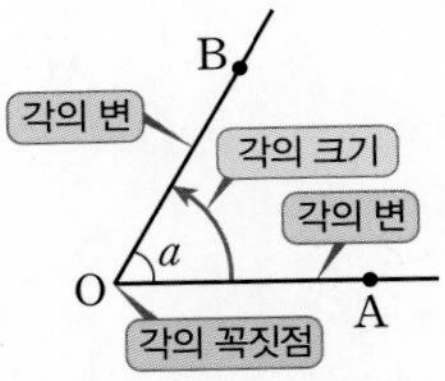
B
각의 변
각의 크기
각의 변
O
a
A
각의 꼭짓점

참고 ∠AOB를 간단히 ∠O, ∠a와 같이 나타내기도 한다.

(2) 각의 분류

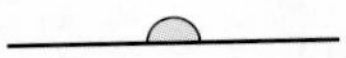

(평각)=180°

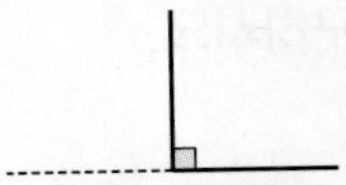

(직각)=90°

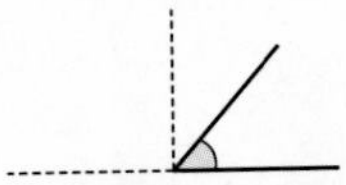

0°<(예각)<90°

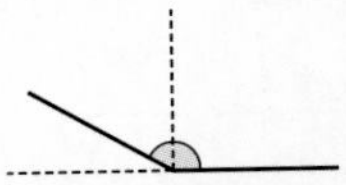

90°<(둔각)<180°

각의 크기

다음 각의 크기를 구하시오.

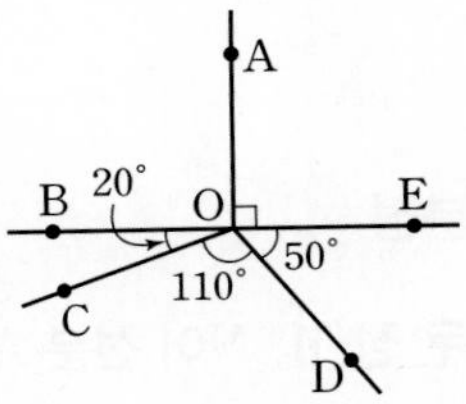
A
B
20°
O
E
50°
110°
C
D

01 ∠AOC

02 ∠BOD

03 ∠COE

각의 분류

보기에서 다음에 해당하는 각을 모두 찾아 쓰시오.

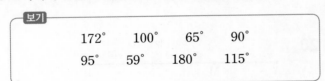

보기

172°	100°	65°	90°
95°	59°	180°	115°

04 평각

05 예각

06 둔각

07 직각

직각의 크기를 이용하여 각의 크기 구하기

직각의 크기는 90°임을 이용하여 다음 그림에서 ∠x의 크기를 구하시오.

따라하기

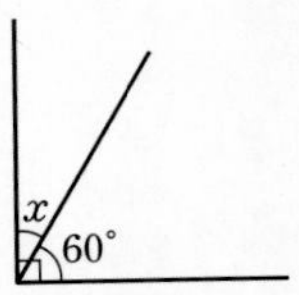
x
60°

→ $\angle x+60^\circ=90^\circ$

$\angle x=90^\circ-60^\circ=30^\circ$

08

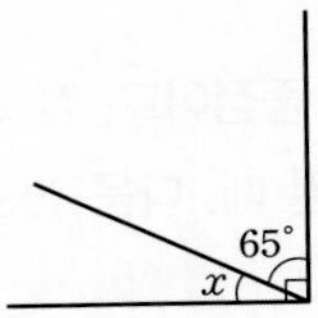
65°
x

09

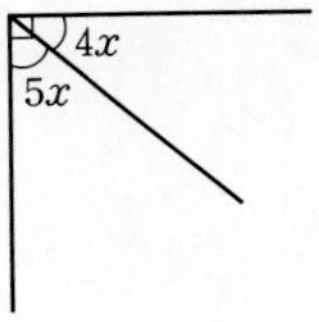
$4x$
$5x$

10

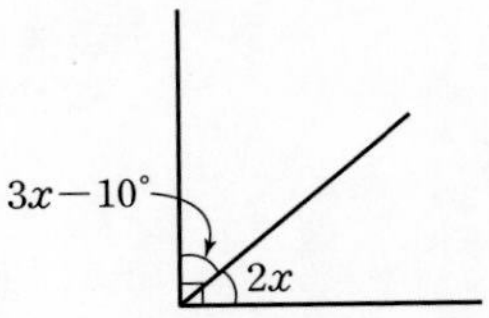
$3x-10°$
$2x$

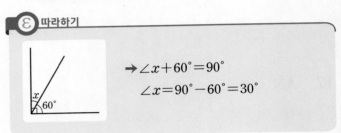

평각의 크기를 이용하여 각의 크기 구하기

❋ 평각의 크기는 180°임을 이용하여 다음 그림에서 $\angle x$의 크기를 구하시오.

따라하기

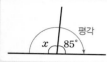
→ $\angle x + 85° = 180°$
$\angle x = 180° - 85° = 95°$

11
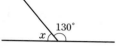

12
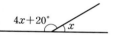

13
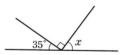

14
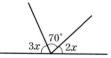

15
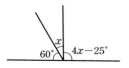

❋ 평각의 크기는 180°임을 이용하여 다음 그림에서 $\angle x$, $\angle y$, $\angle z$의 크기를 각각 구하시오.

따라하기

$\angle x : \angle y : \angle z = 1 : 2 : 3$

← $\angle x + \angle y + \angle z = 180°$

→ $\angle x = 180° \times \dfrac{1}{1+2+3} = 30°$

$\angle y = 180° \times \dfrac{2}{1+2+3} = 60°$

$\angle z = 180° \times \dfrac{3}{1+2+3} = 90°$

16 $\angle x : \angle y : \angle z = 1 : 3 : 5$
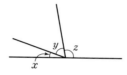

17 $\angle x : \angle y : \angle z = 3 : 4 : 5$
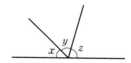

18 대표 문제

오른쪽 그림에서 $\angle AOC = 90°$
$\angle AOB : \angle BOC = 4 : 1$일 때,
$\angle AOB$의 크기는?

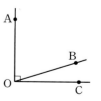

① 54° ② 66°

③ 70° ④ 72°

⑤ 76°

05 맞꼭지각

정답과 풀이 3쪽

(1) 교각: 두 직선이 한 점에서 만날 때 생기는 네 개의 각

➜ $\angle a$, $\angle b$, $\angle c$, $\angle d$

(2) 맞꼭지각: 교각 중에서 서로 마주 보는 각

➜ $\angle a$와 $\angle c$, $\angle b$와 $\angle d$

(3) 맞꼭지각의 성질: 맞꼭지각의 크기는 서로 같다.

➜ $\angle a=\angle c$, $\angle b=\angle d$

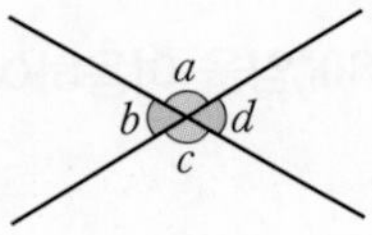

맞꼭지각 찾기

아래 그림에서 다음 각의 맞꼭지각을 구하시오.

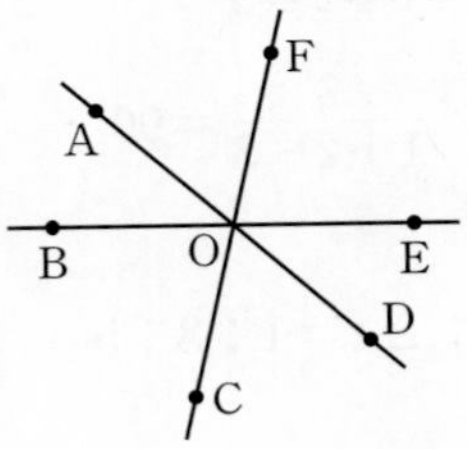

01 $\angle$AOB

02 $\angle$COD

03 $\angle$BOF

04 $\angle$BOD

05 $\angle$DOF

맞꼭지각을 이용하여 각의 크기 구하기

다음 그림에서 $\angle x$, $\angle y$의 크기를 각각 구하시오.

따라하기

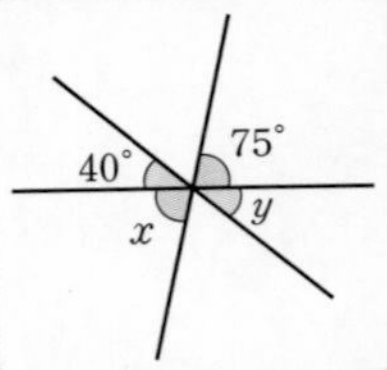

맞꼭지각의 크기는 서로 같다.

➜ $\angle x=75°$

$\angle y=40°$

06

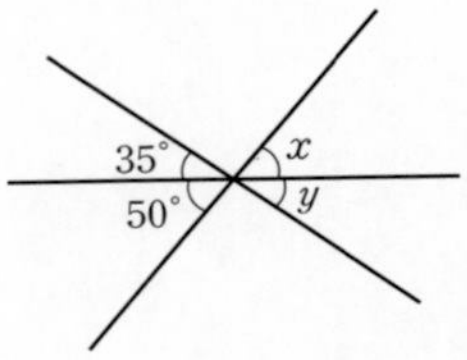

07

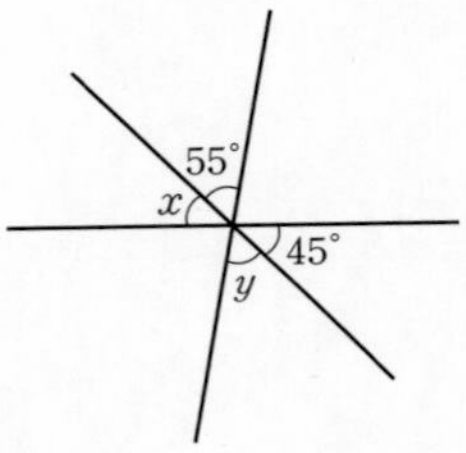

08

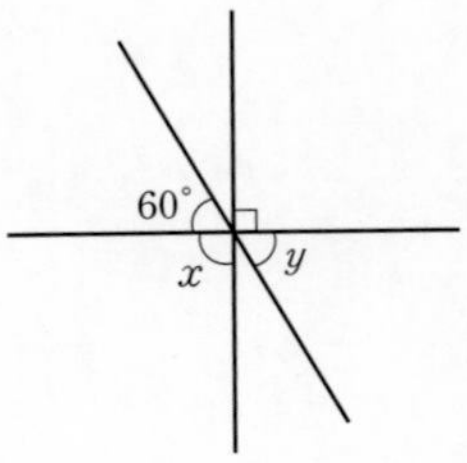

다음 그림에서 $\angle x$의 크기를 구하시오.

따라하기

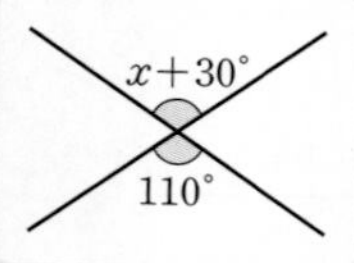

맞꼭지각의 크기는 서로 같다.

→ $\angle x+30° = 110°$

$\angle x = 80°$

09

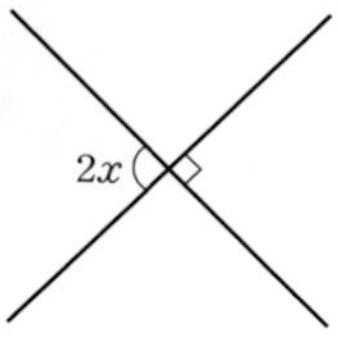

10

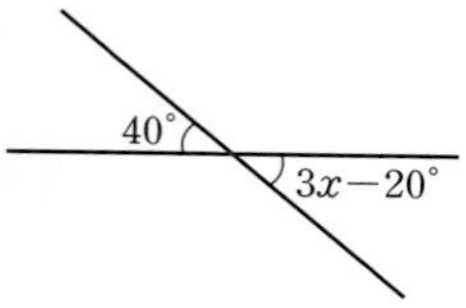

11

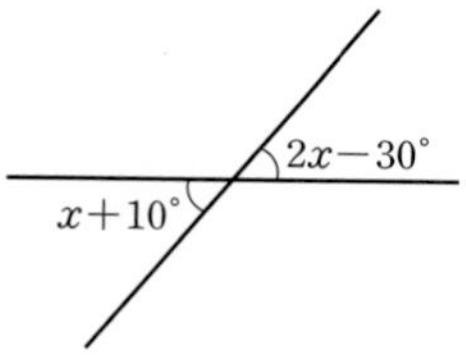

12

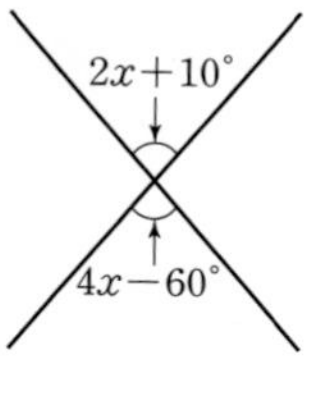

다음 그림에서 $\angle x$, $\angle y$의 크기를 각각 구하시오.

따라하기

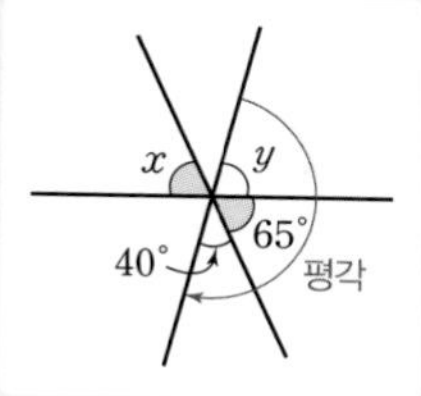

→ $\angle x = 65°$ ← 맞꼭지각

$\angle y+65°+40° = 180°$ ← 평각

$\angle y = 75°$

13

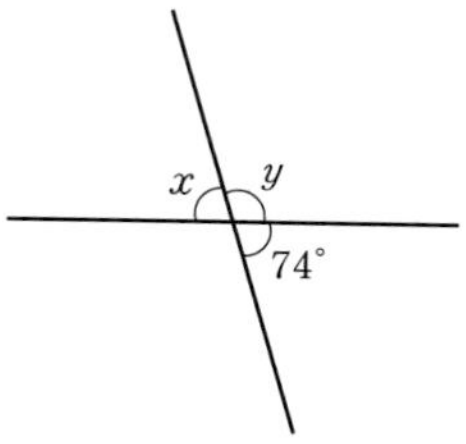

14

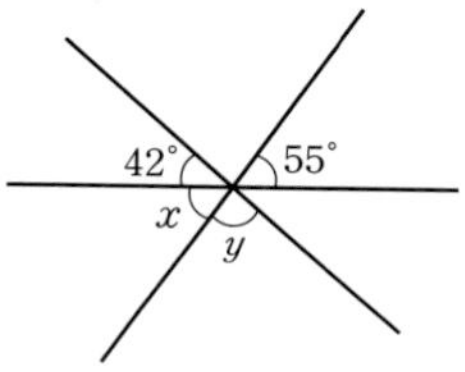

15

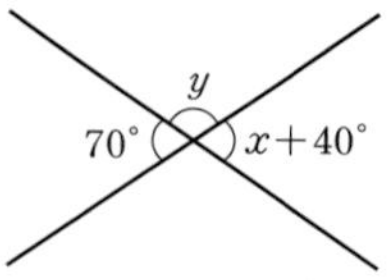

16

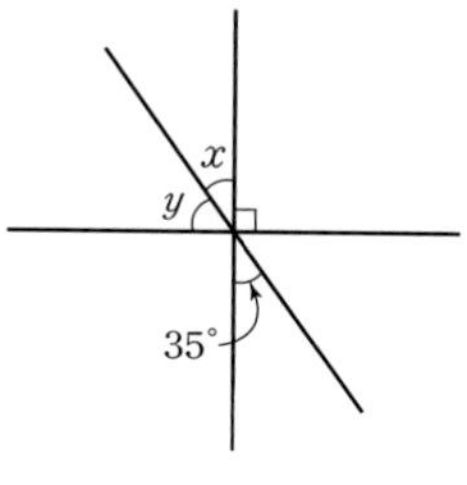

�694 다음 그림에서 ∠x의 크기를 구하시오.

③ 따라하기

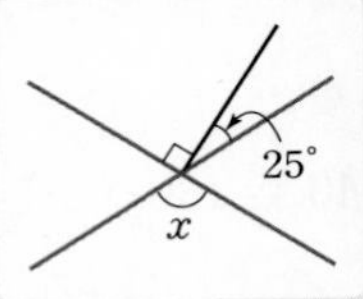

맞꼭지각의 크기는 서로 같다.

→ ∠$x=90°+25°$

$=115°$

17

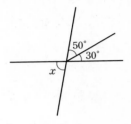

18

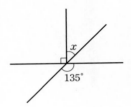

19

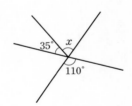

20

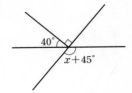

�694 다음 그림에서 ∠x의 크기를 구하시오.

③ 따라하기

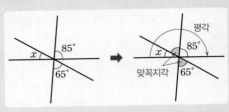

→ ∠$x+65°+85°=180°$이므로 ∠$x=30°$

21

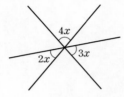

22

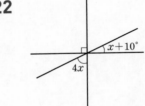

23

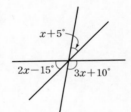

24 대표 문제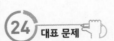

오른쪽 그림에서 ∠$x-$∠y의 크기
는?

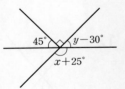

① 25°   ② 30°

③ 35°   ④ 40°

⑤ 45°

06 수직과 수선

정답과 풀이 4쪽

(1) **직교**: 두 직선 AB와 CD의 교각이 직각일 때, 두 직선은 직교한다고 한다.
→ $\overleftrightarrow{AB} \perp \overleftrightarrow{CD}$

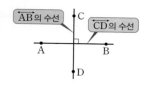

(2) **수직이등분선**: 선분 AB의 중점 M을 지나고 선분 AB에 수직인 직선 l
→ $\overline{AM} = \overline{BM}$, $l \perp \overline{AB}$

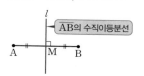

(3) **수선의 발**: 직선 l 위에 있지 않은 한 점 P에서 직선 l에 그은 수선과 직선 l의 교점 H

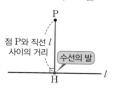

수직과 수선의 용어 이해

✽ 다음 그림에 대하여 □ 안에 알맞은 것을 써넣으시오.

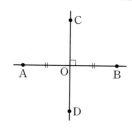

01 $\overleftrightarrow{AB}$와 $\overleftrightarrow{CD}$는 [ ]한다.
→ $\overleftrightarrow{AB}$ [ ] $\overleftrightarrow{CD}$

02 ∠AOC = [ ]°

03 $\overleftrightarrow{CD} \perp \overleftrightarrow{AB}$, $\overline{AO} = \overline{BO}$이므로 $\overleftrightarrow{CD}$는 $\overline{AB}$의 [ ]이다.

04 점 C에서 $\overleftrightarrow{AB}$에 내린 수선의 발은 점 [ ]이다.

05 점 A와 $\overleftrightarrow{CD}$ 사이의 거리를 나타내는 선분은 [ ]이다.

점과 직선 사이의 거리

✽ 그림을 보고 다음을 구하시오.

06
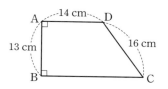
(1) 점 A에서 $\overline{BC}$에 내린 수선의 발
(2) 점 A와 $\overline{BC}$ 사이의 거리

07
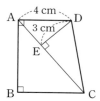
(1) 점 D에서 $\overline{AC}$에 내린 수선의 발
(2) 점 D와 $\overline{AC}$ 사이의 거리

08
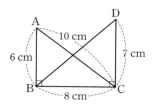
(1) 점 B에서 $\overline{CD}$에 내린 수선의 발
(2) 점 B와 $\overline{CD}$ 사이의 거리

01

오른쪽 그림과 같은 오각뿔에서 교점의 개수를 a, 교선의 개수를 b라 할 때, $a+b$의 값을 구하시오.

02

오른쪽 그림과 같이 직선 l 위에 네 점 A, B, C, D가 있을 때, 다음 중에서 옳은 것을 모두 고르면? (정답 2개)

① $\overleftrightarrow{AD}=\overline{AD}$ ② $\overline{AC}=\overline{CA}$

③ $\overrightarrow{AC}=\overrightarrow{BC}$ ④ $\overrightarrow{DB}=\overrightarrow{DC}$

⑤ $\overrightarrow{BA}=\overrightarrow{BD}$

03

다음 그림에서 점 M은 $\overline{AB}$의 중점이고, 점 N은 $\overline{AM}$의 중점이다. $\overline{AB}=16\text{ cm}$일 때, $\overline{NB}$의 길이는?

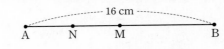

① 9 cm   ② 10 cm   ③ 11 cm

④ 12 cm   ⑤ 13 cm

04

오른쪽 그림에서 $\angle COD=90°$이고 $\angle AOC : \angle DOB=5 : 1$일 때, $\angle DOB$의 크기는?

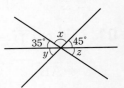

① 12°   ② 15°

③ 18°   ④ 20°

⑤ 24°

05

오른쪽 그림에서 $\angle x-\angle y-\angle z$의 크기는?

① 10°   ② 15°

③ 20°   ④ 25°

⑤ 30°

06

오른쪽 그림과 같은 사다리꼴 ABCD에서 점 B와 $\overline{CD}$ 사이의 거리를 a cm, 점 D와 $\overline{BC}$ 사이의 거리를 b cm라 할 때, a, b의 값을 각각 구하시오.

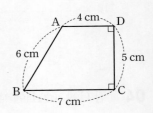

2. 위치 관계

01 평면에서 위치 관계

정답과 풀이 4쪽

(1) 점과 직선의 위치 관계

① 점 A가 직선 l 위에 있다.

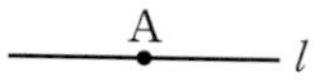

② 점 B가 직선 l 위에 있지 않다.

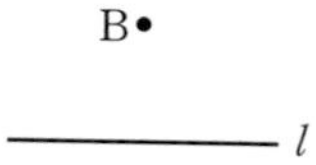

(2) **두 직선의 평행:** 한 평면 위의 두 직선 l, m이 서로 만나지 않을 때, 두 직선 l, m은 서로 평행하다고 한다.
→ $l /\!/ m$

(3) 평면에서 두 직선의 위치 관계

① 일치한다. ② 한 점에서 만난다. ③ 평행하다.($l /\!/ m$)

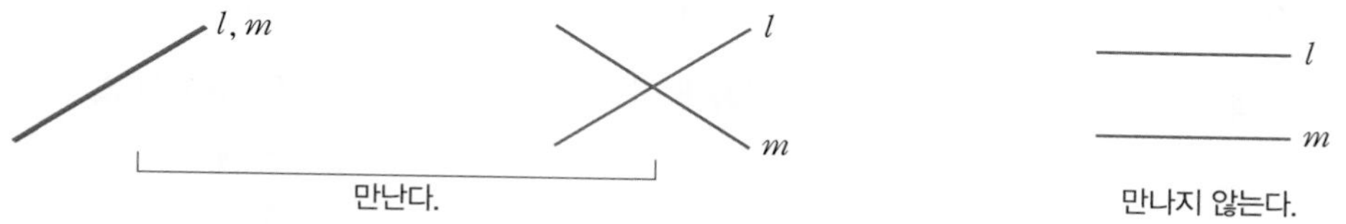

점과 직선의 위치 관계

다음 그림에 대하여 옳은 것에 ○표 하시오.

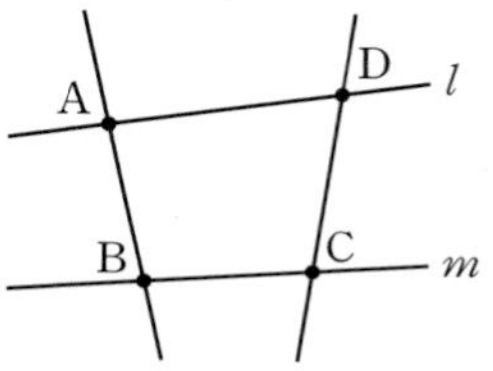

01 점 A는 직선 m 위에 (있다 , 있지 않다).

02 점 D는 직선 l 위에 (있다 , 있지 않다).

03 두 점 B, C는 직선 m 위에 (있다 , 있지 않다).

04 두 점 A, C는 같은 직선 위에 (있다 , 있지 않다).

평면에서 두 직선의 위치 관계

오른쪽 그림과 같은 평행사변형에서 다음을 모두 구하시오.

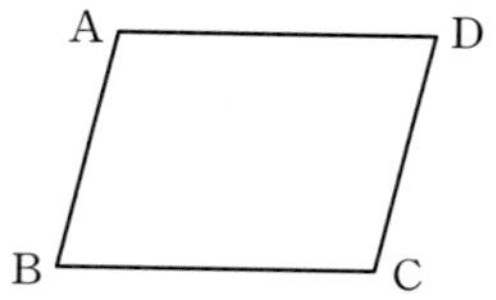

05 변 AB와 한 점에서 만나는 변

06 변 AD와 평행한 변

오른쪽 그림과 같은 정육각형에서 각 변을 연장한 직선을 그을 때, 다음을 모두 구하시오.

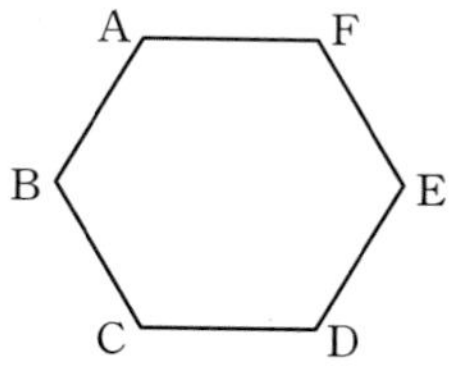

07 직선 AF와 한 점에서 만나는 직선

08 직선 BC와 평행한 직선

02 공간에서 두 직선의 위치 관계

(1) **꼬인 위치**: 공간에서 두 직선이 만나지도 않고 평행하지도 않을 때, 두 직선은 꼬인 위치에 있다고 한다.

(2) **공간에서 두 직선의 위치 관계**

① 일치한다.　　　② 한 점에서 만난다.　　　③ 평행하다.($l /\!/ m$)　　　④ 꼬인 위치에 있다.

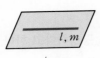  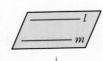 

한 평면 위에 있다.　　　　　　　　　　한 평면 위에 있지 않다.

공간에서 두 직선의 위치 관계 말하기

❈ 다음 그림과 같은 정육면체에서 색선인 두 모서리의 위치 관계를 말하시오.

01

02

03

04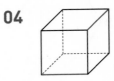

05

공간에서 두 직선의 위치 관계 찾기

❈ 아래 삼각기둥에서 다음을 모두 구하시오.

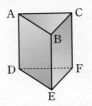

06 모서리 AB와 한 점에서 만나는 모서리

07 모서리 AB와 평행한 모서리

08 모서리 AB와 꼬인 위치에 있는 모서리

09 모서리 BE와 꼬인 위치에 있는 모서리

❈ 아래 직육면체에서 다음을 모두 구하시오.

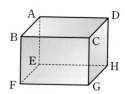

10 모서리 AB와 한 점에서 만나는 모서리

11 모서리 AB와 평행한 모서리

12 모서리 AB와 꼬인 위치에 있는 모서리

❈ 아래 그림과 같이 정육면체의 일부를 잘라 만든 입체도형에서 다음을 모두 구하시오.

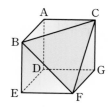

13 모서리 AB와 꼬인 위치에 있는 모서리

14 모서리 CG와 꼬인 위치에 있는 모서리

15 모서리 BF와 꼬인 위치에 있는 모서리

❈ 그림을 보고 다음을 모두 구하시오.

16

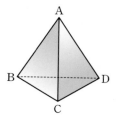

(1) 모서리 AC와 한 점에서 만나는 모서리

(2) 모서리 AC와 꼬인 위치에 있는 모서리

17

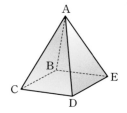

(1) 모서리 BC와 한 점에서 만나는 모서리

(2) 모서리 AC와 꼬인 위치에 있는 모서리

18 대표 문제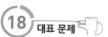

오른쪽 그림과 같은 직육면체에서 $\overline{\text{AC}}$와 꼬인 위치에 있는 모서리는 모두 몇 개인가?

① 3개 ② 4개
③ 5개 ④ 6개
⑤ 7개

03 공간에서 직선과 평면의 위치 관계

정답과 풀이 4쪽

(1) 공간에서 직선과 평면의 위치 관계

① 직선이 평면에 포함된다.

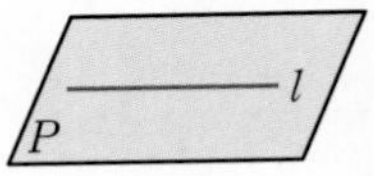

② 한 점에서 만난다.

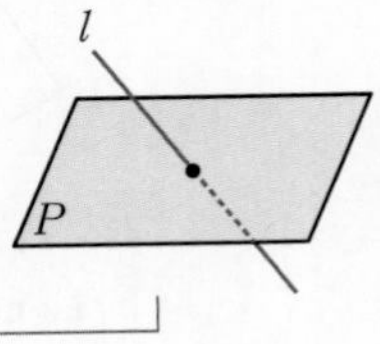

만난다.

③ 평행하다.($l \parallel P$)

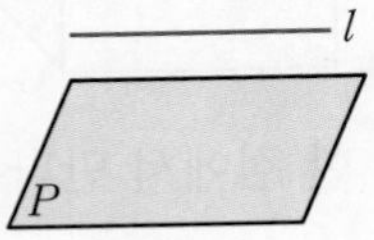

만나지 않는다.

(2) 직선과 평면의 수직

직선 l이 평면 P와 한 점 H에서 만나고 점 H를 지나는 평면 P 위의 모든 직선과 수직일 때, 직선 l과 평면 P는 서로 수직이다 또는 직교한다고 한다.

→ $l \perp$ P

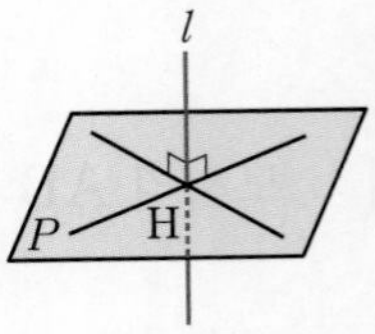

공간에서 직선과 평면의 위치 관계

❖ 오른쪽 삼각기둥에서 다음을 모두 구하시오.

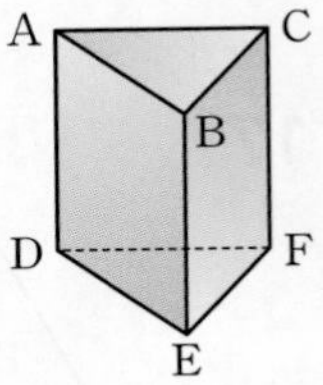

01 면 ABC에 포함된 모서리

02 면 DEF와 한 점에서 만나는 모서리

03 면 ADEB와 평행한 모서리

❖ 오른쪽 사각기둥에서 다음을 모두 구하시오.

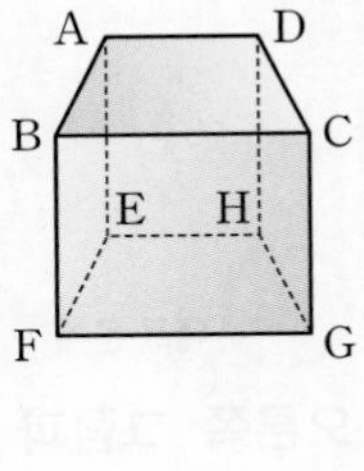

04 모서리 BF를 포함하는 면

05 모서리 BF와 평행한 면

06 모서리 BF와 한 점에서 만나는 면

직선과 평면의 수직

❖ 오른쪽 직육면체에서 다음을 모두 구하시오.

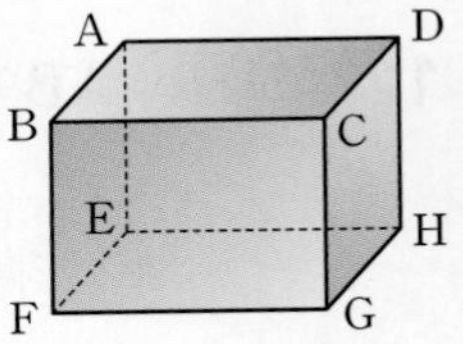

07 모서리 BC와 직교하는 면

08 면 CGHD와 수직인 모서리

❖ 오른쪽 오각기둥에서 다음을 모두 구하시오.

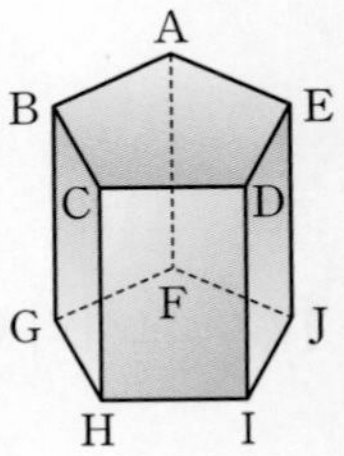

09 모서리 AF와 수직인 면

10 면 FGHIJ와 수직인 모서리

04 공간에서 두 평면의 위치 관계

(1) 공간에서 두 평면의 위치 관계

① 일치한다.

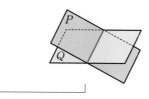

② 한 직선에서 만난다.

만난다.

③ 평행하다. ($P /\!/ Q$)

만나지 않는다.

(2) 두 평면의 수직

평면 P가 평면 Q에 수직인 직선 l을 포함할 때, 평면 P와 평면 Q는 서로 수직이다 또는 직교한다고 한다.

→ $P \perp Q$

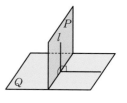

공간에서 두 평면의 위치 관계

✜ 오른쪽 직육면체에서 다음을 모두 구하시오.

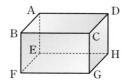

01 면 BFGC와 만나는 면

02 면 BFGC와 평행한 면

03 면 BFGC와 수직인 면

04 면 AEHD와 만나지 않는 면

05 면 BFGC와 면 EFGH의 교선

✜ 오른쪽 삼각기둥에서 다음을 모두 구하시오.

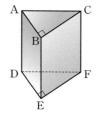

06 면 ABC와 평행한 면

07 면 ADEB와 수직인 면

✜ 오른쪽 그림과 같이 직육면체의 일부분을 잘라 만든 입체도형에서 다음을 모두 구하시오.

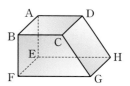

08 면 ABCD와 평행한 면

09 면 ABCD와 수직인 면

10 모서리 FG를 교선으로 하는 두 면

공간에서 여러 가지 위치 관계

❈ 아래 그림과 같이 정육면체의 일부를 잘라 만든 입체도형에서 다음을 모두 구하시오.

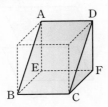

11 모서리 BC와 평행한 모서리

12 모서리 AB와 꼬인 위치에 있는 모서리

13 면 ABCD와 평행한 모서리

14 면 ABE와 수직인 모서리

15 면 DCF와 수직인 면

16 면 BCFE와 수직인 면

❈ 아래 그림과 같이 정육면체의 일부를 잘라 만든 입체도형에서 다음을 모두 구하시오.

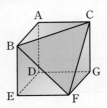

17 모서리 AB와 평행한 모서리

18 모서리 BC와 꼬인 위치에 있는 모서리

19 모서리 BF와 평행한 면

20 모서리 EF와 수직인 면

21 면 CFG와 평행한 면

22 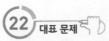 대표 문제

오른쪽 그림과 같은 정육면체에서 평면 BFHD와 수직인 평면이 <u>아닌</u> 것을 모두 고르면? (정답 2개)

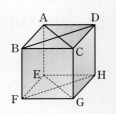

① 평면 ABCD ② 평면 AEGC
③ 평면 BFGC ④ 평면 CGHD
⑤ 평면 EFGH

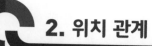
확인 문제

01

오른쪽 정팔각형에서 각 변을 연장한 직선을 그을 때, 직선 AB와 만나지 않는 직선을 구하시오.

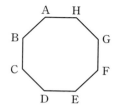

02

다음 중 오른쪽 그림의 직육면체에서 모서리 BC와 위치 관계가 나머지 넷과 다른 하나는?

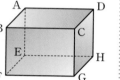

① $\overline{AE}$ ② $\overline{DH}$
③ $\overline{EH}$ ④ $\overline{EF}$
⑤ $\overline{HG}$

03

오른쪽 그림의 전개도로 만든 삼각뿔에서 모서리 AF와 꼬인 위치에 있는 모서리는?

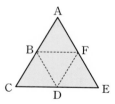

① $\overline{AB}$ ② $\overline{BD}$
③ $\overline{CD}$ ④ $\overline{DF}$
⑤ $\overline{EF}$

04

오른쪽 그림과 같이 밑면이 직각삼각형인 삼각기둥에서 다음 보기 중 개수가 나머지 셋과 다른 하나를 고르시오.

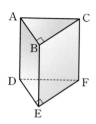

보기

ㄱ. 면 ABC와 평행한 모서리의 개수
ㄴ. 모서리 AB와 수직으로 만나는 모서리의 개수
ㄷ. 면 $BEFC$와 수직인 모서리의 개수
ㄹ. 면 $BEFC$와 수직인 면의 개수

05

공간에서 평면 P와 서로 다른 두 직선 l, m이 $l \perp P, m \perp P$를 만족시킬 때, 두 직선 l, m의 위치 관계를 보기에서 고르시오.

보기

ㄱ. 한 점에서 만난다.
ㄴ. 평행하다.
ㄷ. 꼬인 위치에 있다.

06

오른쪽 그림과 같이 밑면이 정육각형인 육각기둥에서 서로 평행한 두 면은 모두 몇 쌍인가?

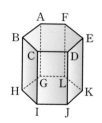

① 1쌍 ② 2쌍
③ 3쌍 ④ 4쌍
⑤ 5쌍

3. 평행선의 성질

01 동위각과 엇각

한 평면 위에서 서로 다른 두 직선이 다른 한 직선과 만나서 생기는 8개의 각 중에서

(1) **동위각**: 서로 같은 위치에 있는 두 각

　→ $\angle a$와 $\angle e$, $\angle b$와 $\angle f$, $\angle c$와 $\angle g$, $\angle d$와 $\angle h$

(2) **엇각**: 서로 엇갈린 위치에 있는 두 각

　→ $\angle b$와 $\angle h$, $\angle c$와 $\angle e$

동위각과 엇각 알기

✱ 아래 그림과 같이 세 직선이 만날 때, 다음을 구하시오.

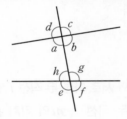

01 $\angle a$의 동위각

02 $\angle b$의 동위각

03 $\angle c$의 동위각

04 $\angle h$의 동위각

05 $\angle a$의 엇각

06 $\angle h$의 엇각

✱ 아래 그림과 같이 세 직선이 만날 때, 다음 중 옳은 것은 ○표, 옳지 않은 것은 ×표를 (　) 안에 써넣으시오.

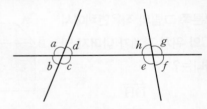

07 $\angle a$의 동위각은 $\angle h$이다. 　　(　)

08 $\angle g$의 동위각은 $\angle c$이다. 　　(　)

09 $\angle d$의 엇각은 $\angle f$이다. 　　(　)

10 $\angle b$의 동위각은 $\angle e$이다. 　　(　)

11 $\angle e$의 엇각은 $\angle d$이다. 　　(　)

동위각과 엇각의 크기 구하기

아래 그림과 같이 세 직선이 만날 때, 다음 각의 크기를 구하시오.

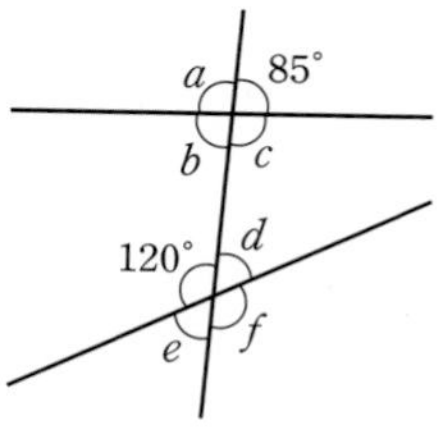

12 $\angle a$의 동위각

13 $\angle b$의 동위각

14 $\angle c$의 엇각

15 $\angle b$의 엇각

16 $\angle d$의 동위각

17 $\angle d$의 엇각

18 $\angle f$의 동위각

아래 그림과 같이 세 직선이 만날 때, 다음 각의 크기를 구하시오.

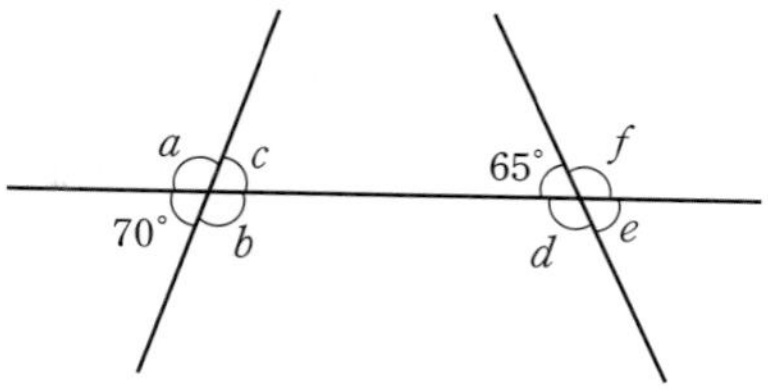

19 $\angle a$의 동위각

20 $\angle b$의 동위각

21 $\angle b$의 엇각

22 $\angle c$의 엇각

23 $\angle c$의 동위각

24 $\angle e$의 동위각

25 대표 문제

다음 그림에서 $\angle a$의 동위각과 $\angle b$의 엇각의 크기의 합을 구하시오.

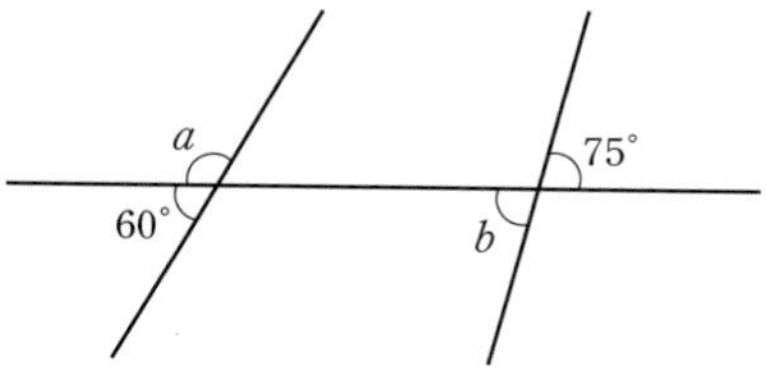

서로 다른 두 직선 l, m이 다른 한 직선 n과 만날 때

(1) 두 직선이 평행하면 동위각의 크기는 같다.

→ $l /\!/ m$이면 $\angle a = \angle b$

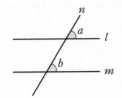

(2) 두 직선이 평행하면 엇각의 크기는 같다.

→ $l /\!/ m$이면 $\angle c = \angle d$

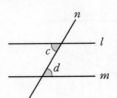

평행선에서 동위각과 엇각의 크기 구하기

✖ 다음 그림에서 $l /\!/ m$일 때, $\angle x$의 크기를 구하시오.

01

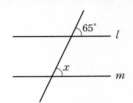

02

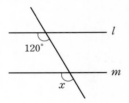

03

04

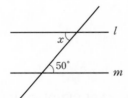

05

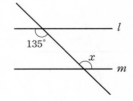

✖ 다음 그림에서 $l /\!/ m$일 때, $\angle x$의 크기를 구하시오.

3 따라하기

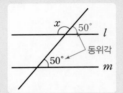

→ $\angle x = 180° - 50°$

$\qquad = 130°$

06

07

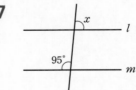

08

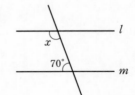

09

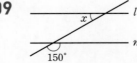

❈ 다음 그림에서 $l \parallel m$일 때, $\angle x$, $\angle y$의 크기를 구하시오.

10

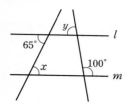

11

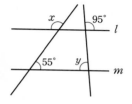

12

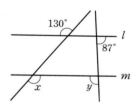

13

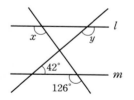

14

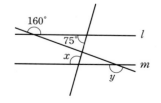

❈ 다음 그림에서 $l \parallel m$일 때, $\angle x$의 크기를 구하시오.

따라하기

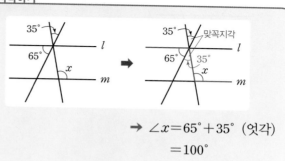

→ $\angle x = 65° + 35°$ (엇각)
$= 100°$

15

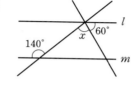

16

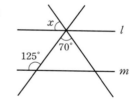

❈ 다음 그림에서 $l \parallel m$일 때, $\angle x$의 크기를 구하시오.

따라하기

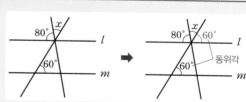

→ $80° + \angle x + 60° = 180°$
$\angle x = 40°$

17

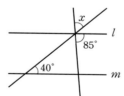

18

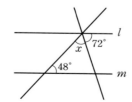

다음 그림에서 $l /\!/ m$일 때, $\angle x$, $\angle y$의 크기를 구하시오.

19

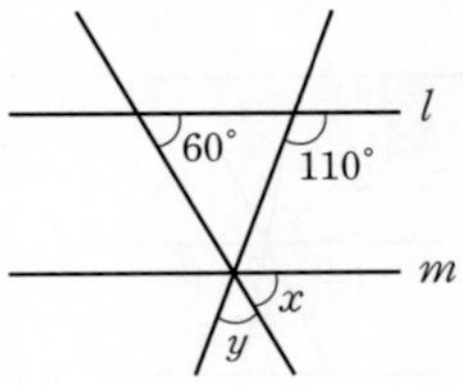

20

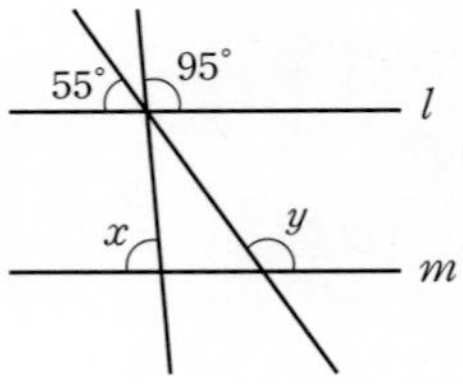

21

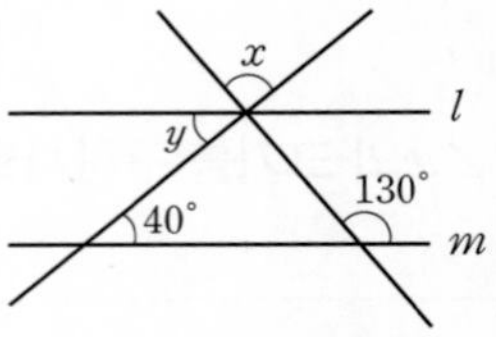

22

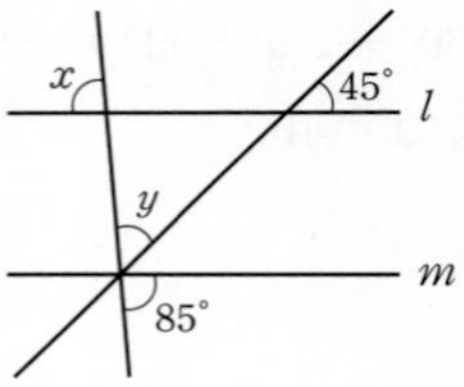

23

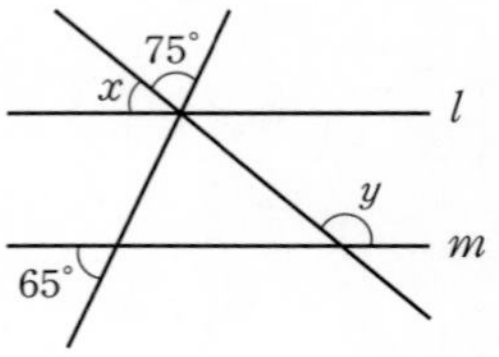

다음 그림에서 $l /\!/ m$일 때, $\angle x$의 크기를 구하시오.

ε 따라하기

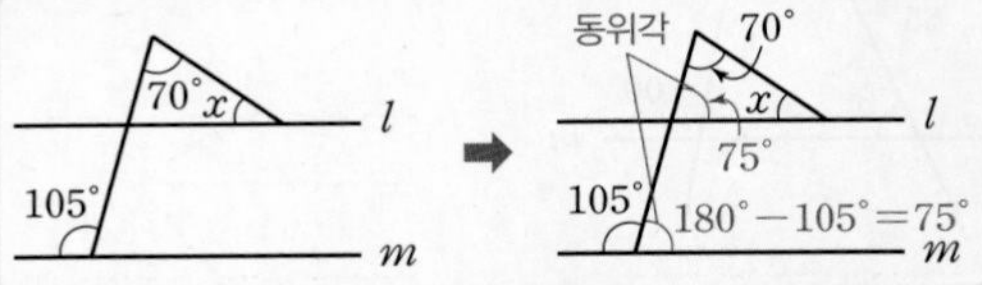

삼각형의 세 각의 크기의 합이 180°이므로

$\angle x + 70^\circ + 75^\circ = 180^\circ$ → $\angle x = 35^\circ$

24

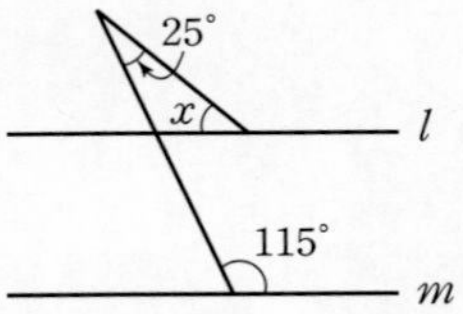

25

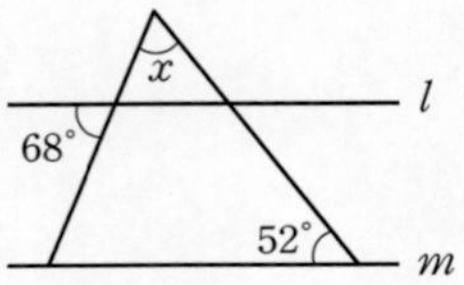

26

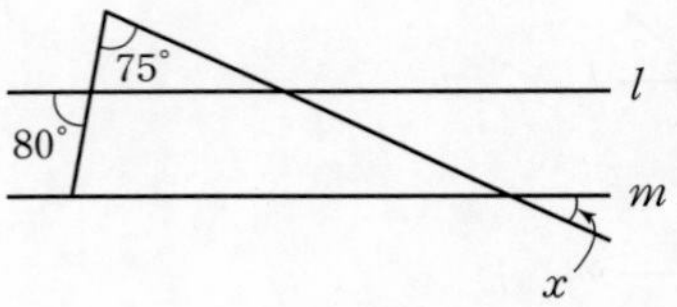

27

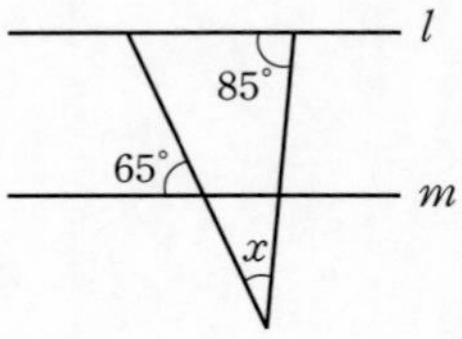

※ 다음 그림에서 $l /\!/ m$일 때, $\angle x$의 크기를 구하시오.

따라하기

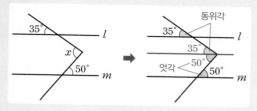

꺾인 점을 지나면서 두 직선 l, m과 평행한 직선을 그으면
$$\angle x = 35° + 50° = 85°$$

28

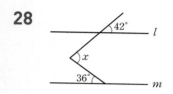

29

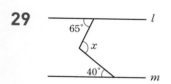

30

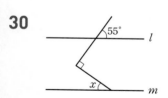

31

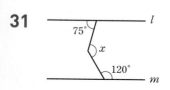

※ 다음 그림에서 $l /\!/ m$일 때, $\angle x$의 크기를 구하시오.

따라하기

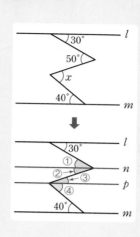

꺾인 점을 지나면서 두 직선 l, m과 평행한 직선 n, p를 그으면 $l /\!/ n$이므로
①$= 30°$ (엇각)
②$= 50° - 30° = 20°$
$n /\!/ p$이므로
③$= 20°$ (엇각)
$p /\!/ m$이므로
④$= 40°$ (엇각)
따라서
$$\angle x = 20° + 40° = 60°$$

32

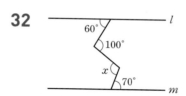

33

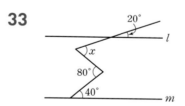

34

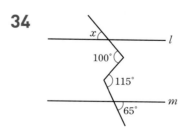

종이 접기에서 각의 크기 구하기

✖ 다음 그림과 같이 직사각형 모양의 종이를 접었을 때, ∠x의 크기를 구하시오.

③ 따라하기

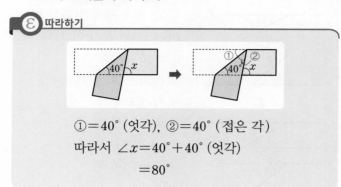

①$=40°$ (엇각), ②$=40°$ (접은 각)

따라서 ∠$x=40°+40°$ (엇각)

$\quad\quad\quad=80°$

35

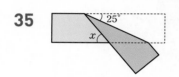

36

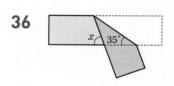

37

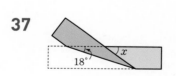

38

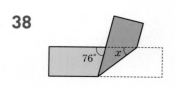

39

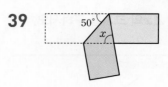

40

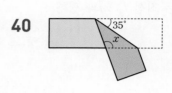

41

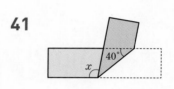

42

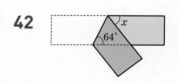

43 대표 문제 👈

오른쪽 그림과 같이 직사각형 모양의 종이를 접었을 때, ∠$x+$∠y의 크기는?

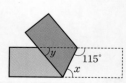

① $110°$　　② $115°$

③ $120°$　　④ $125°$

⑤ $130°$

03 두 직선이 평행할 조건

정답과 풀이 7쪽

서로 다른 두 직선 l, m이 다른 한 직선 n과 만날 때

(1) 동위각의 크기가 같으면 두 직선은 평행하다.
→ $\angle a = \angle b$이면 $l /\!/ m$

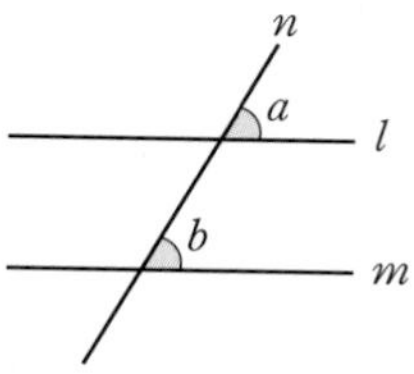

(2) 엇각의 크기가 같으면 두 직선은 평행하다.
→ $\angle c = \angle d$이면 $l /\!/ m$

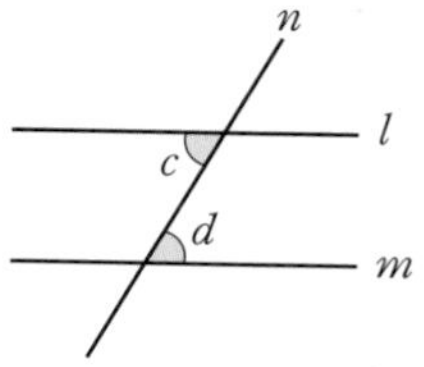

평행한 두 직선 찾기

다음 그림에서 두 직선 l, m이 평행하면 ○표, 평행하지 않으면 ×표를 (   ) 안에 써넣으시오.

01

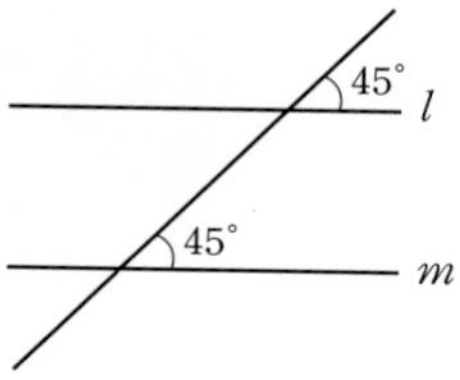

(   )

02

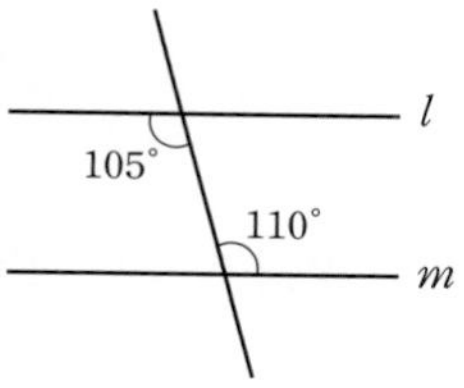

(   )

03

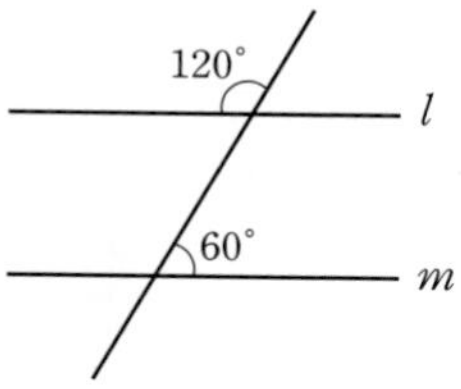

(   )

04

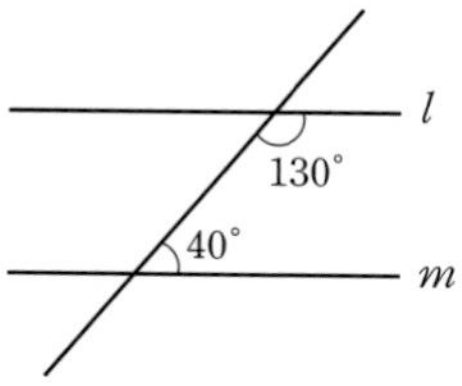

(   )

다음 그림에서 평행한 두 직선을 찾아 기호로 나타내시오.

05

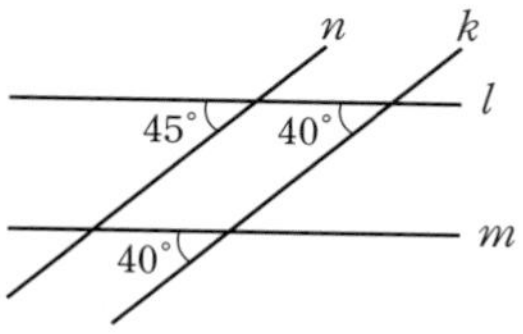

06

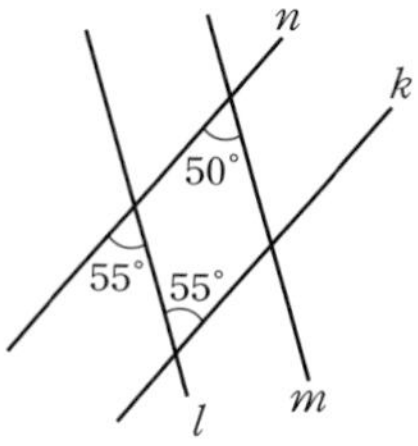

07 대표 문제

다음 보기에서 두 직선 l, m이 서로 평행하지 않은 것을 고르시오.

보기

ㄱ.

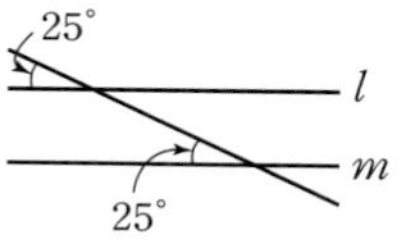

ㄴ.

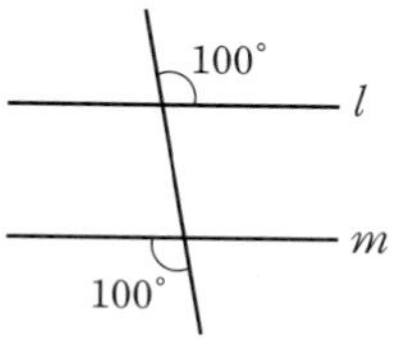

ㄷ.

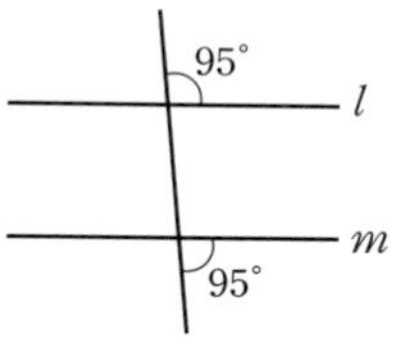

ㄹ.

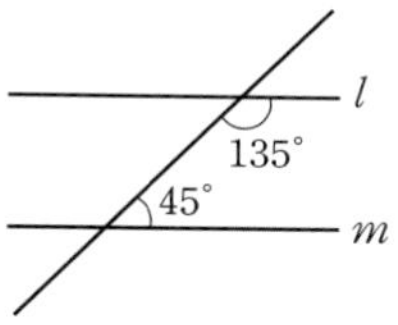

01

오른쪽 그림과 같이 세 직선이 만 날 때, 다음 중에서 옳지 <u>않은</u> 것 은?

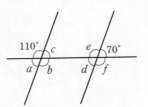

① ∠a의 동위각은 ∠d이다.

② ∠b의 엇각은 ∠e이다.

③ ∠c의 동위각의 크기는 70°이다.

④ ∠d의 엇각의 크기는 110°이다.

⑤ ∠f의 동위각의 크기는 110°이다.

02

다음 그림에서 $l /\!/ m$일 때, ∠x, ∠y의 크기를 구하시오.

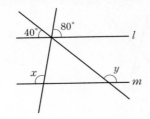

03

오른쪽 그림에서 $l /\!/ m$일 때, ∠x의 크기는?

① 45°   ② 50°

③ 55°   ④ 60°

⑤ 65°

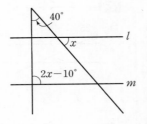

04

오른쪽 그림에서 $l /\!/ m$일 때, ∠x의 크기는?

① 30°   ② 35°

③ 40°   ④ 45°

⑤ 50°

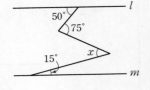

05

오른쪽 그림과 같이 직사각형 모양의 종이를 접었을 때, ∠x의 크기는?

① 65°   ② 70°

③ 75°   ④ 80°

⑤ 85°

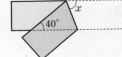

06

다음 보기에서 두 직선 l, m이 서로 평행한 것을 모두 고른 것은?

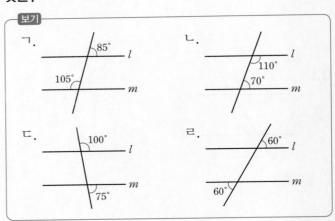

① ㄱ, ㄴ   ② ㄱ, ㄹ   ③ ㄴ, ㄷ

④ ㄴ, ㄹ   ⑤ ㄷ, ㄹ

작도와 합동

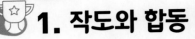

01 길이가 같은 선분의 작도

정답과 풀이 8쪽

(1) 작도: 눈금 없는 자와 컴퍼스만을 사용하여 도형을 그리는 것
  ① 눈금 없는 자: 두 점을 연결하는 선분을 그리거나 선분을 연장할 때 사용
  ② 컴퍼스: 원을 그리거나 선분의 길이를 다른 직선 위로 옮길 때 사용

(2) $\overline{AB}$와 길이가 같은 $\overline{PQ}$의 작도

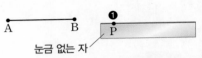 →  →

❶ 직선을 긋고 그 위에 점 P 잡기

❷ $\overline{AB}$의 길이 재기

❸ 점 P가 중심, 반지름의 길이가 $\overline{AB}$인 원 그리기
→ $\overline{PQ}=\overline{AB}$

작도 이해하기

❀ 작도에 대한 다음 설명 중 옳은 것은 ○표, 옳지 않은 것은 ×표를 (　) 안에 써넣으시오.

01 작도할 때는 각도기와 눈금 없는 자를 사용한다.
(　　　)

02 선분을 연장할 때는 눈금 없는 자를 사용한다.
(　　　)

03 원을 그릴 때는 컴퍼스를 사용한다. (　　　)

길이가 같은 선분의 작도

❀ 다음 물음에 답하시오.

04 다음은 선분 AB와 길이가 같은 선분 CD를 작도하는 과정이다.

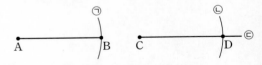

(1) 작도 순서를 바르게 나열하시오.

(2) ㉠, ㉡, ㉢에서 사용한 도구를 각각 쓰시오.

05 다음은 $\overline{AB}$를 점 B의 방향으로 연장하여 $\overline{AC}=2\overline{AB}$인 $\overline{AC}$를 작도하는 과정이다. ☐ 안에 알맞은 것을 써넣으시오.

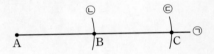

㉠ ☐☐☐☐ 를 사용하여 $\overrightarrow{AB}$를 긋는다.

㉡ ☐☐☐☐ 를 사용하여 $\overline{AB}$의 길이를 잰다.

㉢ 점 B를 중심으로 하고 반지름의 길이가 ☐☐ 인 원을 그려 $\overrightarrow{AB}$와의 교점 중 점 A가 아닌 점을 C라 한다.
→ $\overline{AC}=$ ☐ $\overline{AB}$

06 컴퍼스를 사용하여 수직선 위에 4와 6에 대응하는 점을 작도하시오.

02 크기가 같은 각의 작도

(1) ∠AOB와 크기가 같고 $\overrightarrow{PQ}$를 한 변으로 하는 각의 작도

  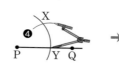

❶ 점 O가 중심인 적당한 원 그리기   ❷ 점 P가 중심이고 반지름의 길이가 $\overline{OC}$인 원 그리기   ❸ $\overline{CD}$의 길이 재기   ❹ 점 Y가 중심이고 반지름의 길이가 $\overline{CD}$인 원 그리기   ❺ $\overrightarrow{PX}$ 긋기

(2) 직선 l 위에 있지 않은 한 점 P를 지나면서 직선 l에 평행한 직선 PR의 작도
동위각의 크기가 서로 같은 두 직선은 평행하다는 성질을 이용한다.

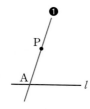 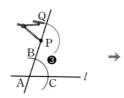 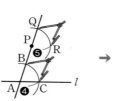

❶ 점 P를 지나는 직선 긋기   ❷ 점 A가 중심인 적당한 원 그리기   ❸ 점 P가 중심이고 반지름의 길이가 $\overline{AB}$인 원 그리기   ❹ $\overline{BC}$의 길이 재기   ❺ 점 Q가 중심이고 반지름의 길이가 $\overline{BC}$인 원 그리기   ❻ $\overrightarrow{PR}$ 긋기

크기가 같은 각의 작도

✛ 다음 그림은 ∠XOY와 크기가 같고 $\overrightarrow{AB}$를 한 변으로 하는 각을 작도하는 과정이다. □ 안에 알맞은 것을 써넣으시오.

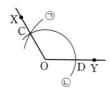 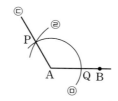

01 작도 순서: ㉡ → □ → □ → □ → □

02 $\overline{OC}=$ □ $=$ □ $=$ □

03 $\overline{CD}=$ □

04 ∠XOY $=$ □

✛ 오른쪽 그림은 직선 l 위에 있지 않은 한 점 P를 지나고 직선 l에 평행한 직선을 작도하는 과정이다. □ 안에 알맞은 것을 써넣으시오.

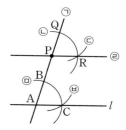

05 작도 순서:
㉠ → □ → □ → □ → □ → □

06 $\overline{AB}=$ □ $=$ □ $=$ □

07 $\overline{BC}=$ □

08 ∠BAC $=$ □

09 l // □

03 삼각형

(1) 삼각형 ABC: 세 점 A, B, C를 꼭짓점으로 하는 삼각형

[기호] △ABC

① 대변: 한 각과 마주 보는 변

→ ∠A의 대변: $\overline{BC}$, ∠B의 대변: $\overline{AC}$, ∠C의 대변: $\overline{AB}$

② 대각: 한 변과 마주 보는 각

→ $\overline{AB}$의 대각: ∠C, $\overline{BC}$의 대각: ∠A, $\overline{AC}$의 대각: ∠B

(2) 삼각형의 세 변의 길이 사이의 관계

삼각형의 두 변의 길이의 합은 나머지 한 변의 길이보다 크다.

→ $a+b>c$, $b+c>a$, $c+a>b$

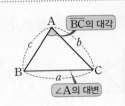

삼각형의 대변과 대각

✖ 오른쪽 그림의 △ABC에 대하여 다음을 구하시오.

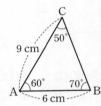

01 ∠B의 대변의 길이

02 ∠C의 대변의 길이

03 $\overline{AB}$의 대각의 크기

04 $\overline{BC}$의 대각의 크기

05 $\overline{AC}$의 대각의 크기

삼각형의 세 변의 길이 사이의 관계

✖ 세 변의 길이가 다음과 같을 때, 삼각형을 만들 수 있는 것은 ○표, 만들 수 없는 것은 ×표를 (   ) 안에 써넣으시오.

🔑 따라하기

삼각형을 만들 수 있는 조건

→ (가장 긴 변의 길이) < (나머지 두 변의 길이의 합)

세 변의 길이	삼각형을 만들 수 있는지 판별하기
3, 5, 6	6 < 3+5 가장 긴 변의 길이 — 나머지 두 변의 길이의 합 → 삼각형을 만들 수 있다.
1, 2, 4	4 > 1+2 → 삼각형을 만들 수 없다.

06 1 cm, 2 cm, 3 cm (   )

07 5 cm, 4 cm, 3 cm (   )

08 10 cm, 11 cm, 6 cm (   )

09 18 cm, 7 cm, 10 cm (   )

❈ 삼각형의 세 변의 길이가 다음과 같을 때, x의 값이 될 수 있는 것을 보기 에서 모두 고르시오.

10 5, x, 11

보기
> ㄱ. 6 ㄴ. 8 ㄷ. 13 ㄹ. 17

Tip 보기 의 수와 5, 11을 비교하여
(가장 긴 변의 길이)<(나머지 두 변의 길이의 합)이 성립하는 것을 모두 찾아본다.

11 x, 3, 7

보기
> ㄱ. 2 ㄴ. 3 ㄷ. 5 ㄹ. 9

12 4, 9, x

보기
> ㄱ. 5 ㄴ. 6 ㄷ. 10 ㄹ. 14

13 8, x, $x+4$

보기
> ㄱ. 1 ㄴ. 2 ㄷ. 4 ㄹ. 9

14 x, $x+2$, $2x$

보기
> ㄱ. 1 ㄴ. 8 ㄷ. 11 ㄹ. 13

❈ 삼각형의 세 변의 길이가 다음과 같을 때, 자연수 x를 모두 구하시오.

3 따라하기

삼각형의 세 변의 길이: 2, x, 5
① 가장 긴 변의 길이가 x일 때
$x<2+5$, $x<7$ ➡ $x=1, 2, 3,$ ④, ⑤, ⑥
② 가장 긴 변의 길이가 5일 때
$5<x+2$, 즉 $x+2>5$ ➡ $x=$④, ⑤, ⑥, 7, $\cdots$
따라서 자연수 x는 ④, ⑤, ⑥
└─ ①, ②를 동시에 만족

15 1, x, 4

16 2, x, 7

17 3, x, 8

18 x, 5, 10

19 대표 문제

삼각형의 세 변의 길이가 9 cm, x cm, 6 cm일 때, 자연수 x의 값의 개수는?

① 8 ② 9 ③ 10
④ 11 ⑤ 12

04 삼각형의 작도 (1): 세 변의 길이가 주어질 때

세 변의 길이가 주어질 때 삼각형을 하나로 작도할 수 있다.

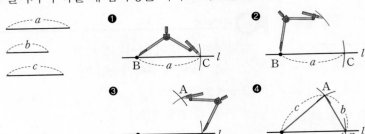

❶ 직선 l을 긋고, 길이가 a 인 $\overline{BC}$ 작도하기

❷ 점 B가 중심이고 반지름 의 길이가 c인 원 그리기

❸ 점 C가 중심이고 반지름 의 길이가 b인 원 그리기

❹ $\overline{AB}$, $\overline{AC}$ 긋기

세 변의 길이가 주어질 때 삼각형의 작도

01 다음 그림은 세 변의 길이 a, b, c가 주어졌을 때, △ABC를 작도하는 과정이다. □ 안에 알맞은 것을 써넣으시오.

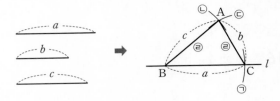

㉠ 직선 l을 긋고 그 위에 길이가 a인 [　] 를 작도한다.

㉡ 점 B를 중심으로 하고 반지름의 길이가 [　] 인 원을 그린다.

㉢ 점 C를 중심으로 하고 반지름의 길이가 [　] 인 원을 그려 ㉡의 원과의 교점을 A라 한다.

㉣ 점 A와 점 B, 점 A와 점 C를 각각 이으면 [　] 가 작도된다.

02 다음 그림은 세 변의 길이 a, b, c가 주어졌을 때, △ABC를 작도하는 과정이다. 작도 순서에 맞게 □ 안에 알맞은 것을 써넣으시오.

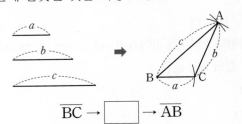

$$\overline{BC} \rightarrow \boxed{} \rightarrow \overline{AB}$$

❖ 다음 물음에 답하시오.

03 오른쪽 그림과 같이 세 변의 길이가 a, b, c인 △ABC를 작도하시오.

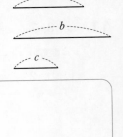

04 오른쪽 그림과 같이 한 변의 길이 가 a인 정삼각형 ABC를 작도하 시오.

05 삼각형의 작도 (2): 두 변의 길이와 그 끼인각의 크기가 주어질 때

정답과 풀이 10쪽

두 변의 길이와 그 끼인각의 크기가 주어질 때 삼각형을 하나로 작도할 수 있다.

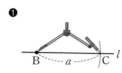
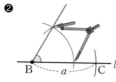
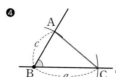

❶ 직선 l을 긋고, 길이가 a 인 $\overline{BC}$ 작도하기

❷ ∠B와 크기가 같은 각 작도하기

❸ 점 B가 중심이고 반지름 의 길이가 c인 원 그리기

❹ $\overline{AC}$ 긋기

❶, ❷의 순서를 바꾸어 작도해도 된다.

두 변의 길이와 그 끼인각의 크기가 주어질 때 삼각형의 작도

01 다음 그림은 두 변의 길이 a, c와 그 끼인각인 ∠B 의 크기가 주어졌을 때, △ABC를 작도하는 과 정이다. □ 안에 알맞은 것을 써넣으시오.

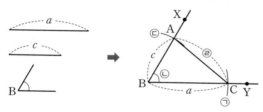

> ㉠ 점 B를 중심으로 하고 반지름의 길이가 □ 인 원을 그려 $\overrightarrow{BY}$와의 교점을 C라 한다.
>
> ㉡ □ 와 크기가 같은 ∠XBY를 작도한다.
>
> ㉢ 점 B를 중심으로 하고 반지름의 길이가 □ 인 원을 그려 $\overrightarrow{BX}$와의 교점을 A라 한다.
>
> ㉣ 점 A와 점 C를 이으면 □ 가 작도된다.

02 다음 그림은 두 변의 길이 a, b와 그 끼인각인 ∠C 의 크기가 주어졌을 때, △ABC를 작도하는 과 정이다. 작도 순서에 맞게 □ 안에 알맞은 것을 써넣으시오.

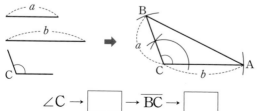

∠C → □ → $\overline{BC}$ → □

✖ **다음 물음에 답하시오.**

03 오른쪽 그림과 같이 두 변의 길이가 a, c이고 그 끼인각이 ∠B인 △ABC를 작도하시 오.

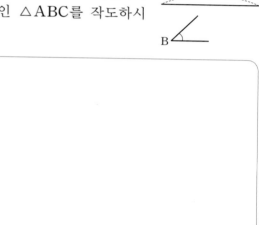

04 오른쪽 그림과 같이 두 변의 길이 가 b로 같고 그 끼인각이 ∠A인 이등변삼각형 ABC를 작도하시 오.

06 삼각형의 작도 (3): 한 변의 길이와 그 양 끝 각의 크기가 주어질 때

한 변의 길이와 그 양 끝 각의 크기가 주어질 때 삼각형을 하나로 작도할 수 있다.

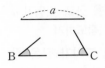 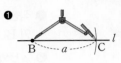 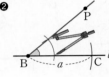 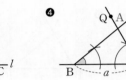

❶ 직선 l을 긋고, 길이가 a인 $\overline{BC}$ 작도하기

❷ ∠B와 크기가 같은 각 작도하기

❸ ∠C와 크기가 같은 각 작도하기

❹ $\overrightarrow{BP}$와 $\overrightarrow{CQ}$의 교점을 A라 하기

❶, ❷의 순서를 바꾸어 작도해도 된다.

한 변의 길이와 그 양 끝 각의 크기가 주어질 때 삼각형의 작도

01 다음 그림은 한 변의 길이 a와 그 양 끝 각인 ∠B, ∠C의 크기가 주어졌을 때, △ABC를 작도하는 과정이다. □ 안에 알맞은 것을 써넣으시오.

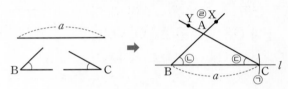

ⓐ 직선 l을 긋고 그 위에 길이가 a인 [ ]를 작도한다.

ⓑ [ ]와 크기가 같은 ∠XBC를 작도한다.

ⓒ ∠C와 크기가 같은 [ ]를 작도한다.

ⓓ $\overrightarrow{BX}$와 $\overrightarrow{CY}$의 교점을 [ ]라 하면 △ABC가 작도된다.

02 다음 그림은 한 변의 길이 c와 그 양 끝 각인 ∠A, ∠B의 크기가 주어졌을 때, △ABC를 작도하는 과정이다. 작도 순서에 맞게 □ 안에 알맞은 것을 써넣으시오.

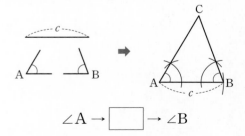

∠A → [ ] → ∠B

✖ **다음 물음에 답하시오.**

03 오른쪽 그림과 같이 한 변의 길이가 a이고 그 양 끝 각이 ∠B, ∠C인 △ABC를 작도하시오.

04 오른쪽 그림과 같이 한 변의 길이가 b이고 그 양 끝 각이 ∠A, ∠C인 △ABC를 작도하시오.

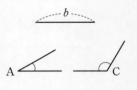

---

07 삼각형이 하나로 정해지는 조건

다음의 세 가지 경우에 삼각형의 모양과 크기가 하나로 정해진다.

(1) 세 변의 길이가 주어질 때
(2) 두 변의 길이와 그 끼인각의 크기가 주어질 때
(3) 한 변의 길이와 그 양 끝 각의 크기가 주어질 때

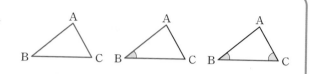

참고 삼각형이 하나로 정해지지 않는 경우

① 가장 긴 변의 길이가 나머지 두 변의 길이의 합보다 크거나 같을 때	② 두 변의 길이와 그 끼인각이 아닌 다른 한 각의 크기가 주어질 때	③ 세 각의 크기가 주어질 때
(예) 1 cm, 2 cm, 3 cm 삼각형이 그려지지 않는다.	(예) 3 cm, 95°, 5 cm 삼각형이 그려지지 않는다.	(예) … 무수히 많은 삼각형이 그려진다.

삼각형이 하나로 정해지는 경우

❀ 다음과 같은 조건이 주어질 때, △ABC가 하나로 정해지는 것은 ○표, 하나로 정해지지 않는 것은 ×표를 ( ) 안에 써넣으시오.

01 $\overline{AB}=4$ cm, $\overline{BC}=7$ cm, $\overline{CA}=5$ cm
( )

02 $\overline{AB}=6$ cm, $\overline{BC}=16$ cm, $\overline{CA}=10$ cm
( )

03 $\overline{AB}=8$ cm, ∠B=30°, ∠C=80° ( )

04 $\overline{AB}=9$ cm, $\overline{BC}=12$ cm, ∠A=90°
( )

05 ∠A=45°, ∠B=65°, ∠C=70° ( )

삼각형이 하나로 정해지기 위해 필요한 조건

❀ 오른쪽 그림과 같은 △ABC에 대하여 다음과 같은 조건이 주어질 때, △ABC가 하나로 정해지기 위해 추가로 필요한 한 가지 조건을 보기에서 모두 고르시오.

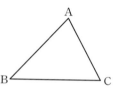

보기
ㄱ. $\overline{AB}$의 길이   ㄴ. $\overline{BC}$의 길이
ㄷ. $\overline{CA}$의 길이   ㄹ. ∠A의 크기
ㅁ. ∠B의 크기   ㅂ. ∠C의 크기

06 $\overline{AB}$, $\overline{BC}$의 길이

07 $\overline{BC}$의 길이, ∠B의 크기

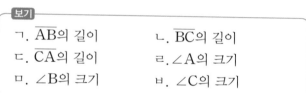

08 대표 문제 👈

△ABC에서 $\overline{AC}=10$ cm일 때, 다음 중 삼각형이 하나로 정해지지 <u>않는</u> 것을 모두 고르면? (정답 2개)

① $\overline{AB}=6$ cm, $\overline{BC}=4$ cm
② $\overline{AB}=7$ cm, $\overline{BC}=8$ cm
③ $\overline{AB}=7$ cm, ∠A=35°
④ $\overline{BC}=11$ cm, ∠B=70°
⑤ ∠A=50°, ∠B=55°

08 합동

(1) **합동:** △ABC와 △DEF가 서로 합동일 때, 기호로 △ABC≡△DEF와 같이 나타낸다.

　　참고 모양과 크기가 같아서 완전히 포개어지는 두 도형을 서로 합동이라 한다.

(2) **대응:** 합동인 두 도형에서 서로 포개어지는 꼭짓점과 꼭짓점, 변과 변, 각과 각은 서로 대응한다고 한다.

　　① 대응점: 서로 대응하는 꼭짓점

　　② 대응변: 서로 대응하는 변

　　③ 대응각: 서로 대응하는 각

(3) **합동인 도형의 성질:** 두 도형이 서로 합동이면

　　① 대응변의 길이는 서로 같다.　　　② 대응각의 크기는 서로 같다.

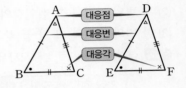

도형의 합동

✖ **다음 두 도형이 항상 합동인 것은 ○표, 합동이 아닌 것은 ×표를 ( ) 안에 써넣으시오.**

01 반지름의 길이가 같은 두 원　　　(　　)

02 둘레의 길이가 같은 두 마름모　　(　　)

03 넓이가 같은 두 직사각형　　　　(　　)

✖ **아래 그림에서 □ABCD≡□EFGH일 때, 다음을 구하시오.**

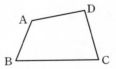

04 꼭짓점 A의 대응점

05 $\overline{BC}$의 대응변

06 ∠G의 대응각

합동인 도형의 성질

✖ **아래 그림에서 △ABC≡△DFE일 때, 다음을 구하시오.**

ε **따라하기**

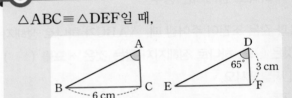

△ABC≡△DEF일 때,

→ $\overline{AC}=\overline{DF}=3$ cm, $\overline{EF}=\overline{BC}=6$ cm,

　∠A＝∠D＝65°

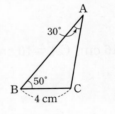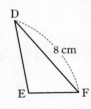

07 $\overline{AB}$의 길이

08 $\overline{EF}$의 길이

09 ∠D의 크기

10 ∠E의 크기

09 삼각형의 합동 조건

정답과 풀이 11쪽

두 삼각형 ABC와 DEF는 다음 각 경우에 서로 합동이다.

(1) 대응하는 세 변의 길이가 각각 같을 때 (SSS 합동)
→ $\overline{AB}=\overline{DE}$, $\overline{BC}=\overline{EF}$, $\overline{AC}=\overline{DF}$

(2) 대응하는 두 변의 길이가 각각 같고, 그 끼인각의 크기가 같을 때 (SAS 합동)
→ $\overline{AB}=\overline{DE}$, $\overline{BC}=\overline{EF}$, $\angle B=\angle E$

(3) 대응하는 한 변의 길이가 같고, 그 양 끝 각의 크기가 각각 같을 때 (ASA 합동)
→ $\overline{BC}=\overline{EF}$, $\angle B=\angle E$, $\angle C=\angle F$

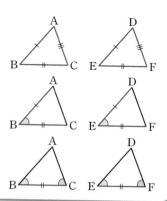

삼각형의 합동 조건 구하기

 다음 그림과 같은 두 삼각형이 서로 합동일 때, ☐ 안에 알맞은 것을 써넣으시오.

ᴇ 따라하기

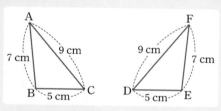

$\overline{AB}=\overline{FE}$, $\overline{BC}=\overline{ED}$, $\overline{CA}=\overline{DF}$
Ⓢ   Ⓢ   Ⓢ
→ △ABC≡△FED (SSS 합동)

01

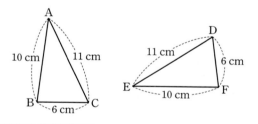

$\overline{AB}=$ ☐, $\overline{BC}=$ ☐, $\overline{CA}=$ ☐

이므로 △ABC≡ ☐ (☐ 합동)

02

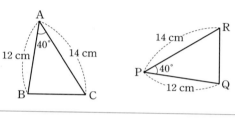

$\overline{AB}=$ ☐, $\angle A=$ ☐, $\overline{AC}=$ ☐

이므로 △ABC≡ ☐ (☐ 합동)

03

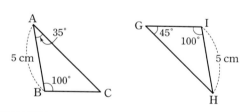

△GHI에서 ∠H= ☐ °

∠A= ☐, $\overline{AB}=$ ☐, ∠B= ☐,

이므로 △ABC≡ ☐ (☐ 합동)

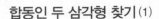

합동인 두 삼각형 찾기 (1)

✤ 다음 보기의 삼각형 중 합동인 삼각형을 찾아 기호로 나타내고, 그때의 합동 조건을 말하려고 한다. ☐ 안에 알맞은 것을 써넣으시오.

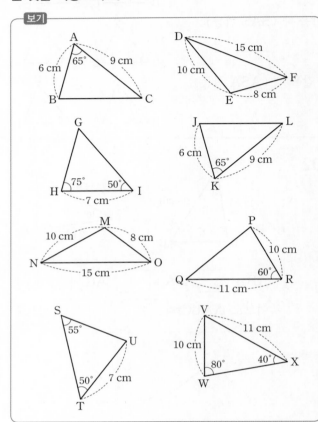

보기

04 △ABC≡ ☐ (☐ 합동)

05 △DEF≡ ☐ (☐ 합동)

06 △GHI≡ ☐ (☐ 합동)

07 △PQR≡ ☐ (☐ 합동)

조건이 주어진 두 삼각형이 합동인지 아닌지 판별하기

✤ 다음 조건이 △ABC와 △DEF가 합동이 되도록 하면 ○표, 합동이 되도록 하지 않으면 ×표를 ( ) 안에 써넣으시오.

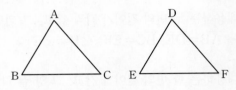

08 $\overline{AB}=\overline{DE}$, $\overline{BC}=\overline{EF}$, $\overline{CA}=\overline{FD}$ ( )

09 $\overline{AB}=\overline{DE}$, $\overline{BC}=\overline{EF}$, $\angle A=\angle D$ ( )

10 $\angle A=\angle D$, $\angle B=\angle E$, $\angle C=\angle F$ ( )

11 $\overline{AC}=\overline{DF}$, $\overline{BC}=\overline{EF}$, $\angle C=\angle F$ ( )

12 $\overline{BC}=\overline{EF}$, $\angle A=\angle D$, $\angle C=\angle F$ ( )

13 대표 문제 ☞

다음 중에서 오른쪽 그림의 삼각형과 합동인 삼각형은?

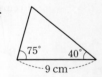

①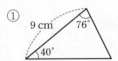

②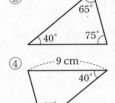

③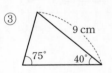

④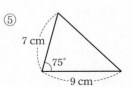

⑤

합동인 두 삼각형 찾기 (2)

� 다음 그림에서 합동인 삼각형을 찾아 기호를 사용하여 나타내고, 그때의 합동 조건을 말하시오.

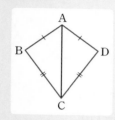

△ABC와 △ADC에서
$\overline{AB}=\overline{AD}$, $\overline{BC}=\overline{DC}$,
  S   S
$\overline{AC}$는 공통
  S
→ △ABC≡△ADC
(SSS 합동)

14
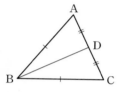

$\overline{AB}=\overline{BC}$, $\overline{AD}=\overline{CD}$

15
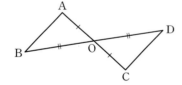

$\overline{AO}=\overline{CO}$,
$\overline{BO}=\overline{DO}$

16
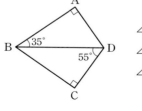

$\angle A = \angle D = 90°$,
$\angle ABD = 35°$,
$\angle BDC = 55°$

두 삼각형이 합동이 되기 위해 더 필요한 조건

✁ 다음 그림에서 한 가지 조건을 추가하여 △ABC≡△DEF가 되도록 할 때, 추가해야 할 조건과 그때의 합동 조건을 모두 말하려고 한다. ☐ 안에 알맞은 것을 써넣으시오.

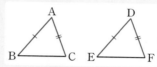

$\overline{AB}=\overline{DE}$, $\overline{AC}=\overline{DF}$

①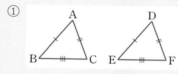

$\overline{BC}=\overline{EF}$이면
△ABC≡△DEF
(SSS 합동)

②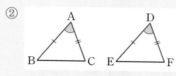

$\angle A = \angle D$이면
△ABC≡△DEF
(SAS 합동)

17
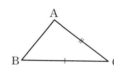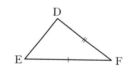

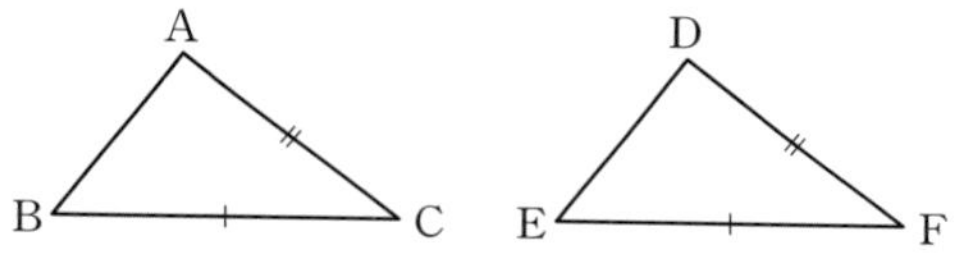

$\overline{AC}=\overline{DF}$, $\overline{BC}=\overline{EF}$

	추가할 조건	합동 조건
(1)	$\overline{AB}=$ ☐	☐ 합동
(2)	$\angle C=$ ☐	☐ 합동

18
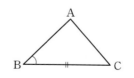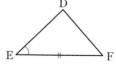

$\overline{BC}=\overline{EF}$, $\angle B = \angle E$

	추가할 조건	합동 조건
(1)	$\overline{AB}=$ ☐	☐ 합동
(2)	$\angle A=$ ☐	☐ 합동
(3)	$\angle C=$ ☐	☐ 합동

01

오른쪽 그림은 직선 l 위에 있지 않은 한 점 P를 지나고 직선 l과 평행한 직선 m을 작도한 것이다. 다음 보기 에서 어떤 성질을 이용한 것인지 고르시오.

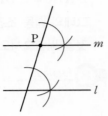

보기

ㄱ. 맞꼭지각의 크기는 서로 같다.
ㄴ. 엇각의 크기가 서로 같은 두 직선은 평행하다.
ㄷ. 동위각의 크기가 서로 같은 두 직선은 평행하다.
ㄹ. 한 직선에 수직인 두 직선은 서로 평행하다.

02

다음 중 삼각형의 세 변의 길이가 될 수 없는 것은?

① 3 cm, 3 cm, 3 cm

② 4 cm, 7 cm, 8 cm

③ 5 cm, 4 cm, 7 cm

④ 10 cm, 15 cm, 10 cm

⑤ 8 cm, 13 cm, 21 cm

03

오른쪽 그림과 같이 $\overline{AB}$의 길이와 ∠A, ∠B의 크기가 주어질 때, △ABC를 작도하려고 한다. 다음 중 작도 순서가 옳지 않은 것을 모두 고르면? (정답 2개)

① ∠A → ∠B → $\overline{AB}$

② ∠A → $\overline{AB}$ → ∠B

③ ∠B → $\overline{AB}$ → ∠A

④ $\overline{AB}$ → ∠A → ∠B

⑤ $\overline{BC}$ → ∠A → ∠B

04

아래 그림에서 두 사각형 ABCD, EFGH가 서로 합동일 때, 다음 중 옳지 않은 것을 모두 고르면? (정답 2개)

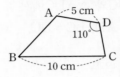 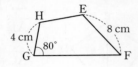

① $\overline{AB}$=8 cm

② $\overline{GF}$=10 cm

③ ∠B=80°

④ ∠H=110°

⑤ 사각형 ABCD의 둘레의 길이는 28 cm이다.

05

오른쪽 그림과 같은 직사각형 ABCD에서 점 M이 $\overline{BC}$의 중점일 때, △ABM과 합동인 삼각형을 찾고, 그때의 합동 조건을 말하시오.

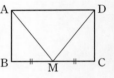

06

오른쪽 그림에서 $\overline{AB}$=$\overline{DE}$, ∠C=∠F일 때, 다음 중 △ABC≡△DEF가 되기 위해 필요한 나머지 한 조건을 모두 고르면? (정답 2개)

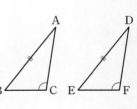

① $\overline{AC}$=$\overline{DF}$　　② $\overline{BC}$=$\overline{EF}$　　③ $\overline{AC}$=$\overline{EF}$

④ ∠A=∠D　　⑤ ∠B=∠E

다각형

01 다각형

정답과 풀이 12쪽

다각형: 3개 이상의 선분으로 둘러싸인 평면도형
(1) 변: 다각형을 이루는 선분
(2) 꼭짓점: 변과 변이 만나는 점
(3) 내각: 다각형에서 이웃하는 두 변으로 이루어진 내부의 각
(4) 외각: 다각형의 각 꼭짓점에서 한 변과 그 변에 이웃한 변의 연장선이 이루는 각

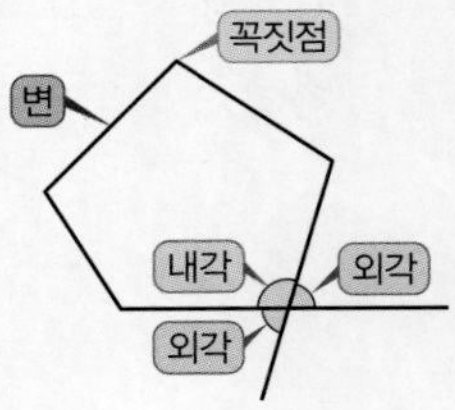

참고 ① 다각형에서 한 내각에 대한 외각은 2개이지만 맞꼭지각의 크기가 서로 같으므로 한 개만 생각한다.
② 다각형의 한 꼭짓점에서 내각의 크기와 외각의 크기의 합은 180°이다.

다각형 판별하기

다음 도형이 다각형이면 ○표, 다각형이 아니면 ×표를 (　) 안에 써넣으시오.

01

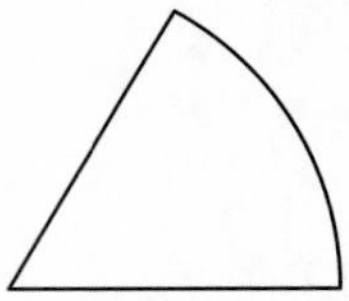

(　　　)

02

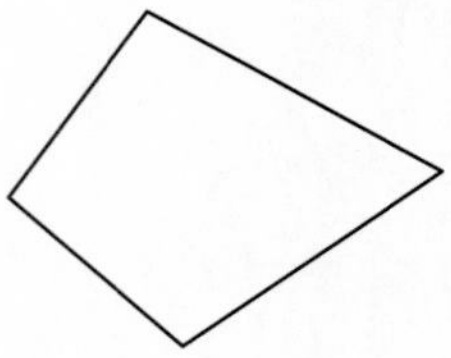

(　　　)

03

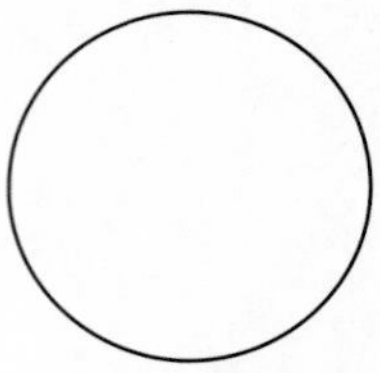

(　　　)

04

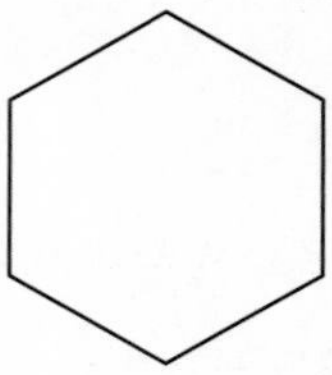

(　　　)

05

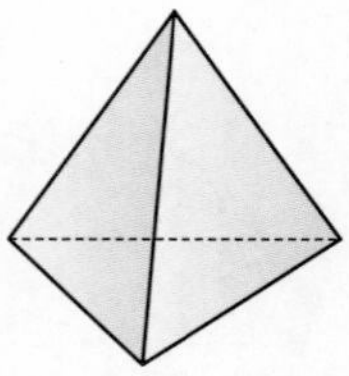

(　　　)

다각형의 구성 요소

주어진 다각형을 보고 다음을 각각 구하시오.

06

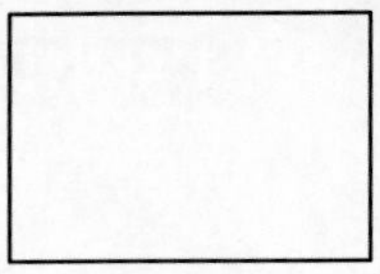

(1) 다각형의 이름
(2) 변의 개수
(3) 꼭짓점의 개수
(4) 내각의 개수

07

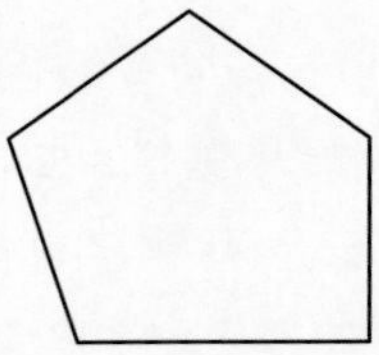

(1) 다각형의 이름
(2) 변의 개수
(3) 꼭짓점의 개수
(4) 내각의 개수

08

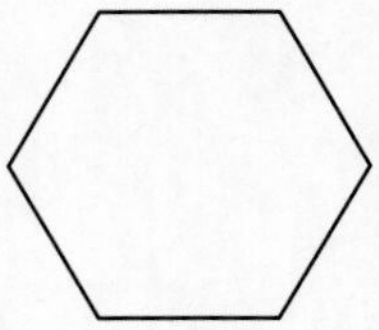

(1) 다각형의 이름
(2) 변의 개수
(3) 꼭짓점의 개수
(4) 내각의 개수

09

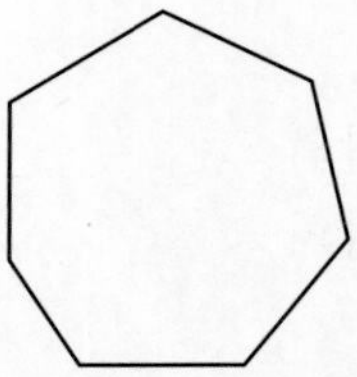

(1) 다각형의 이름
(2) 변의 개수
(3) 꼭짓점의 개수
(4) 내각의 개수

다각형의 내각과 외각

✤ 오른쪽 그림과 같은 사각형 ABCD에서 다음을 구하시오.

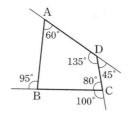

10 ∠A의 내각의 크기

11 ∠B의 외각의 크기

12 ∠C의 내각의 크기

13 ∠D의 외각의 크기

✤ 다음 다각형의 꼭짓점 A에서의 내각과 외각의 크기를 각각 구하시오.

① ∠A의 내각의 크기: 50°

② ∠A의 외각의 크기:
<u>50°</u>+∠x=180°이므로
<small>(내각의 크기)+(외각의 크기)=180°</small>
∠x=180°−50°=130°

14

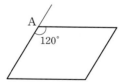

내각의 크기: _____
외각의 크기: _____

15

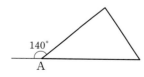

내각의 크기: _____
외각의 크기: _____

16

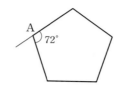

내각의 크기: _____
외각의 크기: _____

17

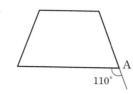

내각의 크기: _____
외각의 크기: _____

18

내각의 크기: _____
외각의 크기: _____

19

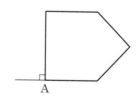

내각의 크기: _____
외각의 크기: _____

20 대표 문제

다음 중에서 다각형에 대한 설명으로 옳지 <u>않은</u> 것은?

① 3개 이상의 선분으로 둘러싸인 평면도형이다.

② 다각형을 이루는 선분을 변이라 한다.

③ 변과 변이 만나는 점을 꼭짓점이라 한다.

④ 변의 개수와 꼭짓점의 개수는 같다.

⑤ 한 꼭짓점에서 내각의 크기와 외각의 크기의 합은 360°이다.

02 정다각형

정다각형: 모든 변의 길이가 같고 모든 내각의 크기가 같은 다각형

정삼각형

정사각형

정오각형

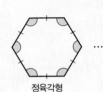
정육각형

...

참고 ① 모든 변의 길이가 같다고 해서 항상 정다각형은 아니다. → 예 마름모
② 모든 내각의 크기가 같다고 해서 항상 정다각형은 아니다. → 예 직사각형

조건을 만족시키는 다각형 구하기

❈ 다음 조건을 모두 만족시키는 다각형을 구하시오.

01
(가) 모든 변의 길이가 같다.
(나) 모든 내각의 크기가 같다.
(다) 5개의 선분으로 둘러싸여 있다.

02
(가) 모든 변의 길이가 같다.
(나) 모든 내각의 크기가 같다.
(다) 꼭짓점이 8개이다.

03
(가) 모든 변의 길이가 같고 모든 내각의 크기가 같다.
(나) 6개의 내각을 가지고 있다.

04
(가) 모든 변의 길이가 같고 모든 내각의 크기가 같다.
(나) 변의 개수와 꼭짓점의 개수의 합이 18이다.

정다각형의 성질

❈ 다음 중에서 옳은 것은 ○표, 옳지 않은 것은 ×표를 ( ) 안에 써넣으시오.

05 정다각형은 모든 변의 길이가 같다. ( )

06 모든 변의 길이가 같은 다각형은 정다각형이다.
( )

07 정다각형은 모든 내각의 크기가 같다.
( )

08 모든 내각의 크기가 같은 다각형은 정다각형이다.
( )

09 세 변의 길이가 같은 삼각형은 정삼각형이다.
( )

10 대표 문제

다음 ☐ 안에 알맞은 말을 써넣으시오.

(1) 정다각형은 모든 ☐ 의 길이가 같고 모든 ☐ 의 크기가 같은 다각형이다.

(2) 꼭짓점이 10개인 정다각형은 ☐ 이다.

03 다각형의 대각선

정답과 풀이 13쪽

(1) **대각선:** 다각형에서 서로 이웃하지 않는 두 꼭짓점을 이은 선분

(2) **다각형의 대각선의 개수**

① n각형의 한 꼭짓점에서 그을 수 있는 대각선의 개수 → $n-3$ (단, $n \geq 4$)

② n각형의 대각선의 개수 → $\dfrac{n(n-3)}{2}$

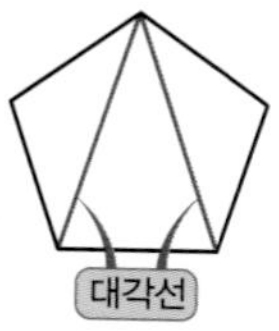

한 꼭짓점에서 그을 수 있는 대각선의 개수 구하기

다음 다각형의 한 꼭짓점에서 그을 수 있는 대각선의 개수를 구하시오.

따라하기

오각형의 한 꼭짓점에서 그을 수 있는 대각선의 개수
→ $5-3=2$

01

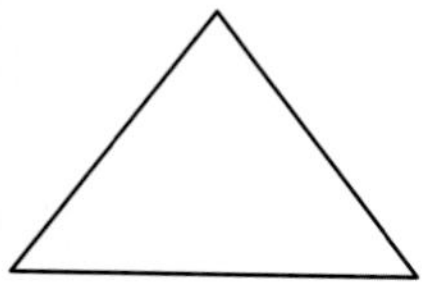

02

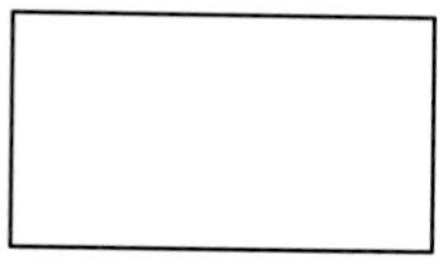

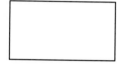

03 육각형

04 팔각형

05 십각형

06 십삼각형

한 꼭짓점에서 그을 수 있는 대각선의 개수가 주어질 때, 다각형 구하기

한 꼭짓점에서 그을 수 있는 대각선의 개수가 다음과 같은 다각형을 구하시오.

따라하기

한 꼭짓점에서 그을 수 있는 대각선의 개수가 2인 다각형
→ 구하는 다각형을 n각형이라 하면
$n-3=2$에서 $n=5$
따라서 구하는 다각형은 오각형이다.

07 4

08 6

09 8

10 12

11 14

12 17

대각선의 개수 구하기

✖ 다음 다각형의 대각선의 개수를 구하시오.

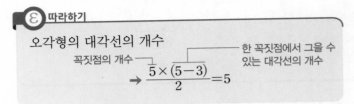

③ 따라하기

오각형의 대각선의 개수

꼭짓점의 개수 ─┐   ┌─ 한 꼭짓점에서 그을 수 있는 대각선의 개수

$$\rightarrow \frac{5 \times (5-3)}{2} = 5$$

13 사각형

14 칠각형

15 구각형

16 십이각형

17 십사각형

18 십육각형

19 십구각형

20 이십각형

대각선의 개수가 주어질 때, 다각형 구하기

✖ 대각선의 개수가 다음과 같은 다각형을 구하시오.

③ 따라하기

대각선의 개수가 9인 다각형

→ 구하는 다각형을 n각형이라 하면

$$\frac{n(n-3)}{2} = 9 \text{에서}$$

$n(n-3) = 18 = 6 \times 3$이므로 $n=6$

따라서 구하는 다각형은 육각형이다.

21 20

22 35

23 44

24 90

25 135

26 대표 문제 👈

한 꼭짓점에서 그을 수 있는 대각선의 개수가 10인 다각형의 대각선의 개수는?

① 35   ② 54   ③ 65

④ 77   ⑤ 90

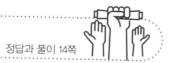
01

다음 중에서 다각형인 것은?

① 　② 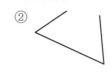　③

④ 　⑤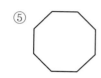

02

오른쪽 그림에서
$\angle x + \angle y$의 크기는?

① 170°　　② 175°

③ 180°　　④ 185°

⑤ 190°

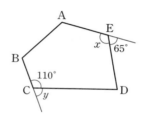

03

다음 중에서 옳지 <u>않은</u> 것을 모두 고르면? (정답 2개)

① 정다각형은 모든 내각의 크기가 같다.

② 모든 변의 길이가 같은 다각형은 정다각형이다.

③ 세 내각의 크기가 같은 삼각형은 정삼각형이다.

④ 네 변의 길이가 같은 사각형은 정사각형이다.

⑤ 정다각형의 변의 개수와 꼭짓점의 개수는 같다.

04

한 꼭짓점에서 그을 수 있는 대각선의 개수가 7인 다각형의 변의 개수를 a, 꼭짓점의 개수를 b라 할 때, $a+b$의 값은?

① 16　　　② 18　　　③ 20

④ 22　　　⑤ 24

05

십오각형의 한 꼭짓점에서 그을 수 있는 대각선의 개수를 a, 대각선의 개수를 b라 할 때, $b-a$의 값을 구하시오.

06

다음 조건을 모두 만족시키는 다각형을 구하시오.

> (가) 모든 변의 길이가 같고 모든 내각의 크기가 같다.
> (나) 대각선의 개수가 20이다.

2. 다각형의 내각과 외각의 크기

01 삼각형의 내각의 크기의 합

정답과 풀이 15쪽

삼각형의 세 내각의 크기의 합은 $180°$이다.

→ $\triangle ABC$에서 $\angle A + \angle B + \angle C = 180°$

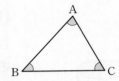

삼각형의 세 내각의 크기의 합

❋ 다음 그림에서 $\angle x$의 크기를 구하시오.

③ 따라하기

삼각형의 세 내각의 크기의 합은 $180°$이므로

$70° + \angle x + 55° = 180°$

→ $\angle x = 180° - (70° + 55°)$
$= 55°$

01

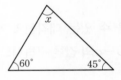

02

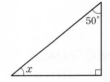

03

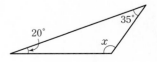

04

05

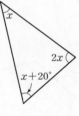

06

07

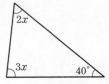

삼각형의 세 내각의 크기의 합을 이용하여 각의 크기 구하기

❊ 다음 그림에서 ∠x의 크기를 구하시오.

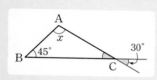

∠ACB=30°← 맞꼭지각의 크기는 서로 같다.

삼각형의 세 내각의 크기의 합은 180°이므로

∠x+45°+30°=180°

➔ ∠x=105°

08

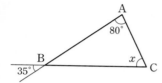

09

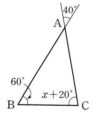

10

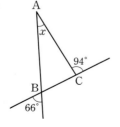

삼각형의 세 내각의 크기의 비가 주어질 때 내각의 크기 구하기

❊ 삼각형의 세 내각의 크기의 비가 다음과 같을 때, 세 내각의 크기를 각각 구하시오.

삼각형의 세 내각의 크기의 비가 1 : 2 : 3

➔ 세 내각의 크기: ∠x, 2∠x, 3∠x

∠x+2∠x+3∠x=180°

6∠x=180°, ∠x=30°

➔ 세 내각의 크기: 30°, 60°, 90°
　　　　　　　　∠x　2∠x　3∠x

11　2 : 3 : 4

12　1 : 1 : 3

13　3 : 4 : 5

14　4 : 5 : 9

15 대표 문제

삼각형의 세 내각의 크기의 비가 1 : 3 : 5일 때, 가장 큰 내각의 크기는?

① 60°　　　　② 70°　　　　③ 80°

④ 90°　　　　⑤ 100°

02 삼각형의 내각과 외각의 관계

정답과 풀이 15쪽

삼각형의 한 외각의 크기는 그와 이웃하지 않는 두 내각의 크기의 합과 같다.
→ △ABC에서 $\angle ACD = \angle A + \angle B$

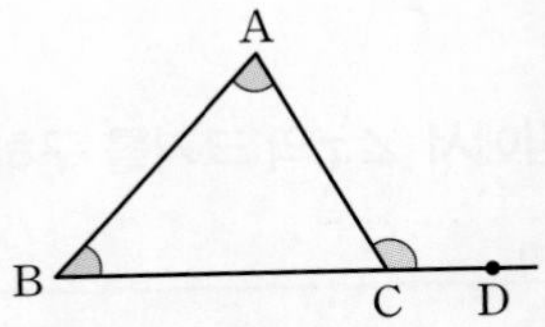

삼각형의 내각과 외각의 관계

다음 그림에서 $\angle x$의 크기를 구하시오.

ε 따라하기

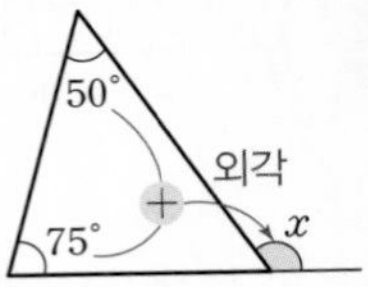

$\angle x = 50^\circ + 75^\circ = 125^\circ$

01

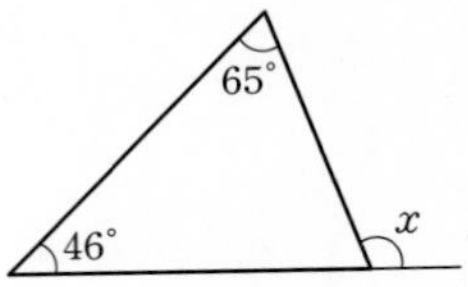

02

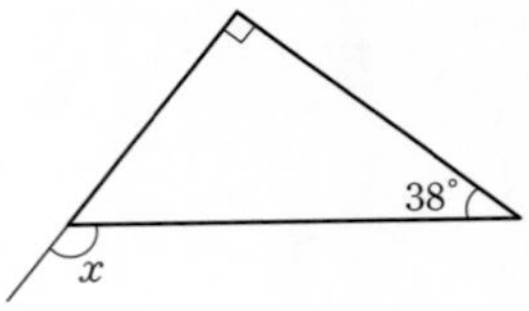

03

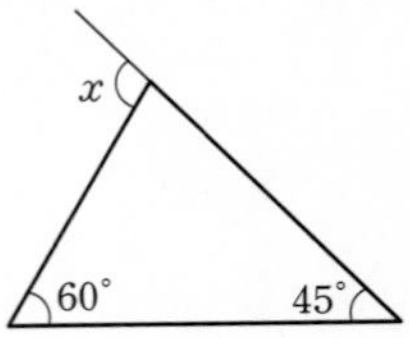

04

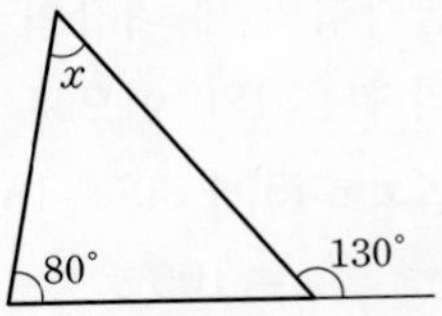

05

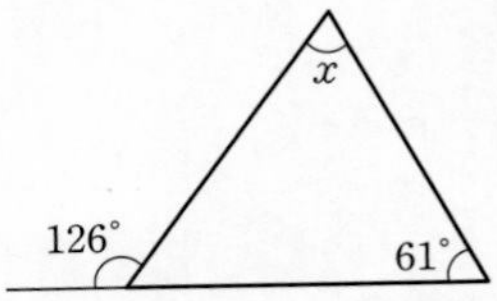

06

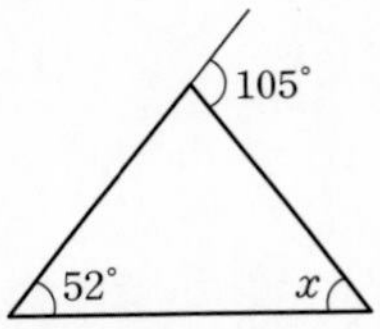

07

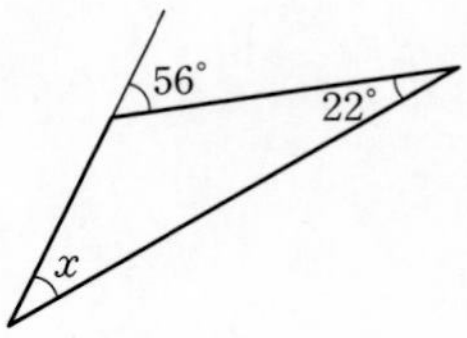

08

$2x+50°$ $3x$

09

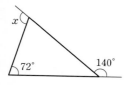

x

$72°$ $140°$

10

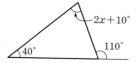

$2x+10°$

$40°$ $110°$

11

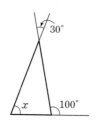

$30°$

x $100°$

12

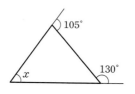

$105°$

x $130°$

삼각형의 내각과 외각의 관계의 활용: 이등변삼각형

❈ 다음 그림에서 ∠x의 크기를 구하시오.

❸ 따라하기

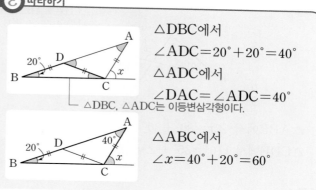

△DBC에서
∠ADC＝20°＋20°＝40°
△ADC에서
∠DAC＝∠ADC＝40°
└─ △DBC, △ADC는 이등변삼각형이다.

△ABC에서
∠x＝40°＋20°＝60°

13

A x

$115°$

B C

14

A

D

B $27°$ x
C

15

A

D

B x $105°$
C

16

A

D

B x $117°$
C

삼각형의 내각과 외각의 관계의 활용 : 나비 모양

❖ 다음 그림에서 ∠x, ∠y의 크기를 각각 구하시오.

Ɛ 따라하기

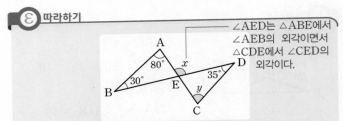

∠AED는 △ABE에서
∠AEB의 외각이면서
△CDE에서 ∠CED의
외각이다.

△ABE에서 ∠x = 80° + 30° = 110°

△CDE에서 110° = 35° + ∠y이므로 ∠y = 75°

17

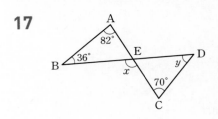

18

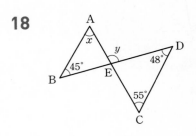

19

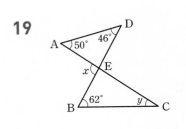

삼각형의 내각과 외각의 관계의 활용 : 내각의 이등분선

❖ 다음 그림에서 ∠x의 크기를 구하시오.

Ɛ 따라하기

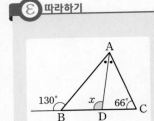

△ABC에서
∠BAC = 130° − 66° = 64°

∠DAC = $\frac{1}{2}$∠BAC
       = $\frac{1}{2}$ × 64° = 32°

△ADC에서
∠x = 32° + 66° = 98°

20

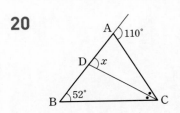

21

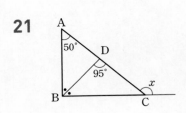

22

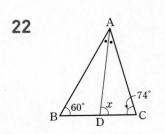

삼각형의 내각과 외각의 관계의 활용: 별(☆) 모양

❈ 아래 그림에서 다음을 구하시오.

③ 따라하기

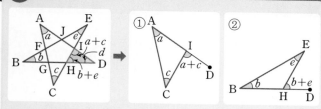

① △ACI에서 ∠CID=∠a+∠c ┐ 삼각형의 내각과
② △BHE에서 ∠EHD=∠b+∠e ┘ 외각의 관계
→ △HDI에서
$(∠a+∠c)+(∠b+∠e)+∠d=180°$ ┐
$∠a+∠b+∠c+∠d+∠e=180°$ ┘ 세 내각의 크기의 합

23 ∠x의 크기

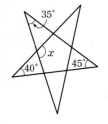

24 ∠x의 크기

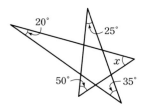

25 ∠a+∠b+∠c+∠d의 크기

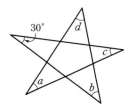

삼각형의 내각과 외각의 관계의 활용: 외각의 이등분선

❈ 다음 그림에서 ∠x의 크기를 구하시오.

③ 따라하기

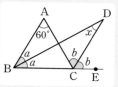

①
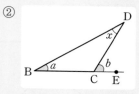
△ABC에서
$2∠b=2∠a+60°$
$∠b=∠a+30°$

②
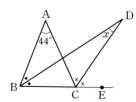
△DBC에서
$∠b=∠x+∠a$

따라서 ∠x+∠a=∠a+30°이므로
∠x=30°

26
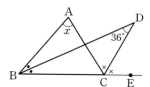

27
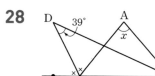

28

03 다각형의 내각의 크기의 합

(1) n각형의 한 꼭짓점에서 대각선을 모두 그으면 $(n-2)$개의 삼각형으로 나뉜다.

(2) n각형의 내각의 크기의 합은 $180° \times (n-2)$

다각형	삼각형	사각형	...	n각형
삼각형의 개수	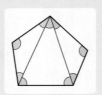 1	2	...	$n-2$
내각의 크기의 합	$180° \times 1 = 180°$	$180° \times 2 = 360°$	...	$180° \times (n-2)$

다각형의 내각의 크기의 합

✖ 다음 다각형의 내각의 크기의 합을 구하시오.

 따라하기

오각형의 내각의 크기의 합
→ $180° \times (5-2) = 540°$
└─ 삼각형의 개수
└── 삼각형의 세 내각의 크기의 합

01 육각형

02 팔각형

03 십각형

04 십이각형

05 십팔각형

내각의 크기의 합이 주어질 때, 다각형 구하기

✖ 내각의 크기의 합이 다음과 같은 다각형을 구하시오.

ε 따라하기

내각의 크기의 합이 900°인 다각형 구하기
① 구하는 다각형을 n각형으로 놓기
② n각형의 내각의 크기의 합을 이용하여 식 세우고 풀기
→ $180° \times (n-2) = 900°$ ── n각형의 내각의 크기의 합
$n-2=5, n=7$
③ 구하는 다각형은 칠각형이다.

06 1260°

07 1620°

08 1980°

09 2340°

10 3240°

다각형의 내각의 크기의 합을 이용하여 각의 크기 구하기

❋ 다음 그림에서 ∠x의 크기를 구하시오.

③ 따라하기

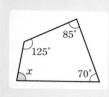

사각형의 내각의 크기의 합은
$180° \times (4-2) = 360°$이므로
└─ n각형의 내각의 크기의 합
➜ $180° \times (n-2)$
$125° + ∠x + 70° + 85° = 360°$
➜ ∠$x = 80°$

11

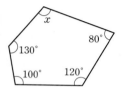

12

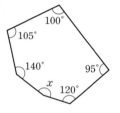

13

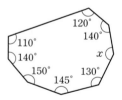

14

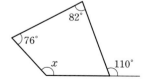

15

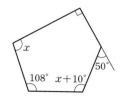

16

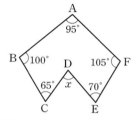

Tip $\overline{CE}$를 그은 후 삼각형과 오각형의 내각의 크기의 합을 이용한다.

17

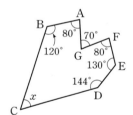

Tip $\overline{AF}$를 그은 후 삼각형과 육각형의 내각의 크기의 합을 이용한다.

18 대표 문제

한 꼭짓점에서 그을 수 있는 대각선의 개수가 11인 다각형의 내각의 크기의 합은?

① 1800° 　② 1980° 　③ 2160°

④ 2340° 　⑤ 2520°

04 다각형의 외각의 크기의 합

다각형의 외각의 크기의 합은 항상 360°이다.

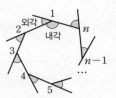

참고 n각형의 한 꼭짓점에서 내각과 외각의 크기의 합은 180°이므로

(내각의 크기의 합)+(외각의 크기의 합)=$180° \times n$

➡ (외각의 크기의 합)=$180° \times n-$(내각의 크기의 합)

$\qquad = 180° \times n-180° \times (n-2)$

$\qquad = 180° \times n-180° \times n+360°$

$\qquad = 360°$

다각형의 외각의 크기의 합

✿ 다음 다각형의 외각의 크기의 합을 구하시오.

01 사각형

02 육각형

03 구각형

다각형의 외각의 크기의 합을 이용하여 각의 크기 구하기

✿ 다음 그림에서 ∠x의 크기를 구하시오.

ⓔ 따라하기

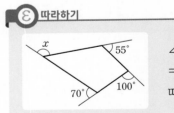

$\angle x+70°+100°+55°$

$=\underline{360°}$ ← 사각형의 외각의 크기의 합

따라서 ∠$x=135°$

04

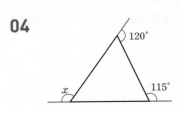

05

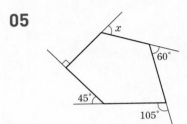

06

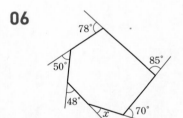

07

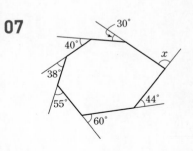

08

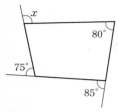

Tip 다각형의 한 꼭짓점에서 내각의 크기와 외각의 크기의 합은
180°임을 이용하여 내각의 크기가 주어진 각의 외각의 크기를
구한다.

09

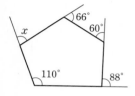

10

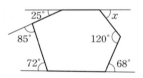

11

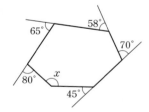

12

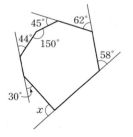

13

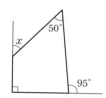

14

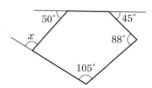

15

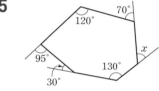

16

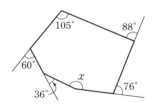

17 대표 문제

오른쪽 그림에서
$$\angle a + \angle b + \angle c + \angle d + \angle e$$
의 크기는?

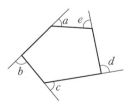

① $180°$ 　　② $270°$

③ $360°$ 　　④ $540°$

⑤ $720°$

05 정다각형의 한 내각과 한 외각의 크기

정답과 풀이 19쪽

(1) (정n각형의 한 내각의 크기)

$= \dfrac{(정n각형의 \; 내각의 \; 크기의 \; 합)}{n}$

$= \dfrac{180° \times (n-2)}{n}$

(2) (정n각형의 한 외각의 크기)

$= \dfrac{(정n각형의 \; 외각의 \; 크기의 \; 합)}{n}$

$= \dfrac{360°}{n}$

정다각형의 한 내각의 크기

✖ 다음 정다각형의 한 내각의 크기를 구하시오.

 따라하기

(정사각형의 한 내각의 크기)

$= \dfrac{180° \times (4-2)}{4} = 90°$ ← 내각의 크기의 합

정사각형은 네 내각의 크기가
같으므로 4로 나눈다.

01 정오각형

02 정구각형

03 정십이각형

04 정십팔각형

한 내각의 크기가 주어진 정다각형 구하기

✖ 한 내각의 크기가 다음과 같은 정다각형을 구하시오.

Ɛ 따라하기

한 내각의 크기가 120°인 정다각형 구하기

① 구하는 정다각형을 정n각형으로 놓기

② 정n각형의 한 내각의 크기를 이용하여 식 세우고
풀기
정n각형의 한 내각의 크기

→ $\dfrac{180° \times (n-2)}{n} = 120°$에서

$180° \times (n-2) = 120° \times n$, $n=6$

③ 구하는 정다각형은 정육각형이다.

05 135°

06 144°

07 156°

08 162°

정다각형의 한 외각의 크기

�ख **다음 정다각형의 한 외각의 크기를 구하시오.**

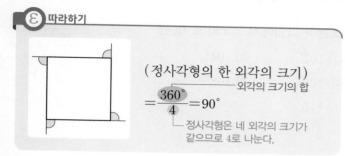

ε 따라하기

(정사각형의 한 외각의 크기) ── 외각의 크기의 합
$=\dfrac{360°}{4}=90°$
└─ 정사각형은 네 외각의 크기가 같으므로 4로 나눈다.

09 정육각형

10 정구각형

11 정십이각형

12 정십팔각형

13 정이십각형

한 외각의 크기가 주어진 정다각형 구하기

✖ **한 외각의 크기가 다음과 같은 정다각형을 구하시오.**

ε 따라하기

한 외각의 크기가 72°인 정다각형 구하기
① 구하는 정다각형을 **정n각형**으로 놓기
② 정n각형의 한 외각의 크기를 이용하여 식 세우고 풀기 ── 정n각형의 한 외각의 크기
→ $\dfrac{360°}{n}=72°$에서 $n=5$
③ 구하는 정다각형은 정오각형이다.

14 45°

15 36°

16 24°

17 12°

(18) 대표 문제 👆

한 내각의 크기와 한 외각의 크기의 비가 2 : 1인 정다각형은?

① 정오각형　　② 정육각형　　③ 정팔각형
④ 정구각형　　⑤ 정십각형

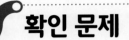

01

오른쪽 그림에서 ∠x의 크기
는?

① 50° ② 52°

③ 54° ④ 56°

⑤ 58°

02

오른쪽 그림에서 ∠x의 크기
는?

① 60° ② 65°

③ 70° ④ 75°

⑤ 80°

03

다음 중 내각의 크기의 합이 1440°인 다각형의 대각선의
개수는?

① 20 ② 27 ③ 35

④ 44 ⑤ 54

04

오른쪽 그림에서 ∠x의 크기는?

① 102° ② 104°

③ 106° ④ 108°

⑤ 110°

05

다음 중 한 외각의 크기가 둔각인 정다각형은?

① 정삼각형 ② 정사각형 ③ 정오각형

④ 정육각형 ⑤ 정팔각형

06

한 꼭짓점에서 대각선을 모두 그으면 7개의 삼각형이 생
기는 정다각형의 한 내각의 크기는?

① 72° ② 120° ③ 135°

④ 140° ⑤ 144°

원과 부채꼴

1. 원과 부채꼴

01 원과 부채꼴

정답과 풀이 21쪽

(1) **원**: 평면 위의 한 점 O로부터 일정한 거리에 있는 모든 점으로 이루어진 도형
(2) **호** AB($\widehat{AB}$): 원 위의 두 점 A, B를 양 끝 점으로 하는 원의 일부분
(3) **현** CD($\overline{CD}$): 원 위의 두 점 C, D를 이은 선분
(4) **할선**: 원 위의 두 점을 지나는 직선
(5) **부채꼴** AOB: 원 O에서 두 반지름 OA, OB와 호 AB로 이루어진 도형
(6) **중심각**: 부채꼴 AOB에서 두 반지름 OA, OB가 이루는 각, 즉 ∠AOB를 부채꼴 AOB의 중심각 또는 호 AB에 대한 중심각이라 한다.
(7) **활꼴**: 원에서 현 CD와 호 CD로 이루어진 도형

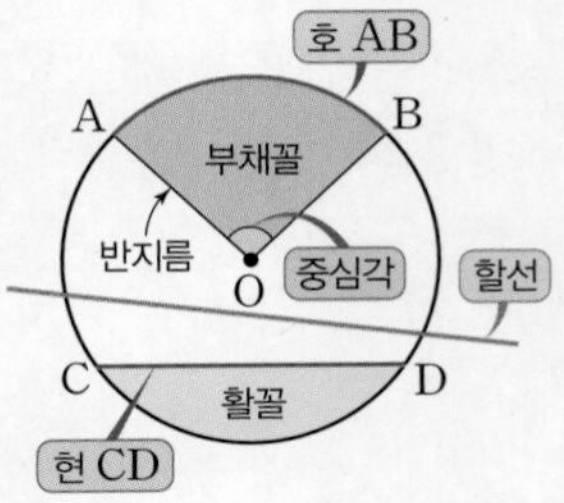

참고 원의 중심을 지나는 현은 그 원의 지름이고, 원에서 지름은 길이가 가장 긴 현이다.

원과 부채꼴의 용어 알기

다음을 원 O 위에 나타내시오.

01 호 AB

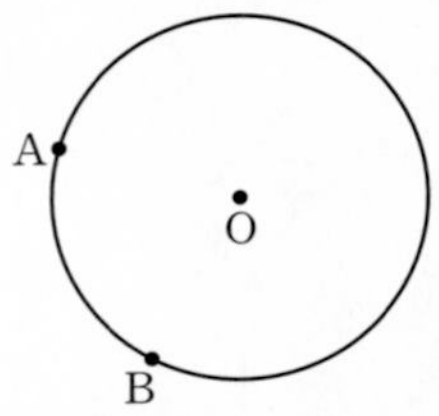

Tip 호 AB는 보통 길이가 짧은 쪽의 호를 나타낸다.

02 현 AB

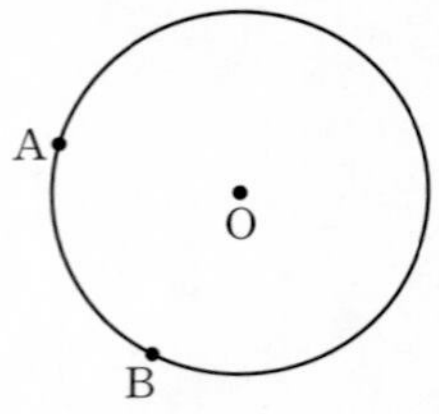

03 부채꼴 AOB

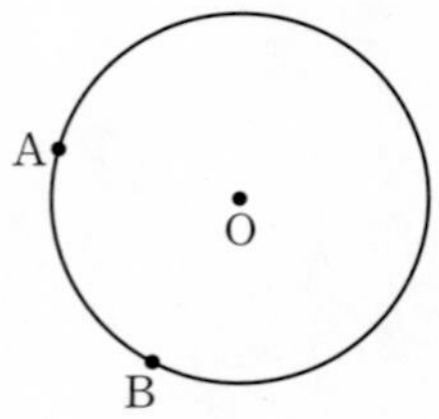

04 호 AB와 현 AB로 이루어진 활꼴

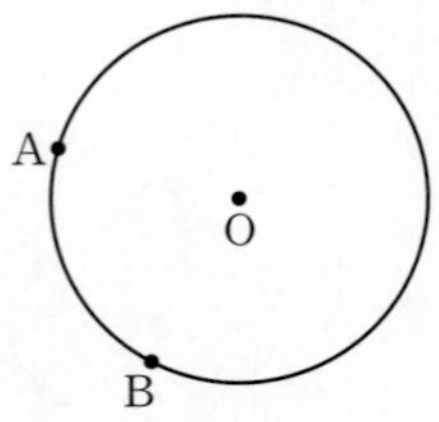

오른쪽 그림의 원 O에 대하여 다음을 기호로 나타내시오.

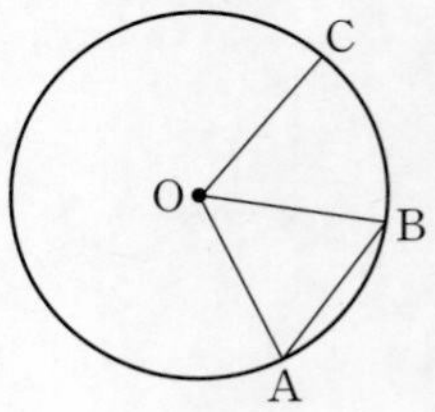

05 ∠AOB에 대한 현

06 ∠BOC에 대한 호

07 부채꼴 BOC의 중심각

다음 중에서 옳은 것은 ○표, 옳지 않은 것은 ×표를 (　　) 안에 써넣으시오.

08 호는 원 위의 두 점을 이은 선분이다. (　　　)

09 원의 현 중에서 길이가 가장 긴 것은 반지름이다. (　　　)

10 반원은 활꼴이지만 부채꼴은 아니다. (　　　)

11 한 원에서 부채꼴이 활꼴과 같을 때, 중심각의 크기는 180°이다. (　　　)

02 부채꼴의 중심각의 크기와 호의 길이

정답과 풀이 21쪽

한 원에서
(1) 중심각의 크기가 같은 두 부채꼴의 호의 길이는 같다.
(2) 호의 길이가 같은 두 부채꼴의 중심각의 크기는 같다.
(3) 부채꼴의 호의 길이는 중심각의 크기에 정비례한다.

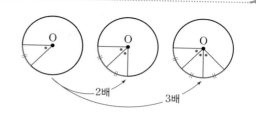

2배   3배

중심각의 크기와 호의 길이

✿ 다음 그림의 원 O에서 x의 값을 구하시오.

따라하기

$25:100=3:x$이므로
$x=12$ ┗ 부채꼴의 호의 길이는
중심각의 크기에
정비례한다.

3 cm 25° 100° x cm

01

O 65° 2 cm
130°
x cm

02

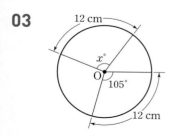

x cm
70°
70° O
5 cm

03

12 cm
$x°$
O
105°
12 cm

04

14 cm
30° $x°$
O
7 cm

05

20 cm
27° O
x cm

06

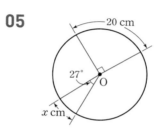

16 cm
120°
O
$x°$
6 cm

07 대표 문제

오른쪽 그림의 원 O에서 x, y
의 값을 각각 구하면?

① $x=12$, $y=45$

② $x=12$, $y=50$

③ $x=16$, $y=50$

④ $x=16$, $y=60$

⑤ $x=20$, $y=60$

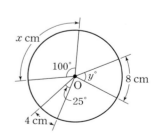

x cm
100°
O $y°$
25° 8 cm
4 cm

호의 길이의 비가 주어질 때 중심각의 크기 구하기

호의 길이의 비가 다음과 같을 때, $\angle x$의 크기를 구하시오.

ε 따라하기

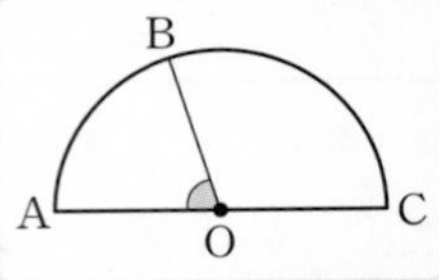

$\overset{\frown}{AB} : \overset{\frown}{BC} = 2 : 3$이면

$\angle AOB = 180° \times \dfrac{2}{2+3}$

$= 180° \times \dfrac{2}{5} = 72°$

$\angle AOB : \angle BOC = \overset{\frown}{AB} : \overset{\frown}{BC} = 2 : 3$

08 $\overset{\frown}{AB} : \overset{\frown}{BC} = 1 : 3$

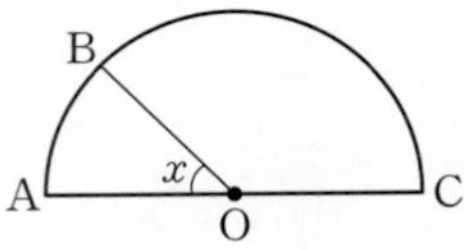

09 $\overset{\frown}{AB} : \overset{\frown}{BC} = 2 : 7$

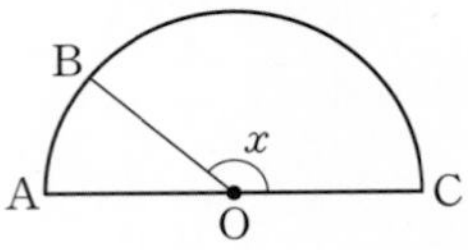

10 $\overset{\frown}{AB} : \overset{\frown}{BC} : \overset{\frown}{CA} = 1 : 2 : 3$

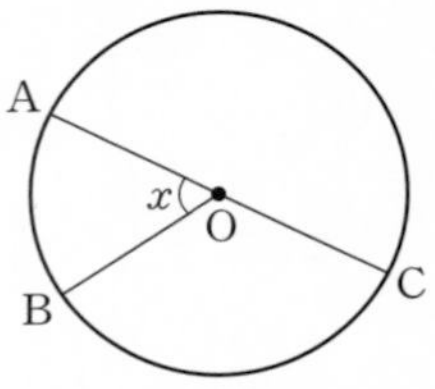

Tip $\angle AOB + \angle BOC + \angle COA = 360°$임을 이용한다.

11 $\overset{\frown}{AB} : \overset{\frown}{BC} : \overset{\frown}{CA} = 3 : 7 : 5$

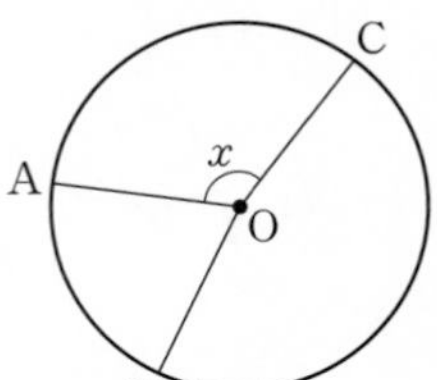

평행선이 주어질 때 중심각의 크기 구하기

다음 그림의 반원 O에서 x의 값을 구하시오.

ε 따라하기

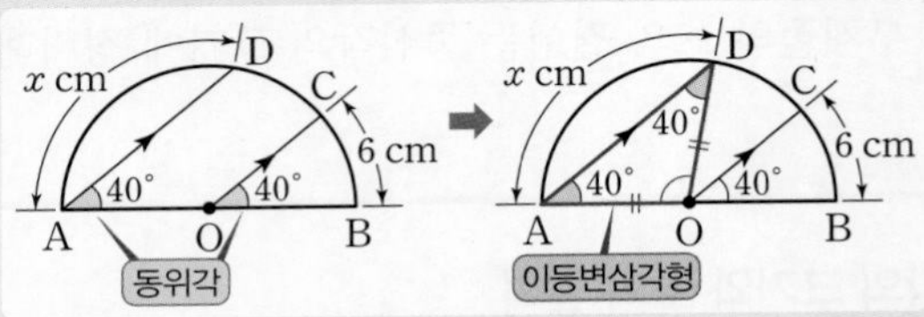

$\overline{AD} /\!/ \overline{OC}$이므로 $\angle DAO = \angle COB = 40°$ (동위각)

$\overline{OD}$를 그으면 $\angle ODA = \angle OAD = 40°$이므로

$\angle AOD = 180° - (40° + 40°) = 100°$

$\overline{OA} = \overline{OD}$이므로 $\triangle AOD$는 이등변삼각형

따라서 $100 : 40 = x : 6$, $x = 15$

12

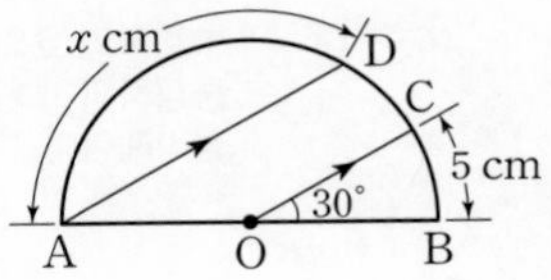

13

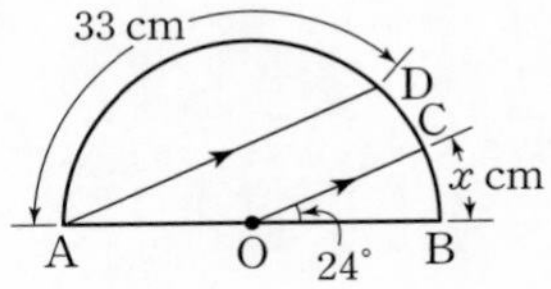

14

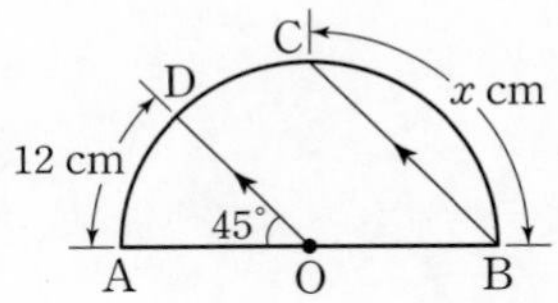

15

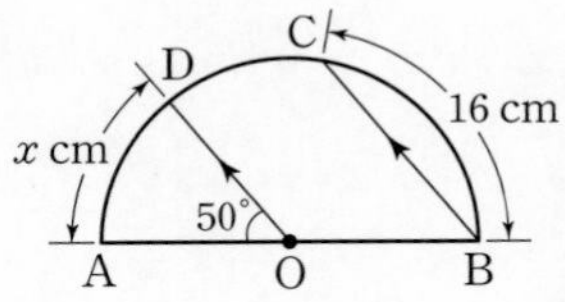

03 부채꼴의 중심각의 크기와 넓이

정답과 풀이 21쪽

한 원에서

(1) 중심각의 크기가 같은 두 부채꼴의 넓이는 같다.

(2) 넓이가 같은 두 부채꼴의 중심각의 크기는 같다.

(3) 부채꼴의 넓이는 중심각의 크기에 정비례한다.

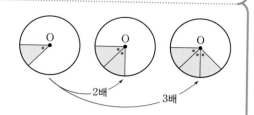

중심각의 크기와 부채꼴의 넓이

✖ 다음 그림의 원 O에서 x의 값을 구하시오.

01

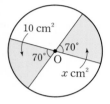

02

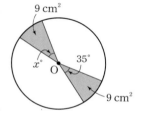

03

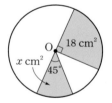

Tip 부채꼴의 넓이는 중심각의 크기에 정비례함을 이용한다.

04

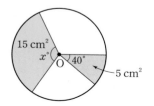

중심각의 크기의 비가 주어질 때 부채꼴의 넓이 구하기

✖ 중심각의 크기의 비가 다음과 같을 때, x의 값을 구하시오.

ε 따라하기

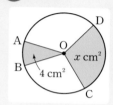

$\angle AOB : \angle COD = 1 : 3$이면

$4 : x = 1 : 3$이므로

$x = 12$ ← 부채꼴의 넓이는 중심각의 크기에 정비례한다.

05 $\angle AOB : \angle COD = 1 : 2$

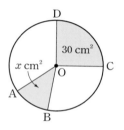

06 $\angle AOB : \angle COD = 3 : 2$

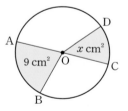

07 $\angle AOB : \angle COD = 2 : 5$

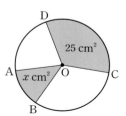

04 부채꼴의 중심각의 크기와 현의 길이

한 원에서
(1) 중심각의 크기가 같은 두 현의 길이는 같다.
(2) 길이가 같은 두 현에 대한 중심각의 크기는 같다.
(3) 현의 길이는 중심각의 크기에 정비례하지 않는다.

중심각의 크기와 현의 길이

✖ 다음 그림의 원 O에서 x의 값을 구하시오.

01

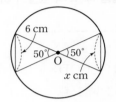

02

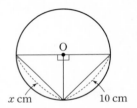

03

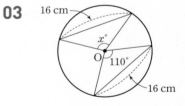

04

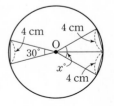

✖ 오른쪽 그림의 원 O에서 $\angle AOB = \angle BOC = \angle DOE$일 때, 다음 중에서 옳은 것은 ○표, 옳지 않은 것은 ×표를 (   ) 안에 써넣으시오.

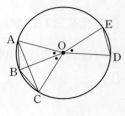

05 $\overline{AB} = \overline{BC}$ (   )

06 $\overline{BC} = \overline{DE}$ (   )

07 $\overline{AC} = 2\overline{DE}$ (   )

08 (△AOC의 넓이) = 2 × (△DOE의 넓이) (   )

09 대표 문제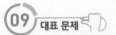

오른쪽 그림의 원 O에서 $\angle AOB = 2\angle COD$일 때, 다음 중에서 옳은 것을 모두 고르면?

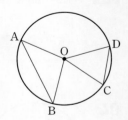

① $\overline{CD} = \overline{OC}$
② $\overline{AB} = 2\overline{CD}$
③ $\widehat{AB} = 2\widehat{CD}$
④ (△AOB의 넓이) = 2 × (△COD의 넓이)
⑤ (부채꼴 AOB의 넓이) = 2 × (부채꼴 COD의 넓이)

01

오른쪽 그림의 원 O에 대하여 다음 중에서 옳지 않은 것은?

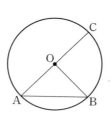

① $\overline{AB}$는 현이다.

② $\overparen{BC}$는 호이다.

③ $\overline{AC}$는 길이가 가장 긴 현이다.

④ ∠AOB는 $\overparen{AB}$에 대한 중심각이다.

⑤ $\overparen{AB}$와 $\overline{AB}$로 둘러싸인 도형은 부채꼴이다.

02

오른쪽 그림의 원 O에서 $x+y$의 값을 구하시오.

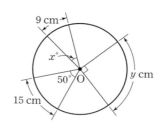

03

오른쪽 그림의 원 O에서 $\overline{AC}$는 지름이고, $\overparen{AB} : \overparen{BC} = 5 : 7$일 때, ∠AOB의 크기를 구하시오.

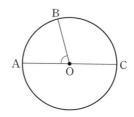

04

오른쪽 그림의 반원 O에서 $\overline{AB} /\!/ \overline{CD}$이고 ∠BOD=30°, $\overparen{BD}$=6 cm일 때, $\overparen{CD}$의 길이를 구하시오.

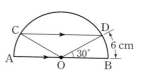

05

오른쪽 그림의 원 O에서 부채꼴 AOB의 넓이가 14 cm²일 때, 원 O의 넓이는?

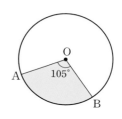

① 40 cm²　　② 44 cm²

③ 48 cm²　　④ 52 cm²

⑤ 56 cm²

06

오른쪽 그림의 원 O에서 ∠AOB=80°, ∠COD=60°, ∠DOE=20°일 때, 다음 중에서 옳지 않은 것을 모두 고르면?

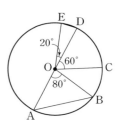

① $\overparen{AB} = 4\overparen{DE}$

② $\overparen{CD} = 3\overparen{DE}$

③ $\overparen{DE} = \dfrac{1}{4}\overparen{AB}$

④ (△AOB의 넓이)=4×(△DOE의 넓이)

⑤ (부채꼴 COD의 넓이)=3×(부채꼴 DOE의 넓이)

2. 원과 부채꼴의 호의 길이와 넓이

01 원의 둘레의 길이와 넓이

정답과 풀이 22쪽

(1) **원주율:** 원에서 원의 지름의 길이에 대한 둘레의 길이의 비율, 원주율은 기호 π로 나타내고 '파이'라 읽는다.

$$(\text{원주율})=\frac{(\text{원의 둘레의 길이})}{(\text{원의 지름의 길이})}=\pi$$

참고 ① 원주율 π는 원의 크기에 관계없이 항상 일정하다.
② 실제 값은 $\pi=3.141592\cdots$로 소수점 아래의 숫자가 불규칙하게 한없이 계속되는 수이다.

(2) **원의 둘레의 길이와 넓이**

반지름의 길이가 r인 원의 둘레의 길이를 l, 넓이를 S라 하면

① $l=2\times(\text{반지름의 길이})\times(\text{원주율})=2\pi r$

② $S=(\text{반지름의 길이})\times(\text{반지름의 길이})\times(\text{원주율})=\pi r^2$

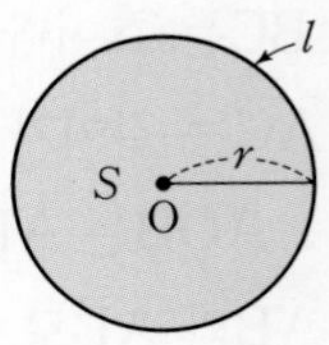

예 반지름의 길이가 3 cm인 원의 둘레의 길이 l과 넓이 S는

① $l=2\pi\times3=6\pi(\text{cm})$ ② $S=\pi\times3^2=9\pi(\text{cm}^2)$

원의 둘레의 길이

다음 원의 둘레의 길이를 구하시오.

01

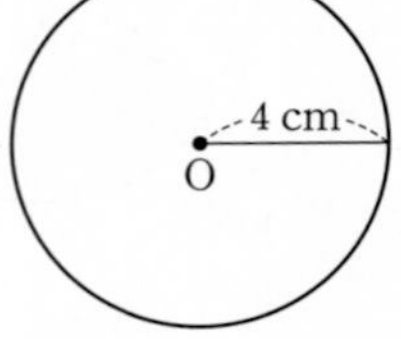

02

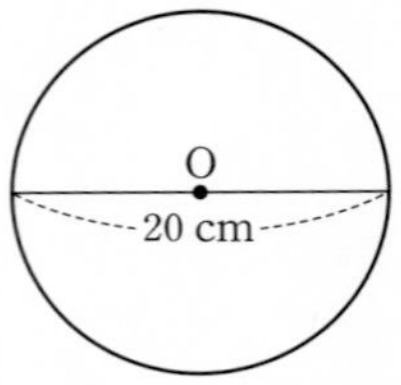

03 반지름의 길이가 7 cm인 원

04 반지름의 길이가 11 cm인 원

05 지름의 길이가 30 cm인 원

둘레의 길이가 주어진 원의 반지름의 길이

둘레의 길이가 다음과 같은 원의 반지름의 길이를 구하시오.

ε 따라하기

둘레의 길이가 10π cm인 원

→ 반지름의 길이를 r cm라 하면

$2\pi r=10\pi$, $r=5$ ─ (원의 둘레의 길이)$=2\pi r$

따라서 원의 반지름의 길이는 5 cm이다.

06 12π cm

07 26π cm

08 34π cm

09 40π cm

원의 넓이

❖ 다음 원의 넓이를 구하시오.

10

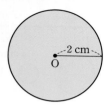

11

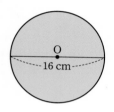

12 반지름의 길이가 9 cm인 원

13 지름의 길이가 40 cm인 원

넓이가 주어진 원의 반지름의 길이

❖ 넓이가 다음과 같은 원의 반지름의 길이를 구하시오.

3 따라하기

넓이가 9π cm²인 원

→ 반지름의 길이를 r cm라 하면

$\pi r^2 = 9\pi$, $r^2 = 9$ ——— (원의 넓이)$=\pi r^2$

$r > 0$이므로 $r = 3$

따라서 원의 반지름의 길이는 3 cm이다.

14 25π cm²

15 49π cm²

16 100π cm²

17 144π cm²

넓이가 주어진 원의 둘레의 길이

❖ 넓이가 다음과 같은 원의 둘레의 길이를 구하시오.

18 π cm²

Tip 원의 반지름의 길이 r를 구한 후 원의 둘레의 길이는 $2\pi r$임을 이용한다.

19 36π cm²

20 225π cm²

21 900π cm²

22 대표 문제

둘레의 길이가 18π **cm**인 원의 넓이는?

① 36π cm² ② 49π cm² ③ 64π cm²

④ 81π cm² ⑤ 100π cm²

원의 색칠한 부분의 둘레의 길이

❀ 다음 그림에서 색칠한 부분의 둘레의 길이를 구하시오.

3 따라하기

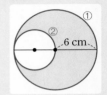

$$(색칠한 부분의 둘레의 길이)$$
$$= \underset{①}{2\pi \times 6} + \underset{②}{2\pi \times 3}$$
$$= 18\pi \, (\text{cm})$$

23

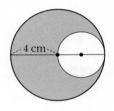

24

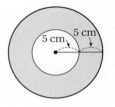

25

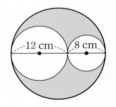

26

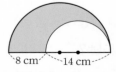

Tip 색칠한 부분의 둘레의 길이는 곡선 부분과 직선 부분의 길이를 모두 더한다.

원의 색칠한 부분의 넓이

❀ 다음 그림에서 색칠한 부분의 넓이를 구하시오.

3 따라하기

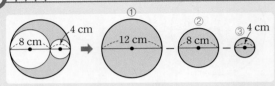

$$(색칠한 부분의 넓이) = \underset{①}{\pi \times 6^2} - \underset{②}{\pi \times 4^2} - \underset{③}{\pi \times 2^2}$$
$$= 16\pi \, (\text{cm}^2)$$

27

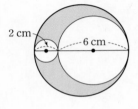

28

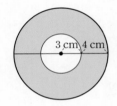

29

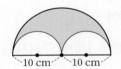

30 대표 문제

오른쪽 그림에서 색칠한 부분의 둘레의
길이와 넓이를 차례로 구하면?

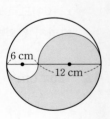

① 12π cm, 27π cm^2

② 15π cm, 36π cm^2

③ 18π cm, 54π cm^2

④ 18π cm, 63π cm^2

⑤ 24π cm, 63π cm^2

02 부채꼴의 호의 길이와 넓이

정답과 풀이 23쪽

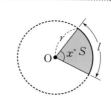

반지름의 길이가 r, 중심각의 크기가 $x°$인 부채꼴의 호의 길이를 l, 넓이를 S라 하면

(1) $l = 2\pi r \times \dfrac{x}{360}$ ── 호의 길이가 주어진 경우

(2) $S = \pi r^2 \times \dfrac{x}{360} = \dfrac{1}{2}rl$

└ 중심각의 크기가 주어진 경우

부채꼴의 호의 길이

❖ 다음 부채꼴의 호의 길이를 구하시오.

 따라하기

반지름의 길이가 3 cm이고 중심각의 크기가 60°인 부채꼴의 호의 길이는

→ $2\pi \times 3 \times \dfrac{60}{360} = \pi \,(\text{cm})$ ← $2\pi r \times \dfrac{x}{360}$에 $r=3$, $x=60$을 대입

01 반지름의 길이가 12 cm, 중심각의 크기가 45°

02 반지름의 길이가 6 cm, 중심각의 크기가 150°

03
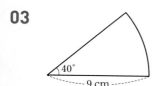

04
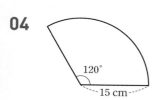

05
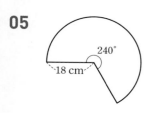

부채꼴의 넓이

❖ 다음 부채꼴의 넓이를 구하시오.

따라하기

반지름의 길이가 3 cm이고 중심각의 크기가 120°인 부채꼴의 넓이는

→ $\pi \times 3^2 \times \dfrac{120}{360} = 3\pi \,(\text{cm}^2)$ ← $\pi r^2 \times \dfrac{x}{360}$에 $r=3$, $x=120$을 대입

06 반지름의 길이가 10 cm, 중심각의 크기가 36°

07 반지름의 길이가 8 cm, 중심각의 크기가 270°

08
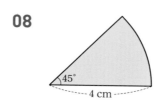

09
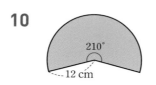

10

호의 길이가 주어진 부채꼴의 중심각의 크기 구하기

❈ 반지름의 길이와 호의 길이가 다음과 같은 부채꼴의 중심각의 크기를 구하시오.

3 따라하기

반지름의 길이가 9 cm, 호의 길이가 2π cm
→ 부채꼴의 중심각의 크기를 $x°$라 하면
$$2\pi \times 9 \times \frac{x}{360} = 2\pi,\ x = 40 \quad \substack{\text{(부채꼴의 호의 길이)} \\ = 2\pi r \times \frac{x}{360}}$$
따라서 부채꼴의 중심각의 크기는 40°이다.

11 반지름의 길이가 6 cm, 호의 길이가 4π cm

12 반지름의 길이가 14 cm, 호의 길이가 7π cm

13 반지름의 길이가 15 cm, 호의 길이가 6π cm

14
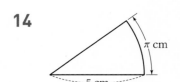
π cm, 5 cm

15
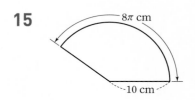
8π cm, 10 cm

호의 길이가 주어진 부채꼴의 반지름의 길이 구하기

❈ 중심각의 크기와 호의 길이가 다음과 같은 부채꼴의 반지름의 길이를 구하시오.

3 따라하기

중심각의 크기가 45°, 호의 길이가 π cm
→ 부채꼴의 반지름의 길이를 r cm라 하면
$$2\pi r \times \frac{45}{360} = \pi,\ r = 4 \quad \substack{\text{(부채꼴의 호의 길이)} \\ = 2\pi r \times \frac{x}{360}}$$
따라서 부채꼴의 반지름의 길이는 4 cm이다.

16 중심각의 크기가 75°, 호의 길이가 5π cm

17 중심각의 크기가 160°, 호의 길이가 8π cm

18
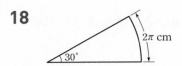
2π cm, 30°

19
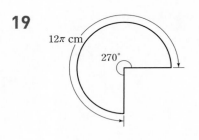
12π cm, 270°

20 대표 문제 👈

오른쪽 그림과 같이 중심각의 크기가 60°이고, 호의 길이가 3π cm인 부채꼴의 둘레의 길이는?

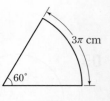

① $(3\pi + 6)$ cm ② $(3\pi + 9)$ cm
③ $(3\pi + 12)$ cm ④ $(3\pi + 15)$ cm
⑤ $(3\pi + 18)$ cm

넓이가 주어진 부채꼴의 중심각의 크기 구하기

❀ 반지름의 길이와 넓이가 다음과 같은 부채꼴의 중심각의 크기를 구하시오.

 따라하기

반지름의 길이가 5 cm, 넓이가 10π cm²

→ 부채꼴의 중심각의 크기를 $x°$라 하면

$\pi \times 5^2 \times \dfrac{x}{360} = 10\pi$, $x = 144$ ⌐(부채꼴의 넓이) $= \pi r^2 \times \dfrac{x}{360}$

따라서 부채꼴의 중심각의 크기는 144°이다.

21 반지름의 길이가 2 cm, 넓이가 π cm²

22 반지름의 길이가 8 cm, 넓이가 24π cm²

23 반지름의 길이가 12 cm, 넓이가 40π cm²

24
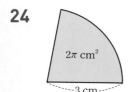

25
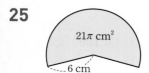

넓이가 주어진 부채꼴의 반지름의 길이 구하기

❀ 중심각의 크기와 넓이가 다음과 같은 부채꼴의 반지름의 길이를 구하시오.

 따라하기

중심각의 크기가 120°, 넓이가 27π cm²

→ 부채꼴의 반지름의 길이를 r cm라 하면

$\pi r^2 \times \dfrac{120}{360} = 27\pi$, $r^2 = 81$ ⌐(부채꼴의 넓이) $= \pi r^2 \times \dfrac{x}{360}$

$r > 0$이므로 $r = 9$

따라서 부채꼴의 반지름의 길이는 9 cm이다.

26 중심각의 크기가 90°, 넓이가 π cm²

27 중심각의 크기가 72°, 넓이가 20π cm²

28 중심각의 크기가 144°, 넓이가 10π cm²

29

30
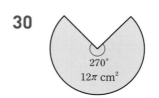

부채꼴의 호의 길이와 넓이 사이의 관계

✖ 다음 부채꼴의 넓이를 구하시오.

ε 따라하기
반지름의 길이가 9 cm, 호의 길이가 6π cm
→ (부채꼴의 넓이)$=\dfrac{1}{2}\times 9\times 6\pi=27\pi(\text{cm}^2)$
호의 길이가 주어지면 (부채꼴의 넓이)$=\dfrac{1}{2}rl$을 이용

31 반지름의 길이가 4 cm, 호의 길이가 3π cm

32 반지름의 길이가 6 cm, 호의 길이가 5π cm

33
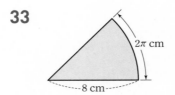

34
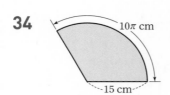

35
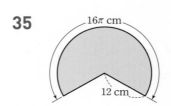

넓이가 주어진 부채꼴의 호의 길이와 반지름의 길이

✖ 다음과 같은 부채꼴에 대하여 물음에 답하시오.

36 반지름의 길이가 6 cm, 넓이가 18π cm²인 부채꼴의 호의 길이를 구하시오.

Tip 호의 길이를 l cm라 하면 부채꼴의 넓이는 $\dfrac{1}{2}rl$임을 이용한다.

37 반지름의 길이가 7 cm, 넓이가 42π cm²인 부채꼴의 호의 길이를 구하시오.

38 호의 길이가 3π cm, 넓이가 15π cm²인 부채꼴의 반지름의 길이를 구하시오.

Tip 반지름의 길이를 r cm라 하면 부채꼴의 넓이는 $\dfrac{1}{2}rl$임을 이용한다.

39 호의 길이가 6π cm, 넓이가 24π cm²인 부채꼴의 반지름의 길이를 구하시오.

40 호의 길이가 10π cm, 넓이가 80π cm²인 부채꼴의 반지름의 길이를 구하시오.

41 대표 문제

호의 길이가 2π cm, 넓이가 3π cm²인 부채꼴의 중심각의 크기는?

① 80°   ② 90°   ③ 100°

④ 110°   ⑤ 120°

부채꼴의 색칠한 부분의 둘레의 길이

다음 그림에서 색칠한 부분의 둘레의 길이를 구하시오.

따라하기

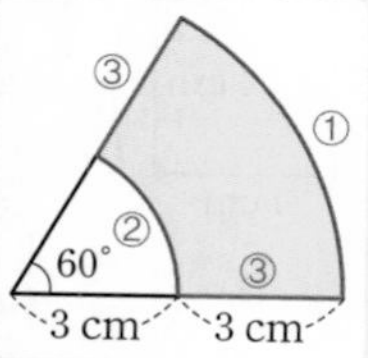

(색칠한 부분의 둘레의 길이)

$=\underbrace{2\pi\times6\times\frac{60}{360}}_{①}+\underbrace{2\pi\times3\times\frac{60}{360}}_{②}$

$+\underbrace{3\times2}_{③}$

$=2\pi+\pi+6=3\pi+6(\text{cm})$

42

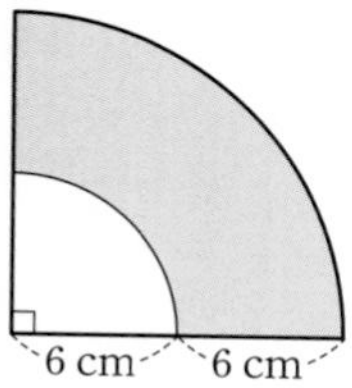

43

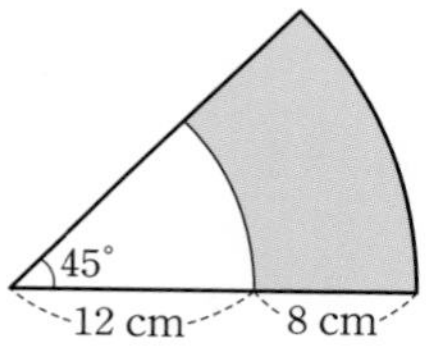

44

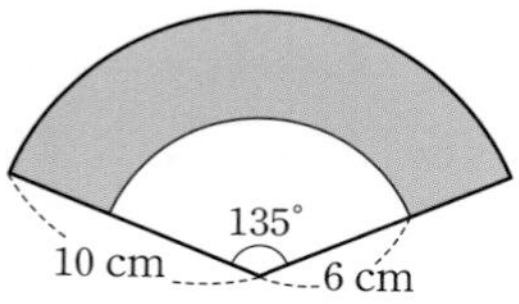

부채꼴의 색칠한 부분의 넓이

다음 그림에서 색칠한 부분의 넓이를 구하시오.

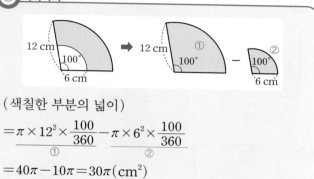

따라하기

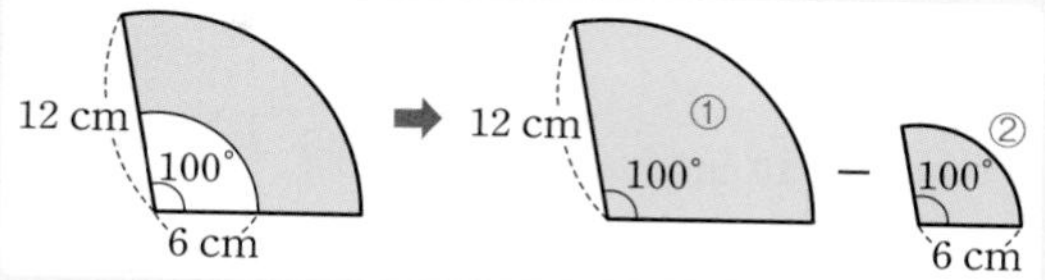

(색칠한 부분의 넓이)

$=\underbrace{\pi\times12^2\times\frac{100}{360}}_{①}-\underbrace{\pi\times6^2\times\frac{100}{360}}_{②}$

$=40\pi-10\pi=30\pi(\text{cm}^2)$

45

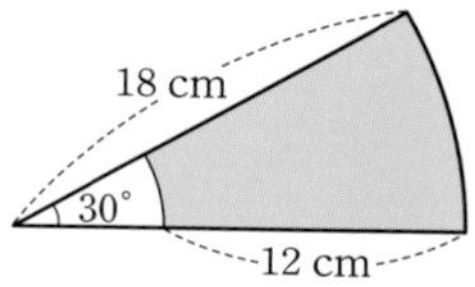

46

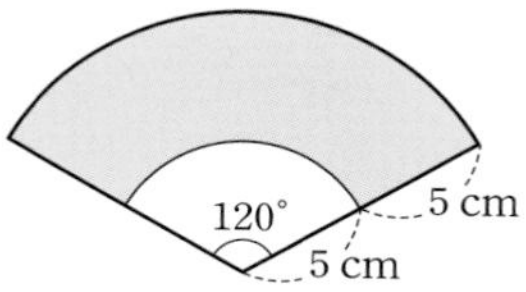

47 대표 문제

오른쪽 그림에서 색칠한 부분의 넓이는?

① $12\pi\text{ cm}^2$　② $14\pi\text{ cm}^2$
③ $16\pi\text{ cm}^2$　④ $18\pi\text{ cm}^2$
⑤ $20\pi\text{ cm}^2$

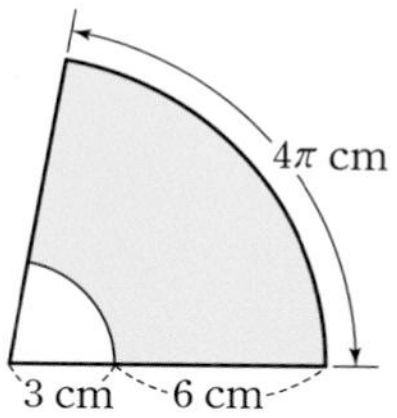

색칠한 부분이 대칭인 모양의 둘레의 길이

❈ 다음 그림에서 색칠한 부분의 둘레의 길이를 구하시오.

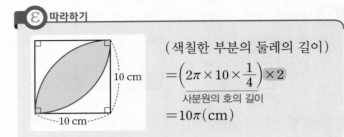

(색칠한 부분의 둘레의 길이)
$$=\left(2\pi\times10\times\frac{1}{4}\right)\times2$$
<u>사분원의 호의 길이</u>
$$=10\pi\,(\text{cm})$$

48

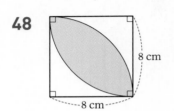

49

Tip (색칠한 부분의 둘레의 길이)
= (곡선 부분의 길이) + (직선 부분의 길이)

50

색칠한 부분이 대칭인 모양의 넓이

❈ 다음 그림에서 색칠한 부분의 넓이를 구하시오.

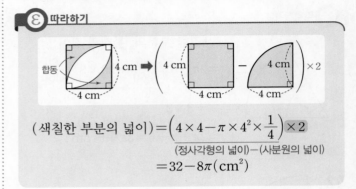

(색칠한 부분의 넓이) $$=\left(4\times4-\pi\times4^2\times\frac{1}{4}\right)\times2$$
<u>(정사각형의 넓이)−(사분원의 넓이)</u>
$$=32-8\pi\,(\text{cm}^2)$$

51

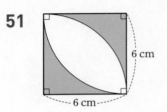

52

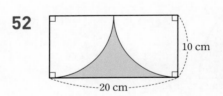

53

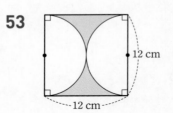

반복된 도형의 색칠한 부분의 둘레의 길이

❈ 다음 그림에서 색칠한 부분의 둘레의 길이를 구하시오.

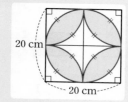

(색칠한 부분의 둘레의 길이)

$$= \left(2\pi \times 10 \times \frac{1}{4}\right) \times 8$$

<u>사분원의 호의 길이</u>

$$= 40\pi \,(\text{cm})$$

54

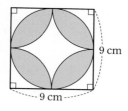

9 cm
9 cm

55

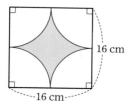

16 cm
16 cm

56

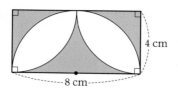

4 cm
8 cm

Tip (색칠한 부분의 둘레의 길이)
= (곡선 부분의 길이) + (직선 부분의 길이)

반복된 도형의 색칠한 부분의 넓이

❈ 다음 그림에서 색칠한 부분의 넓이를 구하시오.

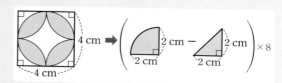

(색칠한 부분의 넓이)

$$= \left(\pi \times 2^2 \times \frac{1}{4} - \frac{1}{2} \times 2 \times 2\right) \times 8$$

<u>(사분원의 넓이) − (삼각형의 넓이)</u>

$$= 8\pi - 16 \,(\text{cm}^2)$$

57

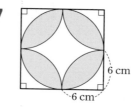

6 cm
6 cm

58

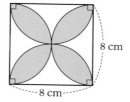

8 cm
8 cm

59

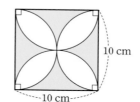

10 cm
10 cm

복잡한 도형의 색칠한 부분의 둘레의 길이

다음 그림에서 색칠한 부분의 둘레의 길이를 구하시오.

ε 따라하기

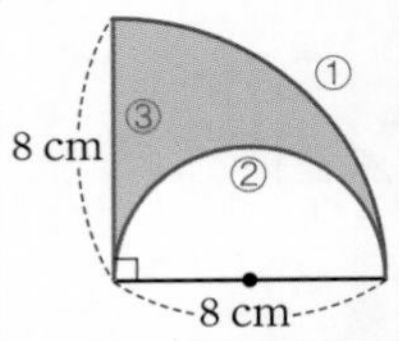

(색칠한 부분의 둘레의 길이)

$=\underbrace{2\pi\times 8\times\frac{1}{4}}_{①}+\underbrace{2\pi\times 4\times\frac{1}{2}}_{②}+\underbrace{8}_{③}$

$=8\pi+8(\text{cm})$

60

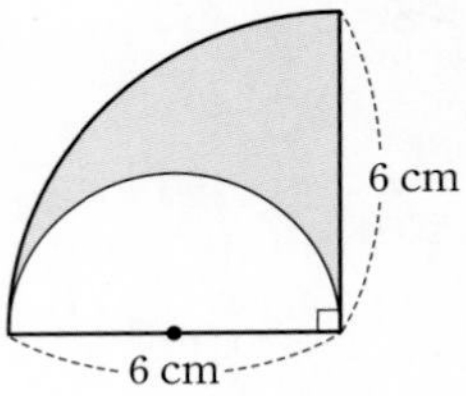

61

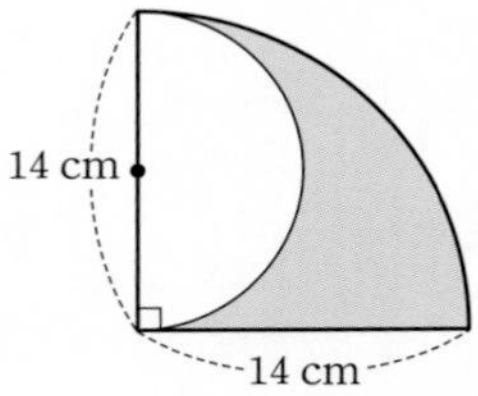

62

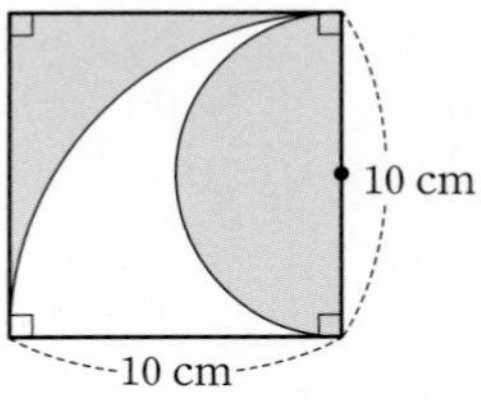

복잡한 도형의 색칠한 부분의 넓이

다음 그림에서 색칠한 부분의 넓이를 구하시오.

ε 따라하기

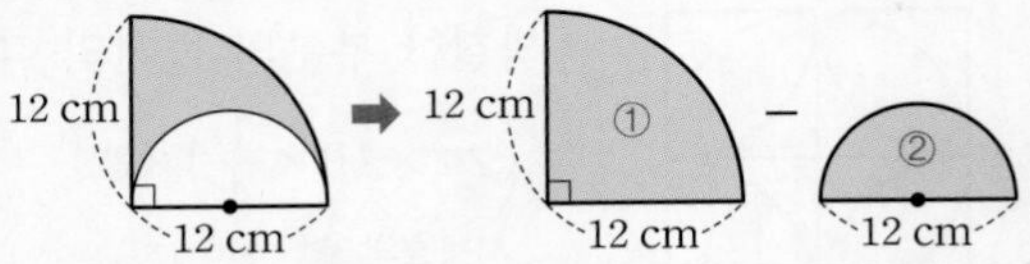

(색칠한 부분의 넓이)$=\underbrace{\pi\times 12^2\times\frac{1}{4}}_{①}-\underbrace{\pi\times 6^2\times\frac{1}{2}}_{②}$

$=36\pi-18\pi=18\pi(\text{cm}^2)$

63

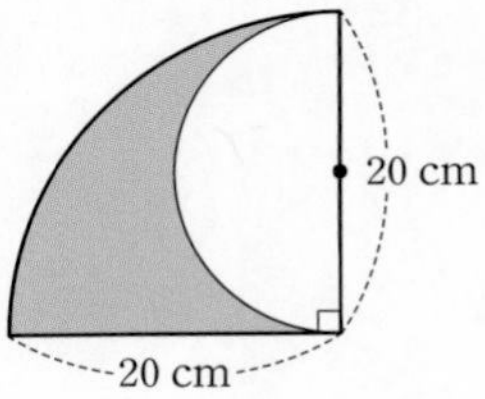

64

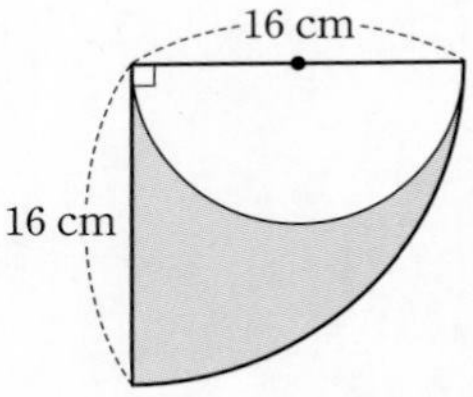

65

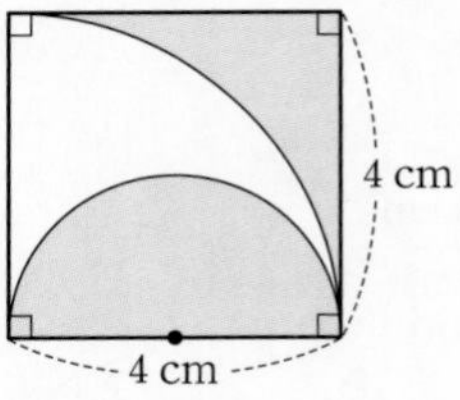

Tip

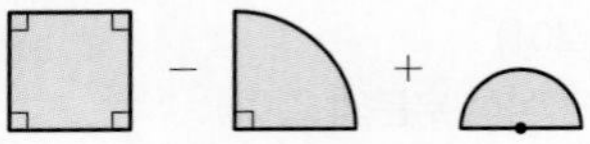

도형의 일부를 이동시켜 넓이 구하기

❈ 다음 그림에서 색칠한 부분의 넓이를 구하시오.

③ 따라하기

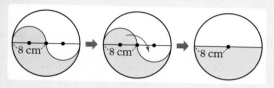

(색칠한 부분의 넓이) $= \pi \times 8^2 \times \dfrac{1}{2} = 32\pi \, (\text{cm}^2)$

66

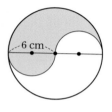

67

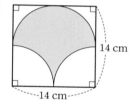

68

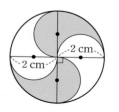

❈ 다음 그림에서 색칠한 부분의 넓이를 구하시오.

③ 따라하기

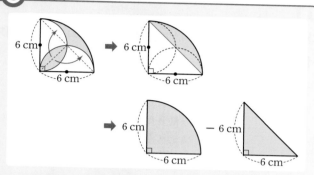

(색칠한 부분의 넓이) $= \pi \times 6^2 \times \dfrac{1}{4} - \dfrac{1}{2} \times 6 \times 6$
$= 9\pi - 18 \, (\text{cm}^2)$

69

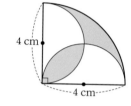

70

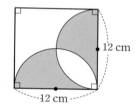

71 대표 문제

오른쪽 그림에서 색칠한 부분의 넓이는?

① $25\pi \, \text{cm}^2$ ② $50\pi \, \text{cm}^2$

③ $75\pi \, \text{cm}^2$ ④ $100\pi \, \text{cm}^2$

⑤ $125\pi \, \text{cm}^2$

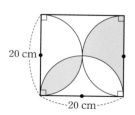

01

다음 그림에서 원의 둘레의 길이와 부채꼴의 호의 길이가 서로 같을 때, x의 값을 구하시오.

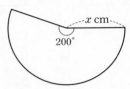

02

오른쪽 그림에서 색칠한 부분의 둘레의 길이는?

① 9π cm   ② 18 cm

③ $(9\pi+6)$ cm   ④ $(12\pi+6)$ cm

⑤ $(18\pi+12)$ cm

03

오른쪽 그림과 같이 반지름의 길이가 8 cm이고, 넓이가 12π cm²인 부채꼴의 호의 길이는?

① 2π cm   ② 3π cm

③ 4π cm   ④ 5π cm

⑤ 6π cm

04

오른쪽 그림에서 색칠한 부분의 넓이가 9π cm²일 때, 색칠한 부분의 둘레의 길이는?

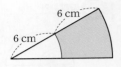

① $(2\pi+6)$ cm   ② $(3\pi+6)$ cm

③ $(2\pi+12)$ cm   ④ $(3\pi+12)$ cm

⑤ $(6\pi+12)$ cm

05

오른쪽 그림에서 색칠한 부분의 둘레의 길이를 구하시오.

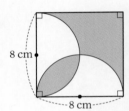

06

오른쪽 그림에서 색칠한 부분의 넓이를 구하시오.

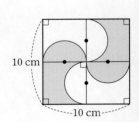

다면체와 회전체

1. 다면체

01 다면체

정답과 풀이 27쪽

(1) 다면체: 다각형인 면으로만 둘러싸인 입체도형
　① 면: 다면체를 둘러싸고 있는 다각형
　② 모서리: 다면체를 이루는 다각형의 변
　③ 꼭짓점: 다면체를 이루는 다각형의 꼭짓점
(2) 다면체는 면의 개수에 따라 사면체, 오면체, 육면체, …라 한다.

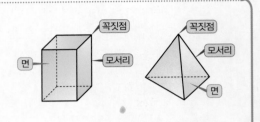

다면체 찾기

✼ 다음 중에서 다면체인 것은 ○표, 다면체가 아닌 것은 ×표를 ( ) 안에 써넣으시오.

3 따라하기

→ 다면체가 아니다.
　원이나 곡면으로 둘러싸인 입체도형은 다면체가 아니다.

01

(　)

02

(　)

03

(　)

04

(　)

다면체의 면의 개수와 다면체의 이름

✼ 다음 그림과 같은 다면체의 면의 개수를 구하고, 몇 면체인지 쓰시오.

3 따라하기

→ (면의 개수)=4, 사면체
　다면체는 면의 개수가 4이면 사면체, 5이면 오면체, 6이면 육면체라 한다.

05

면의 개수: _____
몇 면체: _____

06

면의 개수: _____
몇 면체: _____

07

면의 개수: _____
몇 면체: _____

08

면의 개수: _____
몇 면체: _____

02 다면체의 종류

(1) **각기둥**: 두 밑면은 서로 평행하고 합동인 다각형이고, 옆면은 모두 직사각형인 다면체
(2) **각뿔**: 밑면은 다각형이고, 옆면은 모두 삼각형인 다면체
(3) **각뿔대**: 각뿔을 밑면에 평행한 평면으로 자를 때 생기는 두 입체도형 중에서 각뿔이 아닌 쪽의 다면체

다면체	각기둥	각뿔	각뿔대
밑면의 개수	2	1	2
옆면의 모양	직사각형	삼각형	사다리꼴
예	삼각기둥	사각뿔	사각뿔대

참고 각기둥, 각뿔, 각뿔대는 밑면과 옆면의 모양에 따라 삼각기둥, 사각기둥, …, 삼각뿔, 사각뿔, …, 삼각뿔대, 사각뿔대, …라 한다.

각기둥의 이해

❈ 다음 그림의 각기둥을 보고 표를 완성하시오.

따라하기

밑면은 삼각형이고, 옆면은 모두
직사각형이므로 삼각기둥이다.

→ 삼각기둥이므로
(모서리의 개수) $= 3 \times 3 = 9$
(꼭짓점의 개수) $= 3 \times 2 = 6$
(면의 개수) $= 3 + 2 = 5$

n각기둥의 모서리의 개수는 $3n$, 꼭짓점의 개수는 $2n$, 면의 개수는 $n+2$

01

밑면의 모양	
각기둥의 이름	
옆면의 모양	
모서리의 개수	
꼭짓점의 개수	
면의 개수	

02

밑면의 모양	
각기둥의 이름	
옆면의 모양	
모서리의 개수	
꼭짓점의 개수	
면의 개수	

각뿔의 이해

❈ 다음 그림의 각뿔을 보고 표를 완성하시오.

03

밑면의 모양	
각뿔의 이름	
옆면의 모양	
모서리의 개수	
꼭짓점의 개수	
면의 개수	

Tip n각뿔의 모서리의 개수는 $2n$, 꼭짓점의 개수는 $n+1$, 면의 개수는 $n+1$이다.

04

밑면의 모양	
각뿔의 이름	
옆면의 모양	
모서리의 개수	
꼭짓점의 개수	
면의 개수	

각뿔대의 이해

✖ 다음 그림의 각뿔대을 보고 표를 완성하시오.

05

밑면의 모양	
각뿔대의 이름	
옆면의 모양	
모서리의 개수	
꼭짓점의 개수	
면의 개수	

06

밑면의 모양	
각뿔대의 이름	
옆면의 모양	
모서리의 개수	
꼭짓점의 개수	
면의 개수	

07

밑면의 모양	
각뿔대의 이름	
옆면의 모양	
모서리의 개수	
꼭짓점의 개수	
면의 개수	

08

밑면의 모양	
각뿔대의 이름	
옆면의 모양	
모서리의 개수	
꼭짓점의 개수	
면의 개수	

조건을 만족시키는 다면체 구하기

✖ 다음 조건을 모두 만족시키는 다면체를 구하시오.

③ 따라하기

　　각기둥, 각뿔대　　　　　　　　　각기둥
두 밑면이 평행하고, 옆면의 모양이 직사각형이며 밑
면의 모양이 삼각형이다.
→ 삼각기둥　삼각기둥, 삼각뿔, 삼각뿔대

09

(가) 두 밑면이 서로 평행하고 합동이다.
(나) 옆면의 모양이 직사각형이다.
(다) 밑면의 모양이 사각형이다.

10

(가) 밑면이 1개이다.
(나) 옆면의 모양이 삼각형이다.
(다) 밑면의 모양이 오각형이다.

11

(가) 두 밑면이 서로 평행하지만 합동은 아니다.
(나) 옆면의 모양이 사다리꼴이다.
(다) 밑면의 모양이 칠각형이다.

12 대표 문제 👉

다음 중에서 꼭짓점의 개수와 면의 개수가 같은 것은?

① 삼각기둥　　　② 사각뿔대　　　③ 오각뿔
④ 오각기둥　　　⑤ 육각뿔대

03 정다면체

정답과 풀이 28쪽

(1) 정다면체: 각 면이 모두 합동인 정다각형이고, 각 꼭짓점에 모인 면의 개수가 모두 같은 다면체

(2) 정다면체의 종류: 정다면체는 정사면체, 정육면체, 정팔면체, 정십이면체, 정이십면체의 5가지뿐이다.

구분	정사면체	정육면체	정팔면체	정십이면체	정이십면체
겨냥도	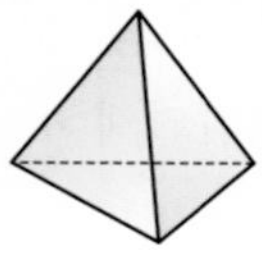	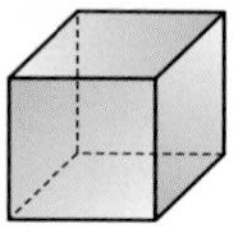	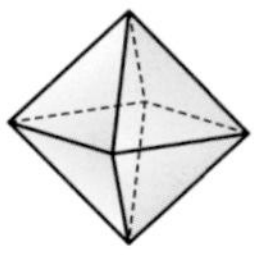	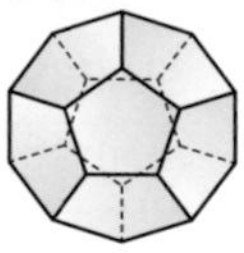	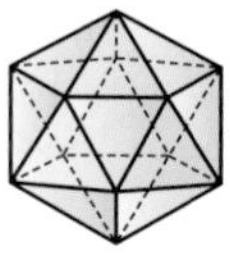
면의 모양	정삼각형	정사각형	정삼각형	정오각형	정삼각형
한 꼭짓점에 모인 면의 개수	3	3	4	3	5
면의 개수	4	6	8	12	20
모서리의 개수	6	12	12	30	30
꼭짓점의 개수	4	8	6	20	12

정다면체의 이해

※ 다음 중에서 정다면체에 대한 설명으로 옳은 것은 ○표, 옳지 않은 것은 ×표를 (   ) 안에 써넣으시오.

01 정다면체는 각 면이 모두 합동인 정다각형으로 이루어져 있다. (   )

02 정다면체의 한 꼭짓점에 모이는 면의 개수는 4 이상이다. (   )

03 정다면체는 무수히 많다. (   )

04 한 꼭짓점에 모인 각의 크기의 합은 $360°$보다 작아야 한다. (   )

05 정다면체의 한 면이 될 수 있는 다각형은 정삼각형, 정사각형, 정오각형, 정육각형이다. (   )

정다면체의 면의 모양과 한 꼭짓점에 모인 면의 개수

※ 다음 조건을 만족시키는 정다면체를 모두 구하시오.

06 각 면의 모양이 정삼각형인 정다면체

07 각 면의 모양이 정사각형인 정다면체

08 각 면의 모양이 정오각형인 정다면체

09 한 꼭짓점에 모인 면의 개수가 3인 정다면체

10 한 꼭짓점에 모인 면의 개수가 4인 정다면체

11 한 꼭짓점에 모인 면의 개수가 5인 정다면체

정다면체의 면, 모서리, 꼭짓점의 개수

❀ 다음 그림의 정다면체를 보고 표를 완성하시오.

12

정다면체의 이름	
면의 개수	
모서리의 개수	
꼭짓점의 개수	

13

정다면체의 이름	
면의 개수	
모서리의 개수	
꼭짓점의 개수	

14

정다면체의 이름	
면의 개수	
모서리의 개수	
꼭짓점의 개수	

15

정다면체의 이름	
면의 개수	
모서리의 개수	
꼭짓점의 개수	

16

정다면체의 이름	
면의 개수	
모서리의 개수	
꼭짓점의 개수	

조건을 만족시키는 정다면체 구하기

❀ 다음 조건을 모두 만족시키는 정다면체를 구하시오.

ᢄ 따라하기

> 정사면체, 정팔면체, 정이십면체
> 각 면의 모양이 모두 합동인 정삼각형이고 모서리의
> 개수가 12인 정다면체 ➡ 정팔면체
> 정육면체, 정팔면체

17

> (가) 각 면의 모양이 모두 합동인 정삼각형이다.
> (나) 모서리의 개수가 30이다.

18

> (가) 한 꼭짓점에 모인 면의 개수는 3이다.
> (나) 각 면의 모양이 모두 합동인 정오각형이다.

19

> (가) 각 면의 모양이 모두 합동인 정사각형이다.
> (나) 꼭짓점의 개수가 8이다.

20 대표 문제

다음 중에서 정다면체와 그 면의 모양이 잘못 짝 지어진 것은?

① 정사면체 − 정삼각형
② 정육면체 − 정사각형
③ 정팔면체 − 정삼각형
④ 정십이면체 − 정오각형
⑤ 정이십면체 − 정사각형

04 정다면체의 전개도

정답과 풀이 29쪽

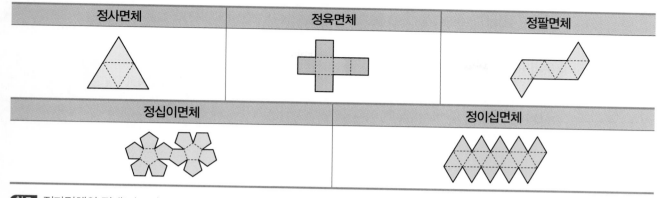

정사면체	정육면체	정팔면체
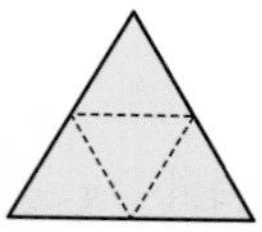	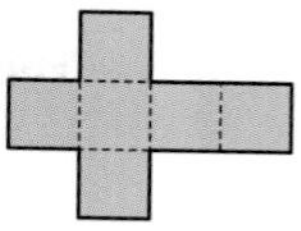	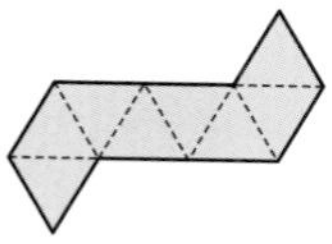

정십이면체	정이십면체
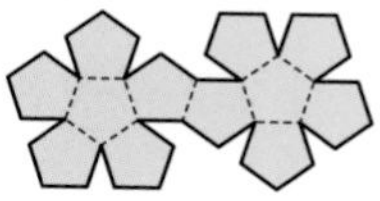	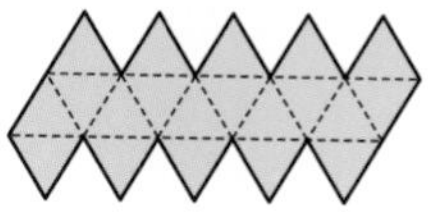

참고 정다면체의 전개도는 어느 모서리를 자르느냐에 따라 여러 가지 모양이 나올 수 있다.

정다면체의 전개도 찾기

다음 정다면체와 그 정다면체의 전개도를 연결하시오.

01
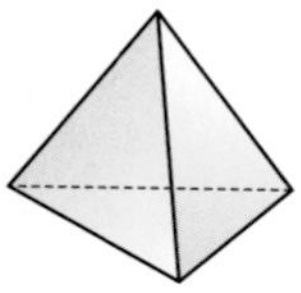 • • 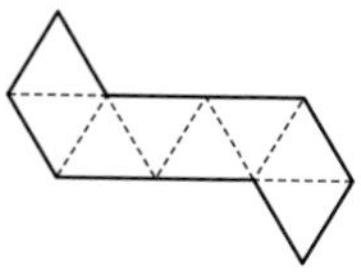

02
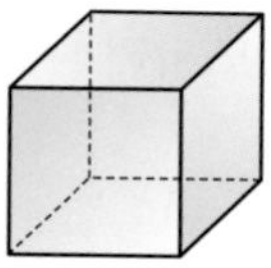 • • 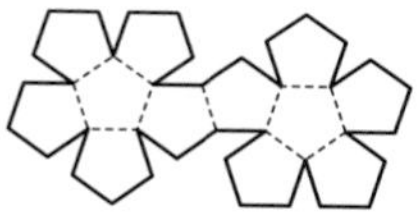

03
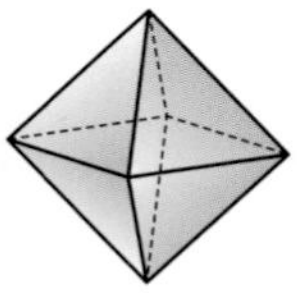 • • 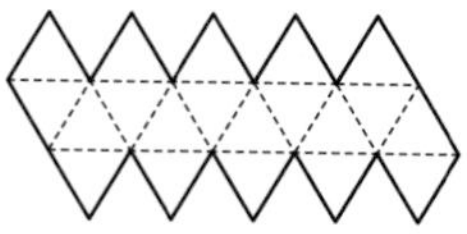

04
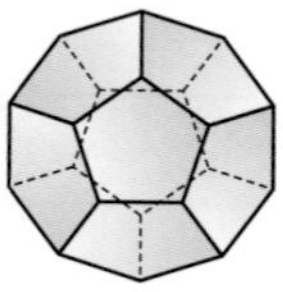 • • 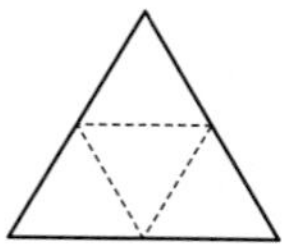

05
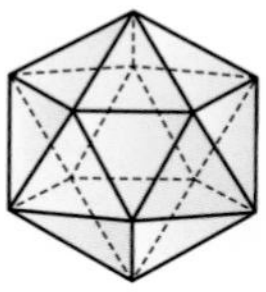 • • 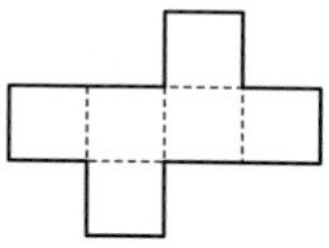

정육면체의 전개도 찾기

다음 중에서 정육면체의 전개도가 될 수 있는 것은 ○표, 될 수 없는 것은 ×표를 (　　) 안에 써넣으시오.

따라하기

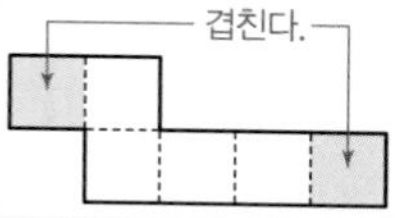

→ 정육면체를 만들 수 없다. (×)

06
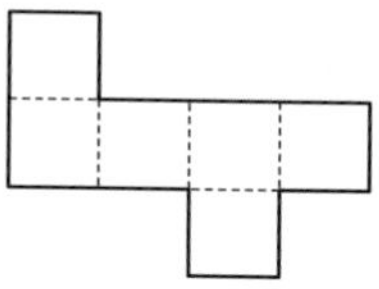
(　　　　)

07
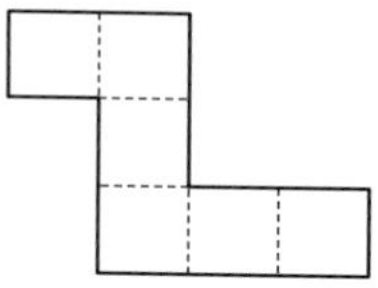
(　　　　)

08
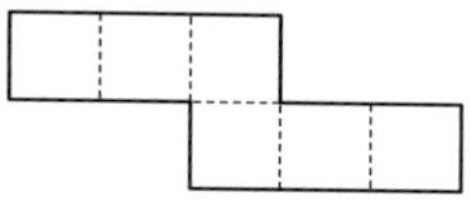
(　　　　)

09
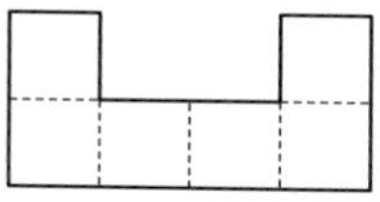
(　　　　)

10
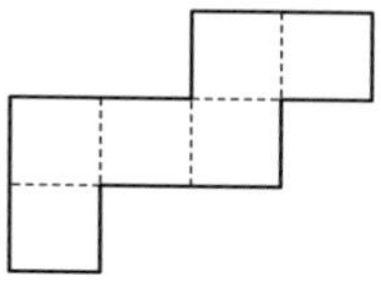
(　　　　)

11
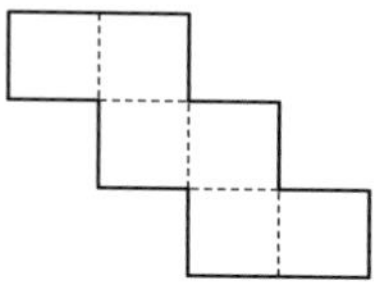
(　　　　)

정다면체의 전개도 이해하기

✼ 아래 그림의 전개도로 만들어지는 정다면체에 대하여 다음을 구하시오.

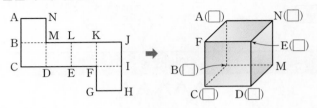

ε 따라하기

- 모서리 AB와 겹치는 모서리 → $\overline{KJ}$ 전개도에서 서로 겹치는 꼭짓점을 표시해 본다.
- 모서리 CD와 평행한 모서리
  → $\overline{AN}(\overline{KL})$, $\overline{EF}(\overline{GF})$, $\overline{BM}$

12 꼭짓점 A와 겹치는 꼭짓점

13 모서리 AN과 겹치는 모서리

14 면 ABMN과 평행한 면

✼ 아래 그림의 전개도로 만들어지는 정다면체에 대하여 다음을 구하시오.

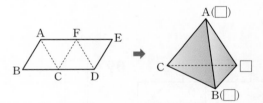

15 꼭짓점 A와 겹치는 꼭짓점

16 모서리 AB와 겹치는 모서리

17 모서리 AB와 꼬인 위치에 있는 모서리

Tip 꼬인 위치에 있는 모서리는 만나지도 않고 평행하지도 않다.

✼ 아래 그림의 전개도로 만들어지는 정다면체에 대하여 다음을 구하시오.

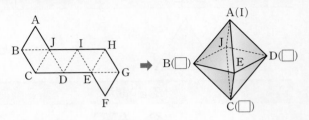

18 꼭짓점 B와 겹치는 꼭짓점

19 모서리 CD와 겹치는 모서리

20 모서리 ED와 평행한 모서리

21 모서리 AB와 꼬인 위치에 있는 모서리

22 면 ABJ와 평행한 면

㉓ 대표 문제

다음 중에서 오른쪽 그림과 같은 전개도로 만든 정다면체에 대한 설명으로 옳지 <u>않은</u> 것은?

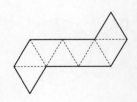

① 정다면체의 이름은 정팔면체이다.
② 모든 면의 모양은 정삼각형이다.
③ 모서리의 개수는 30이다.
④ 꼭짓점의 개수는 6이다.
⑤ 한 꼭짓점에 모인 면의 개수는 4이다.

01

다음 중에서 다면체가 <u>아닌</u> 것은?

① 삼각뿔 ② 오각기둥 ③ 직육면체
④ 육각뿔대 ⑤ 원뿔대

02

다음 중에서 다면체와 그 옆면의 모양이 바르게 짝 지어진 것은?

① 사각뿔 — 사각형
② 삼각기둥 — 삼각형
③ 사각뿔대 — 사다리꼴
④ 오각뿔 — 오각형
⑤ 육각뿔대 — 직사각형

03

다음 다면체 중에서 모서리의 개수가 가장 많은 것은?

① 오각뿔 ② 사각뿔대 ③ 오각기둥
④ 육각뿔대 ⑤ 팔각뿔

04

다음 중에서 정다면체에 대한 설명으로 옳지 <u>않은</u> 것은?

① 각 면은 모두 합동이다.
② 각 꼭짓점에 모이는 면의 개수는 모두 같다.
③ 정다면체의 종류는 5가지뿐이다.
④ 정육면체와 정팔면체의 모서리의 개수는 서로 같다.
⑤ 정육각형인 면으로 둘러싸인 정다면체는 오직 하나뿐이다.

05

다음 조건을 모두 만족시키는 정다면체를 구하시오.

(가) 각 면의 모양이 모두 합동인 정삼각형이다.
(나) 한 꼭짓점에 모이는 면의 개수는 3이다.

06

오른쪽 그림과 같은 전개도로 만들어지는 정다면체의 모서리의 개수를 a, 꼭짓점의 개수를 b라 할 때, $a+b$ 의 값을 구하시오.

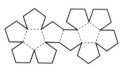

2. 회전체

01 회전체

정답과 풀이 30쪽

(1) 회전체: 평면도형을 한 직선을 축으로 1회전 시킬 때 생기는 입체도형
① 회전축: 회전시킬 때 축이 되는 직선
② 모선: 회전시킬 때 옆면을 만드는 선분
(2) 원뿔대: 원뿔을 밑면에 평행한 평면으로 자를 때 생기는 두 입체도형 중에서 원뿔이 아닌 것
(3) 회전체의 종류

	원기둥	원뿔	원뿔대	구
겨냥도	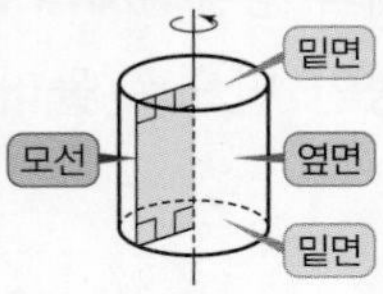	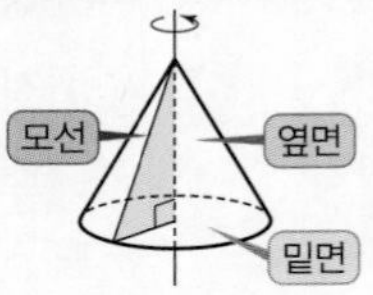	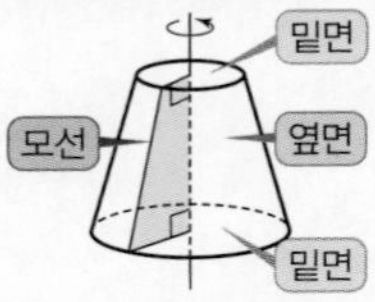	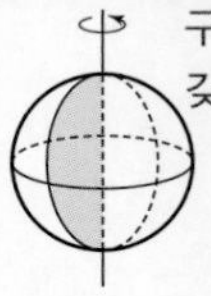 구는 모선을 갖지 않는다.
회전시키기 전 평면도형	직사각형	직각삼각형	두 각이 직각인 사다리꼴	반원

회전체 찾기

다음 중에서 회전체인 것은 ○표, 회전체가 아닌 것은 × 표를 ( ) 안에 써넣으시오.

01

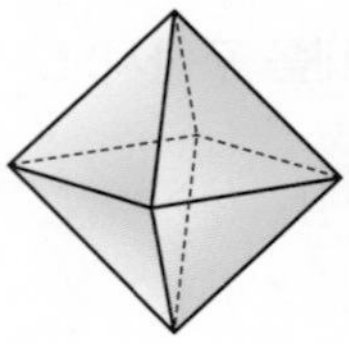

( )

02

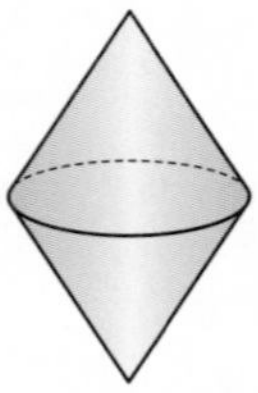

( )

03

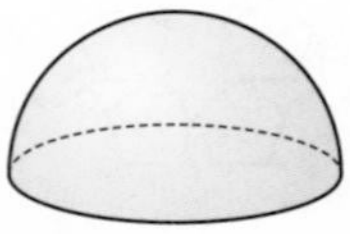

( )

04

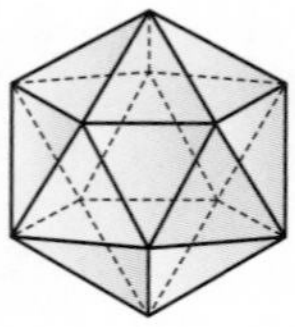

( )

회전체 그리기

다음 평면도형을 직선 l을 회전축으로 하여 1회전 시킬 때 생기는 회전체를 그리고, 그 이름을 쓰시오.

ε 따라하기

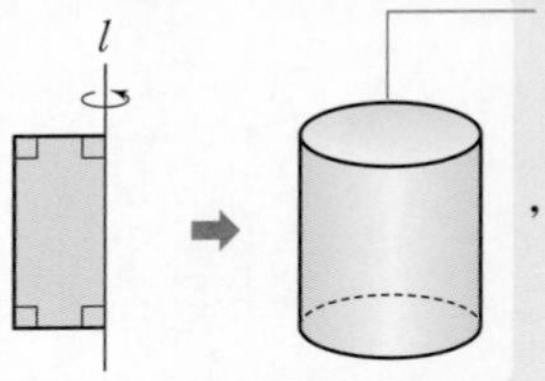

회전축을 기준으로 선대칭도형을 그린 후, 입체적인 모양이 되도록 원을 그린다.

, 원기둥

05

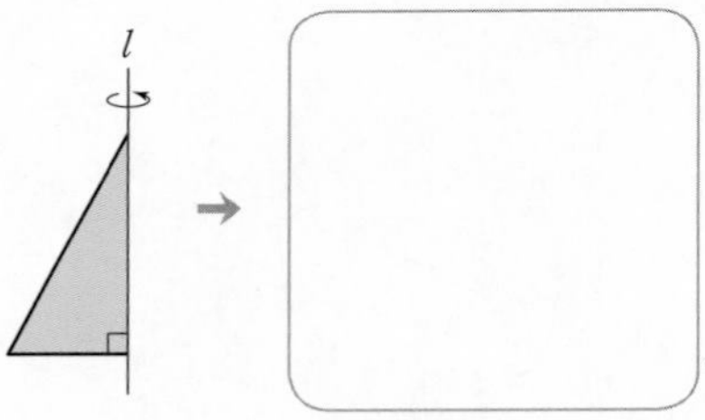

, ________

06

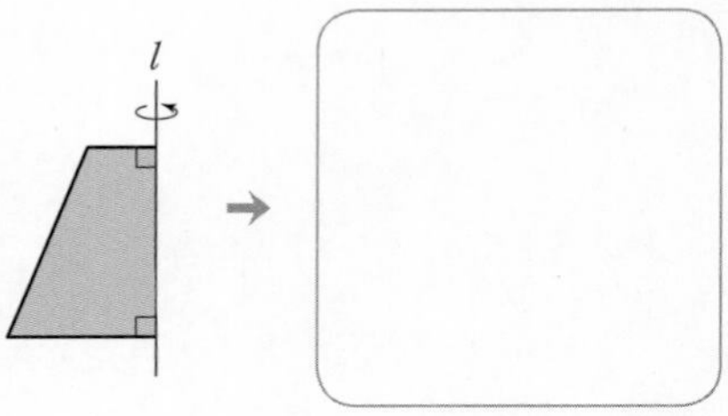

, ________

구멍 뚫린 회전체 찾기

※ 다음 평면도형을 직선 l을 회전축으로 하여 1회전 시킬 때 생기는 회전체를 연결하시오.

07

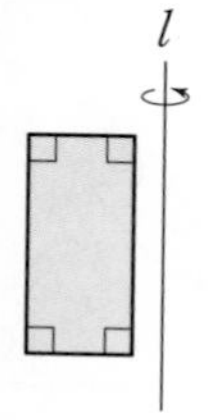

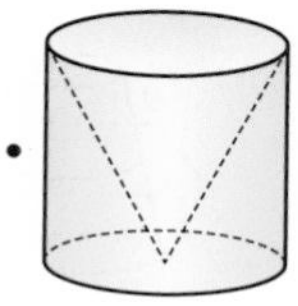

08

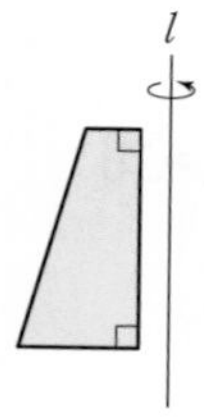

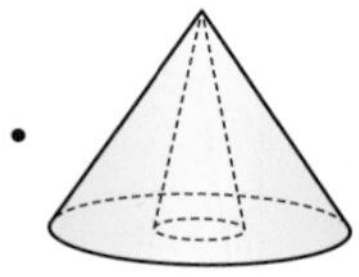

09

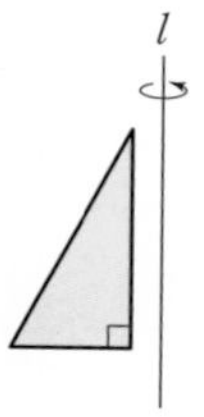

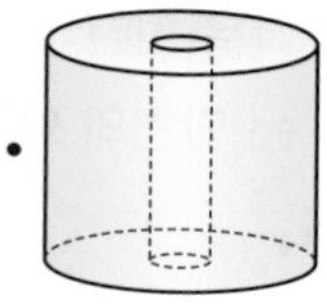

10

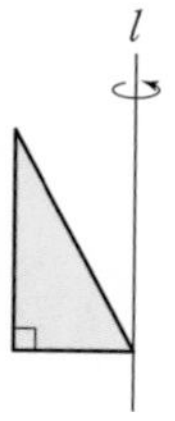

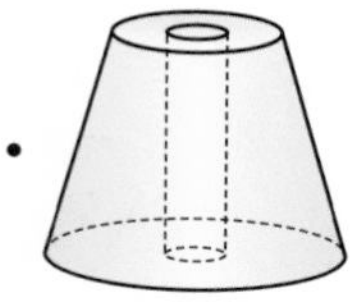

11

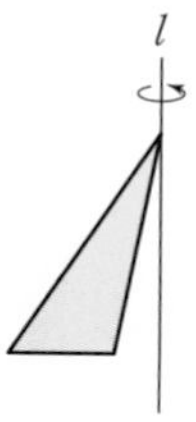

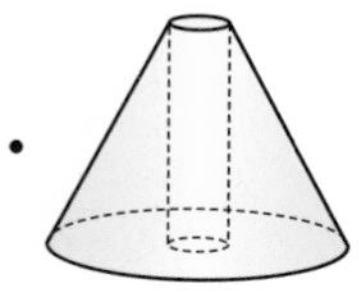

회전시키기 전의 평면도형 찾기

※ 다음 회전체와 회전시키기 전의 평면도형을 연결하시오.

12

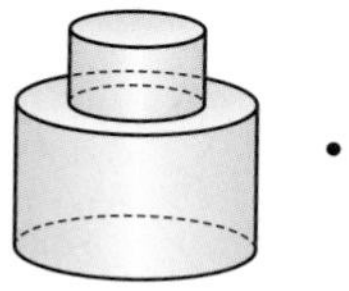

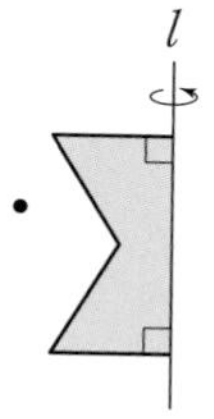

13

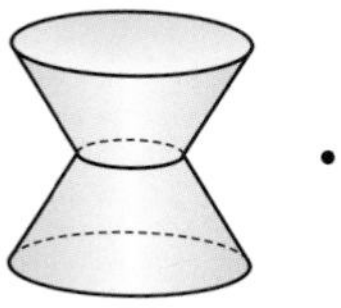

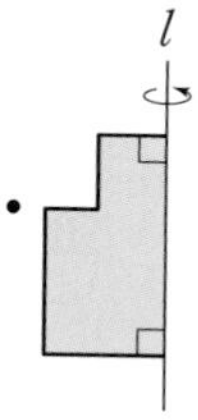

14

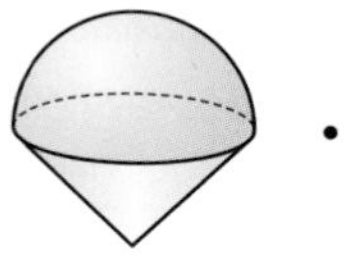

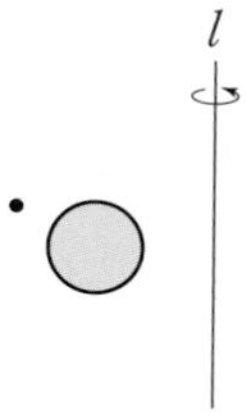

15

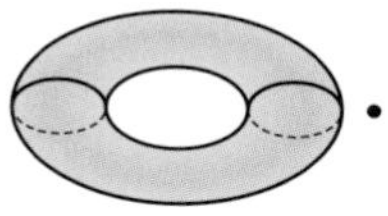

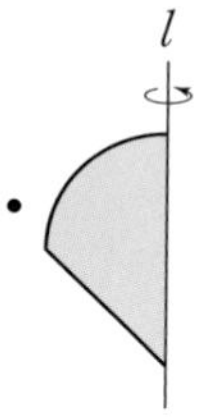

16 대표 문제

오른쪽 그림과 같은 평면도형을 직선 l을 회전축으로 하여 1회전 시킬 때 생기는 회전체는?

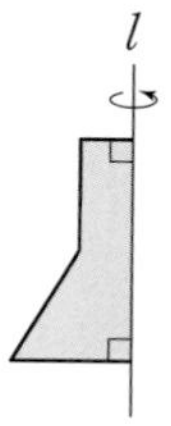

① 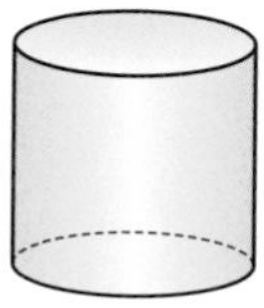
② 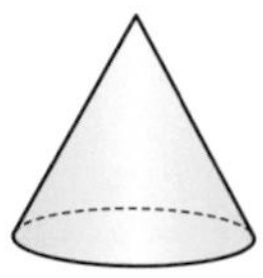
③ 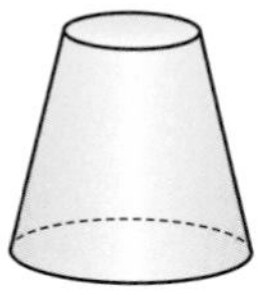
④ 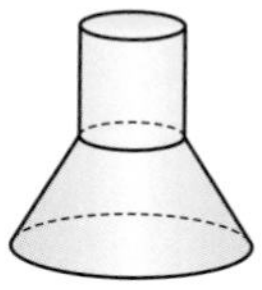
⑤ 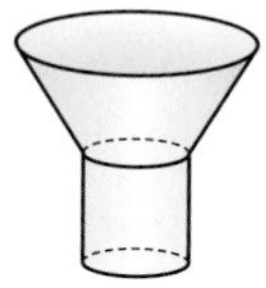

02 회전체의 성질

정답과 풀이 30쪽

(1) 회전체를 회전축에 수직인 평면으로 자를 때 생기는 단면은 항상 원이다.

원기둥	원뿔	원뿔대	구
l 원	l 원	l 원	l 원

(2) 회전체를 회전축을 포함하는 평면으로 자를 때 생기는 단면은 모두 합동이고, 회전축을 대칭축으로 하는 선대칭 도형이다.

원기둥	원뿔	원뿔대	구
l 직사각형	l 이등변 삼각형	l 사다리꼴	l 원

참고 구는 어느 방향으로 잘라도 그 단면이 항상 원이다.

회전축에 수직인 평면으로 자를 때 생기는 단면

❖ 다음 회전체를 회전축에 수직인 평면으로 자를 때 생기는 단면의 모양을 그리시오.

01

 →

02

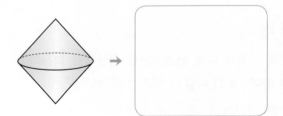 →

03

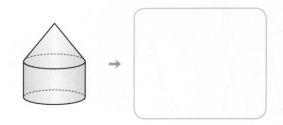 →

회전축을 포함하는 평면으로 자를 때 생기는 단면

❖ 다음 회전체를 회전축을 포함하는 평면으로 자를 때 생기는 단면의 모양을 그리시오.

04

 →

05

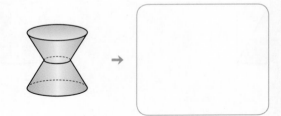 →

06

 →

회전체의 성질 이해하기

❋ 다음 중에서 회전체에 대한 설명으로 옳은 것은 ○표, 옳지 않은 것은 ✕표를 (   ) 안에 써넣으시오.

07 회전체를 회전축에 수직인 평면으로 자를 때 생기는 단면은 항상 원이다. (   )

08 회전체를 회전축을 포함하는 평면으로 자를 때 생기는 단면은 모두 합동이다. (   )

09 원기둥을 회전축을 포함하는 평면으로 자를 때 생기는 단면은 직사각형이다. (   )

10 원뿔을 회전축에 수직인 평면으로 자를 때 생기는 단면은 모두 합동이다. (   )

11 원뿔대를 회전축에 수직인 평면으로 자를 때 생기는 단면은 사다리꼴이다. (   )

12 모든 회전체의 회전축은 하나뿐이다. (   )

13 구는 어느 방향으로 잘라도 그 단면은 항상 원이다. (   )

회전체를 자른 단면의 넓이

❋ 다음 회전체를 회전축을 포함하는 평면으로 자를 때 생기는 단면의 모양을 그리고, 그 넓이를 구하시오.

③ 따라하기

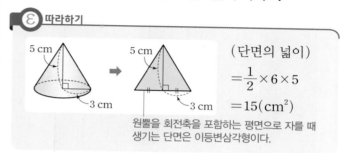

(단면의 넓이)
$$= \frac{1}{2} \times 6 \times 5$$
$$= 15 (\mathrm{cm}^2)$$

원뿔을 회전축을 포함하는 평면으로 자를 때 생기는 단면은 이등변삼각형이다.

14

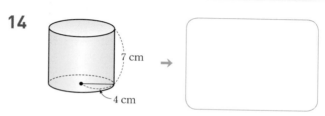

15

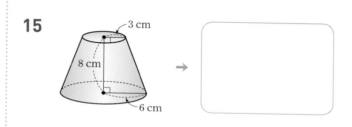

16

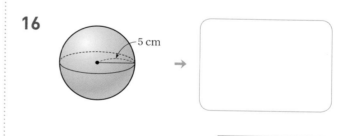

17 대표 문제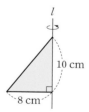

오른쪽 그림과 같은 평면도형을 직선 l을 회전축으로 하여 1회전 시킬 때 생기는 회전체를 회전축을 포함하는 평면으로 자를 때 생기는 단면의 넓이는?

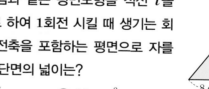

① 40 cm²   ② 80 cm²

③ 100 cm²   ④ 120 cm²

⑤ 160 cm²

03 회전체의 전개도

	원기둥	원뿔	원뿔대
겨냥도			
전개도			

참고 구의 전개도는 그릴 수 없다.

회전체의 전개도

✖ 다음 회전체와 그 회전체의 전개도를 연결하시오.

01

 · ·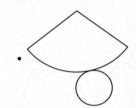

02

 · ·

03

 · ·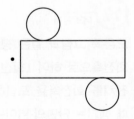

원기둥의 전개도

✖ 다음 원기둥과 그 전개도에서 a, b, c의 값을 각각 구하시오.

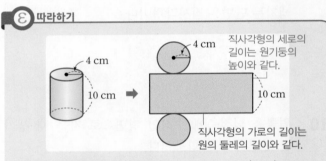

따라하기

직사각형의 세로의 길이는 원기둥의 높이와 같다.

직사각형의 가로의 길이는 원의 둘레의 길이와 같다.

(직사각형의 가로의 길이) $= 2\pi \times 4 = 8\pi \,(\mathrm{cm})$

04

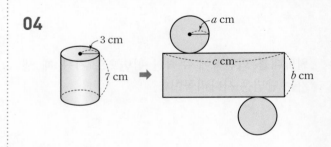

05

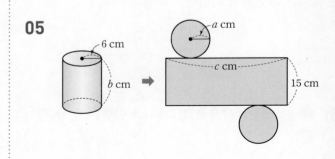

원뿔의 전개도

✽ 다음 원뿔과 그 전개도에서 a, b, c의 값을 각각 구하시오.

③ 따라하기

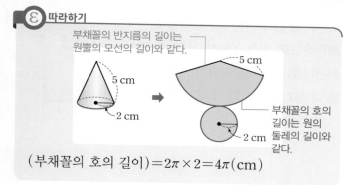

부채꼴의 반지름의 길이는 원뿔의 모선의 길이와 같다.

부채꼴의 호의 길이는 원의 둘레의 길이와 같다.

(부채꼴의 호의 길이)$=2\pi\times2=4\pi$(cm)

06

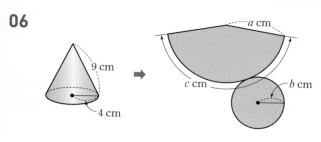

07

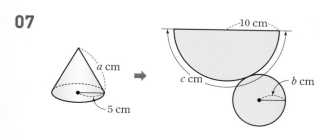

08

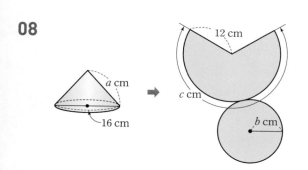

원뿔대의 전개도

✽ 다음 원뿔대와 그 전개도에서 a, b, c의 값을 각각 구하시오.

③ 따라하기

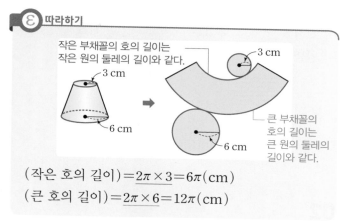

작은 부채꼴의 호의 길이는 작은 원의 둘레의 길이와 같다.

큰 부채꼴의 호의 길이는 큰 원의 둘레의 길이와 같다.

(작은 호의 길이)$=\underline{2\pi\times3}=6\pi$(cm)
(큰 호의 길이)$=\underline{2\pi\times6}=12\pi$(cm)

09

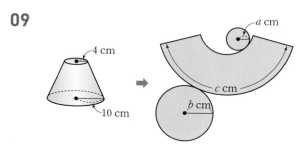

10

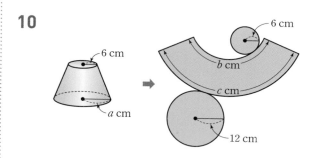

11 대표 문제 👉

오른쪽 그림과 같은 원뿔의 전개도에서 옆면의 둘레의 길이는?

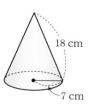

① $(18+14\pi)$ cm

② $(36+14\pi)$ cm

③ $(18+21\pi)$ cm

④ $(36+28\pi)$ cm

⑤ $(36+49\pi)$ cm

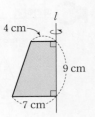

01

다음 중에서 회전체가 <u>아닌</u> 것을 모두 고르면?

① 원기둥 ② 원 ③ 원뿔
④ 원뿔대 ⑤ 오각뿔대

02

오른쪽 그림과 같은 평면도형을 직선 l을 회전축으로 하여 1회전 시킬 때 생기는 회전체는?

①   ②   ③   ④   ⑤

03

다음 중에서 회전체와 회전체를 회전축을 포함하는 평면으로 자를 때 생기는 단면의 모양이 <u>잘못</u> 짝 지어진 것은?

① 원기둥 ― 직사각형 ② 원뿔 ― 부채꼴
③ 원뿔대 ― 사다리꼴 ④ 구 ― 원
⑤ 반구 ― 반원

04

오른쪽 그림과 같은 평면도형을 직선 l을 회전축으로 하여 1회전 시킬 때 생기는 회전체를 회전축을 포함하는 평면으로 자를 때 생기는 단면의 넓이를 구하시오.

4 cm
9 cm
7 cm

05

다음 그림은 원뿔대와 그 전개도이다. 이때 색칠한 밑면의 둘레의 길이와 같은 것은?

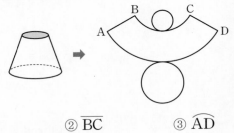

① $\overline{AB}$ ② $\overline{BC}$ ③ $\widehat{AD}$
④ $\widehat{BC}$ ⑤ $\overline{AD}$

06

오른쪽 그림과 같은 원기둥의 전개도에서 옆면의 둘레의 길이를 구하시오.

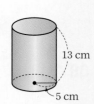

13 cm
5 cm

입체도형의 겉넓이와 부피

01 기둥의 겉넓이

정답과 풀이 31쪽

기둥의 겉넓이는 전개도를 그려서 구한다.

(1) 각기둥의 겉넓이

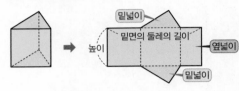

(각기둥의 겉넓이)
$=$(밑넓이)$\times 2+$(옆넓이)
　　　　　　(밑면의 둘레의 길이)$\times$(높이)

(2) 원기둥의 겉넓이

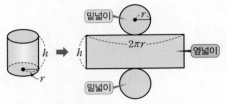

밑면인 원의 반지름의 길이가 r, 높이가 h일 때
(원기둥의 겉넓이)$=$(밑넓이)$\times 2+$(옆넓이)
　　　　　　　$=2\pi r^2+2\pi rh$

각기둥의 겉넓이 구하기

✂ 아래 그림은 각기둥과 그 전개도이다. □ 안에 알맞은 수를 써넣고, 다음을 구하시오.

ε 따라하기

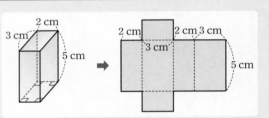

(1) (밑넓이)$=2\times 3=6(\mathrm{cm}^2)$

(2) (옆넓이)$=\underline{(2+3+2+3)}\times 5=50(\mathrm{cm}^2)$
　　　　　　밑면의 둘레의 길이

(3) (겉넓이)$=6\times 2+50=62(\mathrm{cm}^2)$
　　　　　밑면은 2개

01

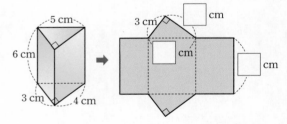

(1) 밑넓이

(2) 옆넓이

(3) 겉넓이

원기둥의 겉넓이 구하기

✂ 아래 그림은 원기둥과 그 전개도이다. □ 안에 알맞은 수를 써넣고, 다음을 구하시오.

ε 따라하기

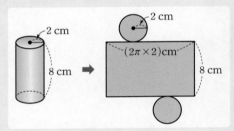

(1) (밑넓이)$=\pi\times 2^2=4\pi(\mathrm{cm}^2)$
　　　　　(원의 넓이)$=\pi r^2$

(2) (옆넓이)$=(2\pi\times 2)\times 8=32\pi(\mathrm{cm}^2)$
　　　　　(원의 둘레의 길이)$=2\pi r$

(3) (겉넓이)$=4\pi\times 2+32\pi=40\pi(\mathrm{cm}^2)$
　　　　　밑면은 2개

02

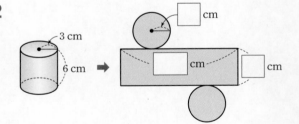

(1) 밑넓이

(2) 옆넓이

(3) 겉넓이

기둥의 겉넓이 구하기

❖ 다음 그림과 같은 기둥의 겉넓이를 구하시오.

03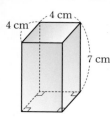
(1) 밑넓이
(2) 옆넓이
(3) 겉넓이

04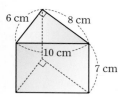
(1) 밑넓이
(2) 옆넓이
(3) 겉넓이

05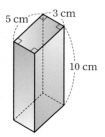
(1) 밑넓이
(2) 옆넓이
(3) 겉넓이

06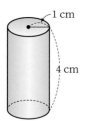
(1) 밑넓이
(2) 옆넓이
(3) 겉넓이

07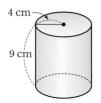
(1) 밑넓이
(2) 옆넓이
(3) 겉넓이

다양한 모양의 기둥의 겉넓이 구하기

❖ 다음 그림과 같은 기둥의 겉넓이를 구하시오.

08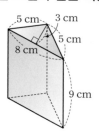

09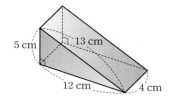

Tip 직각삼각형을 밑면으로 생각한다.

10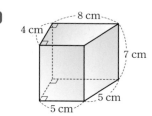

Tip (사다리꼴의 넓이)
$=\frac{1}{2}\times\{(\text{윗변의 길이})+(\text{아랫변의 길이})\}\times(\text{높이})$

11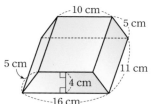

Tip 사다리꼴을 밑면으로 생각한다.

12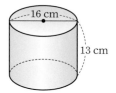

밑면이 부채꼴인 기둥의 겉넓이 구하기

❀ 다음 그림과 같은 기둥의 겉넓이를 구하시오.

③ 따라하기

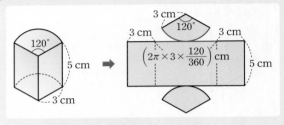

(밑넓이)$=\pi \times 3^2 \times \dfrac{120}{360}=3\pi(\text{cm}^2)$

$\underline{\text{(부채꼴의 넓이)}=\pi r^2 \times \dfrac{\text{(중심각의 크기)}}{360°}}$

옆면의 가로의 길이는

$3+\left(2\pi \times 3 \times \dfrac{120}{360}\right)+3=6+2\pi(\text{cm})$이므로

$\underline{\text{(부채꼴의 호의 길이)}=2\pi r \times \dfrac{\text{(중심각의 크기)}}{360°}}$

(옆넓이)$=(6+2\pi)\times 5=30+10\pi(\text{cm}^2)$

(겉넓이)$=3\pi \times 2+(30+10\pi)$

$=30+16\pi(\text{cm}^2)$

13

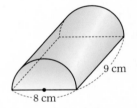

9 cm

8 cm

Tip 밑면이 반원인 기둥이다.

14

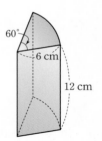

60°

6 cm

12 cm

15

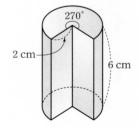

270°

2 cm

6 cm

구멍 뚫린 기둥의 겉넓이 구하기

❀ 다음 그림과 같은 기둥의 겉넓이를 구하시오.

③ 따라하기

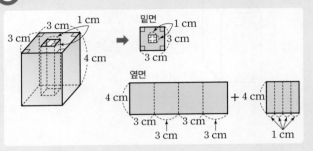

(밑넓이)$=3\times 3-1\times 1=8(\text{cm}^2)$

(옆넓이)$=\underline{12\times 4+4\times 4}$

$\quad\quad\quad\text{(바깥쪽 옆면의 넓이)}+\text{(안쪽 옆면의 넓이)}$

$=48+16=64(\text{cm}^2)$

(겉넓이)$=8\times 2+64=80(\text{cm}^2)$

16

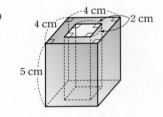

4 cm

4 cm

2 cm

5 cm

17

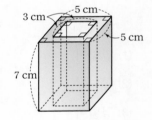

3 cm

5 cm

5 cm

7 cm

18

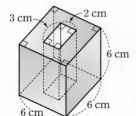

3 cm

2 cm

6 cm

6 cm

6 cm

❋ 다음 그림과 같은 기둥의 겉넓이를 구하시오.

3 따라하기

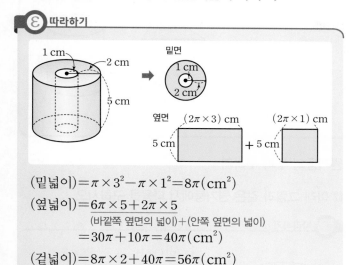

$(밑넓이) = \pi \times 3^2 - \pi \times 1^2 = 8\pi \, (cm^2)$

$(옆넓이) = 6\pi \times 5 + 2\pi \times 5$
<u>(바깥쪽 옆면의 넓이)+(안쪽 옆면의 넓이)</u>
$= 30\pi + 10\pi = 40\pi \, (cm^2)$

$(겉넓이) = 8\pi \times 2 + 40\pi = 56\pi \, (cm^2)$

19

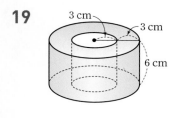

20

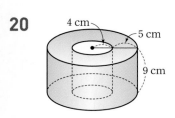

21

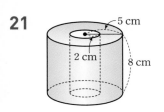

회전체의 겉넓이 구하기

❋ 다음 그림과 같은 평면도형을 직선 l을 회전축으로 하여 **1회전** 시킬 때 생기는 회전체의 겉넓이를 구하시오.

3 따라하기

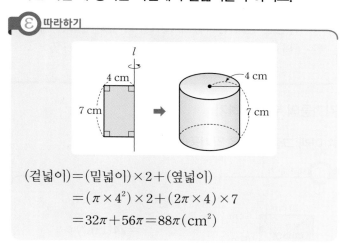

$(겉넓이) = (밑넓이) \times 2 + (옆넓이)$
$= (\pi \times 4^2) \times 2 + (2\pi \times 4) \times 7$
$= 32\pi + 56\pi = 88\pi \, (cm^2)$

22

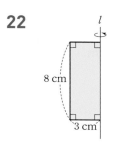

23

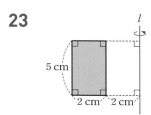

> **Tip** 평면도형이 회전축에서 떨어진 경우 가운데가 뚫린 회전체가 생긴다.

24 대표 문제

다음 그림과 같은 전개도로 만들어지는 각기둥의 겉넓이는?

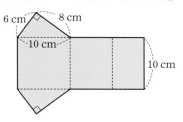

① 248 cm²   ② 288 cm²   ③ 308 cm²
④ 318 cm²   ⑤ 348 cm²

02 기둥의 부피

정답과 풀이 33쪽

(1) 각기둥의 부피
    (각기둥의 부피)=(밑넓이)×(높이)
(2) 원기둥의 부피
    밑면인 원의 반지름의 길이가 r, 높이가 h일 때
    (원기둥의 부피)=(밑넓이)×(높이)=$\pi r^2 h$

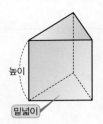
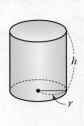

높이
밑넓이
h
r

각기둥의 부피 구하기

❈ 아래 그림과 같은 각기둥에서 다음을 구하시오.

따라하기

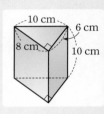

10 cm, 6 cm, 8 cm, 10 cm

(1) (밑넓이)=$\frac{1}{2}×8×6$
            =$24(\text{cm}^2)$
(2) (높이)=10 cm
(3) (부피)=24×10
            =$240(\text{cm}^3)$

01

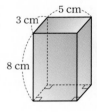

5 cm, 3 cm, 8 cm

(1) 밑넓이
(2) 높이
(3) 부피

02

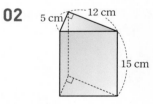

5 cm, 12 cm, 15 cm

(1) 밑넓이
(2) 높이
(3) 부피

03

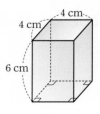

4 cm, 4 cm, 6 cm

(1) 밑넓이
(2) 높이
(3) 부피

원기둥의 부피 구하기

❈ 아래 그림과 같은 원기둥에서 다음을 구하시오.

따라하기

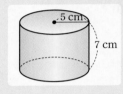

5 cm, 7 cm

(1) (밑넓이)=$\pi×5^2$
            =$25\pi(\text{cm}^2)$
(2) (높이)=7 cm
(3) (부피)=$25\pi×7$
            =$175\pi(\text{cm}^3)$

04

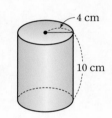

4 cm, 10 cm

(1) 밑넓이
(2) 높이
(3) 부피

05

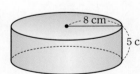

8 cm, 5 cm

(1) 밑넓이
(2) 높이
(3) 부피

06

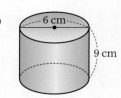

6 cm, 9 cm

(1) 밑넓이
(2) 높이
(3) 부피

입체도형의 부피 구하기

다음 그림과 같은 입체도형의 부피를 구하시오.

07

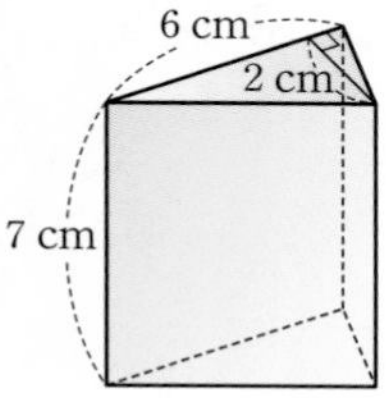

08

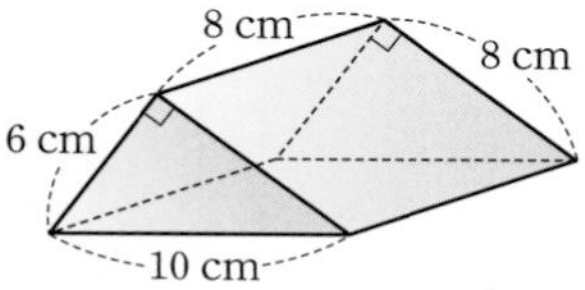

Tip 직각삼각형을 밑면으로 생각한다.

09

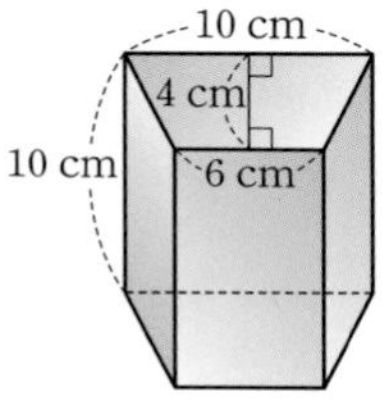

10

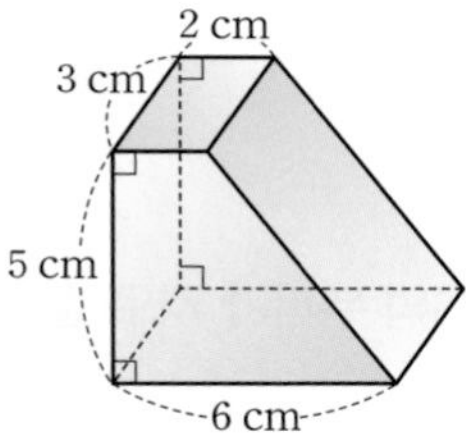

Tip 사다리꼴을 밑면으로 생각한다.

11

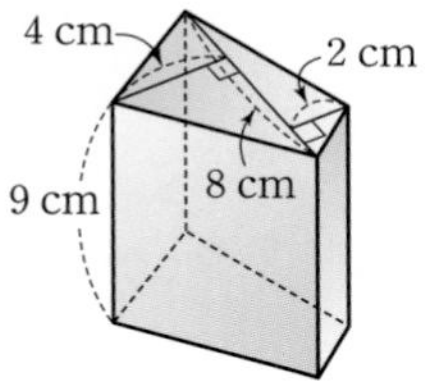

12

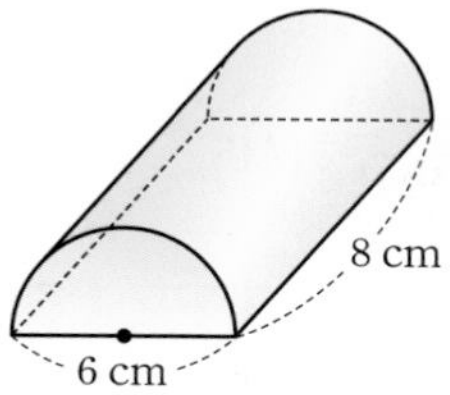

13

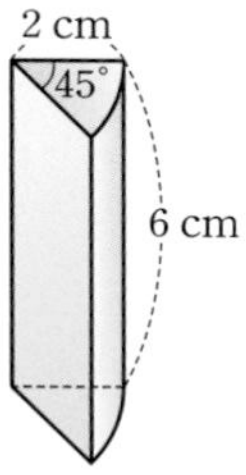

14

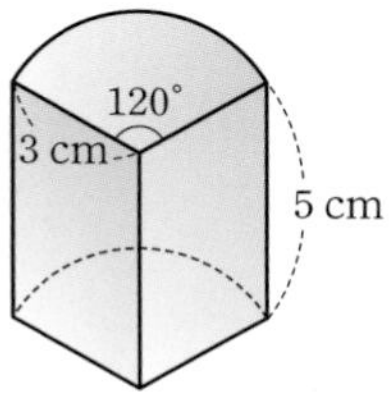

15

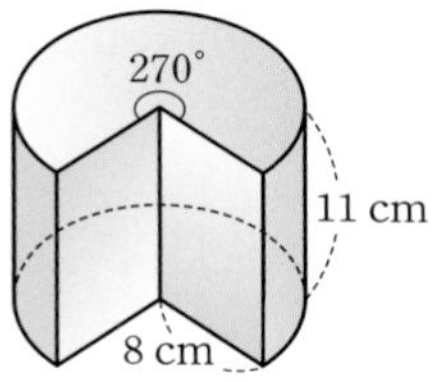

16

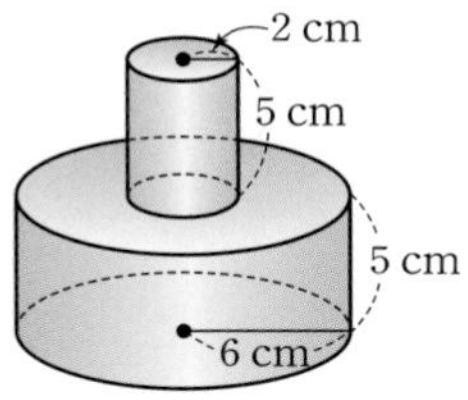

Tip 두 개의 원기둥의 부피를 각각 구하여 더한다.

구멍 뚫린 기둥의 부피 구하기

다음 그림과 같은 기둥의 부피를 구하시오.

ε 따라하기

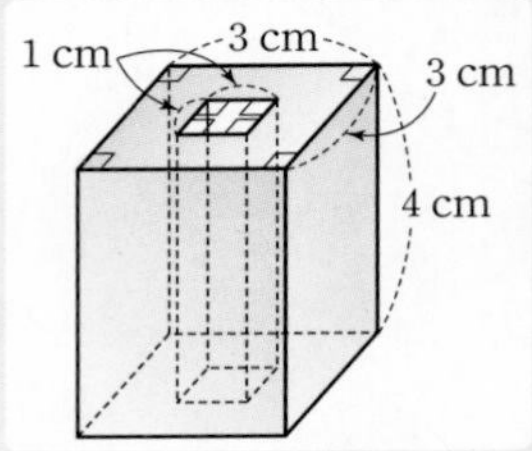

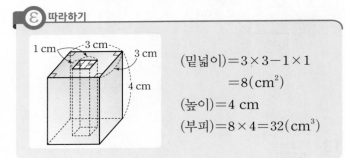

(밑넓이)$=3\times3-1\times1$
$=8(\text{cm}^2)$
(높이)$=4$ cm
(부피)$=8\times4=32(\text{cm}^3)$

17

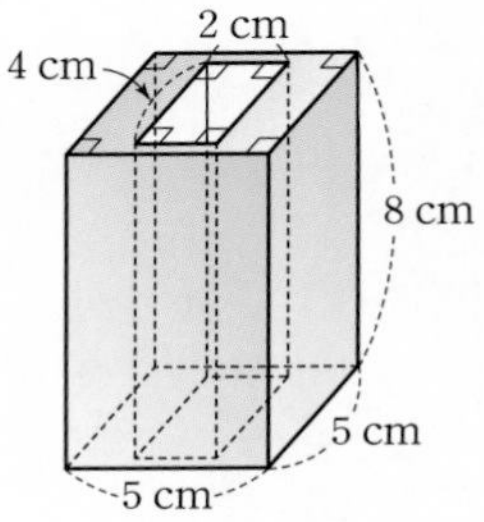

18

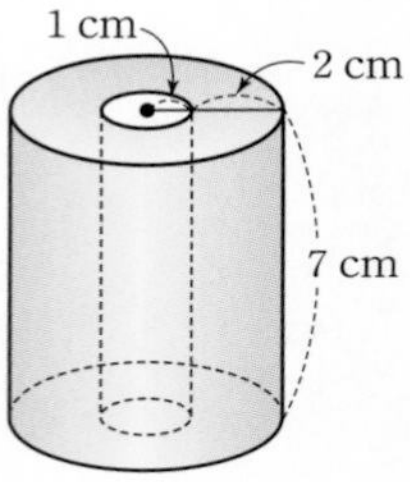

19

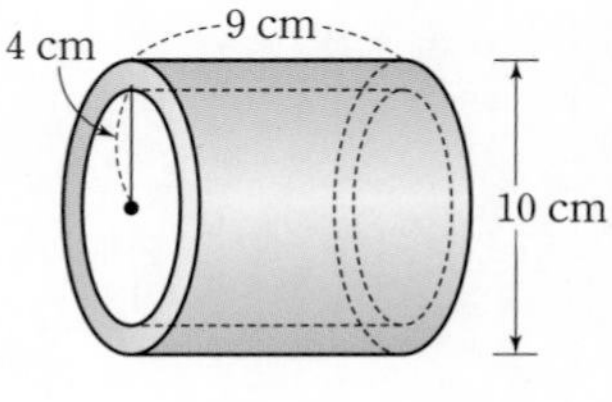

회전체의 부피 구하기

다음 그림과 같은 평면도형을 직선 l을 회전축으로 하여 1회전 시킬 때 생기는 회전체의 부피를 구하시오.

20

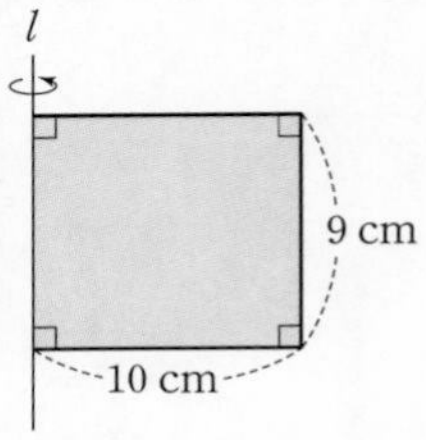

21

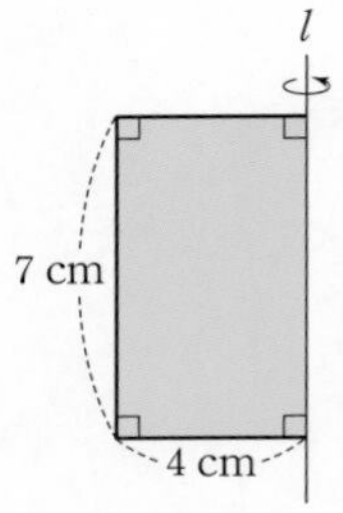

22

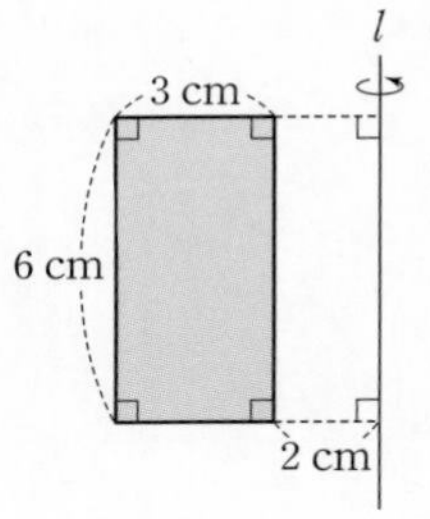

23 대표 문제

다음 그림과 같은 두 원기둥 A, B의 부피가 서로 같을 때, B의 높이는?

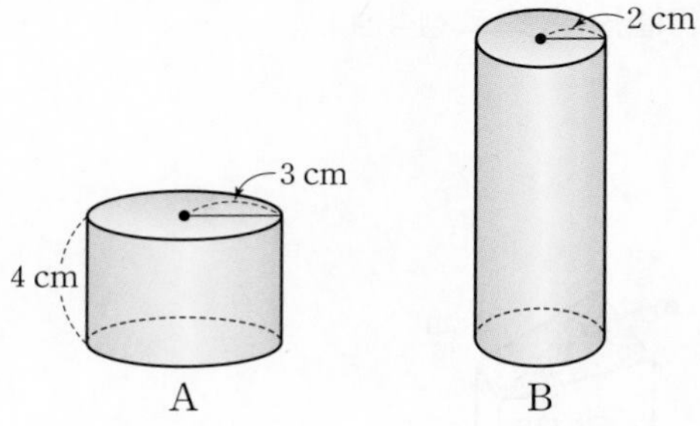

① 7 cm ② 8 cm ③ 9 cm
④ 10 cm ⑤ 11 cm

01

다음 그림과 같은 각기둥의 겉넓이는?

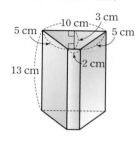

① 288 cm²   ② 300 cm²   ③ 312 cm²

④ 322 cm²   ⑤ 340 cm²

02

오른쪽 그림과 같이 높이가 10 cm이고, 옆넓이가 120π cm²인 원기둥의 겉넓이는?

① 112π cm²   ② 144π cm²

③ 160π cm²   ④ 184π cm²

⑤ 192π cm²

03

오른쪽 그림과 같이 밑면이 부채꼴인 기둥의 부피는?

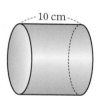

① 224π cm³

② 240π cm³

③ 265π cm³

④ 288π cm³

⑤ 300π cm³

04

오른쪽 그림과 같은 각기둥의 부피가 160 cm³일 때, 높이는?

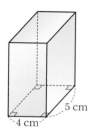

① 6 cm   ② 7 cm

③ 8 cm   ④ 9 cm

⑤ 10 cm

05

오른쪽 그림과 같은 입체도형의 부피는?

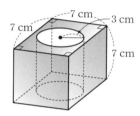

① (343−21π) cm³

② (343−42π) cm³

③ (343−63π) cm³

④ (343+21π) cm³

⑤ (343+63π) cm³

06

오른쪽 그림과 같은 평면도형을 직선 l을 회전축으로 하여 1회전 시킬 때 생기는 회전체의 부피는?

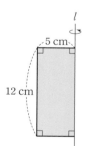

① 200π cm³   ② 240π cm³

③ 280π cm³   ④ 300π cm³

⑤ 320π cm³

2. 뿔과 구의 겉넓이와 부피

01 뿔의 겉넓이

정답과 풀이 34쪽

뿔의 겉넓이는 전개도를 그려서 구한다.

(1) 각뿔의 겉넓이

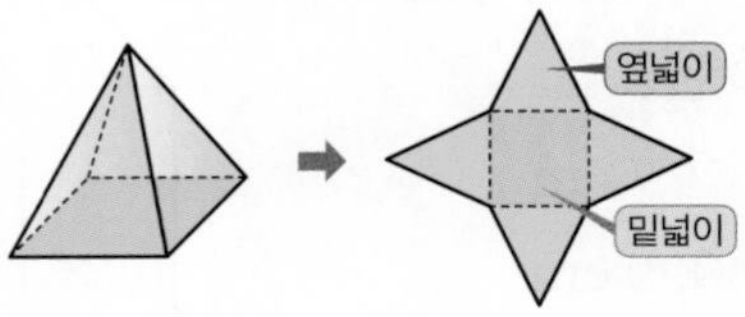

(각뿔의 겉넓이)
=(밑넓이)+(옆넓이)

참고 각뿔의 밑면은 1개이고, 옆면은 모두 삼각형이다.

(2) 원뿔의 겉넓이

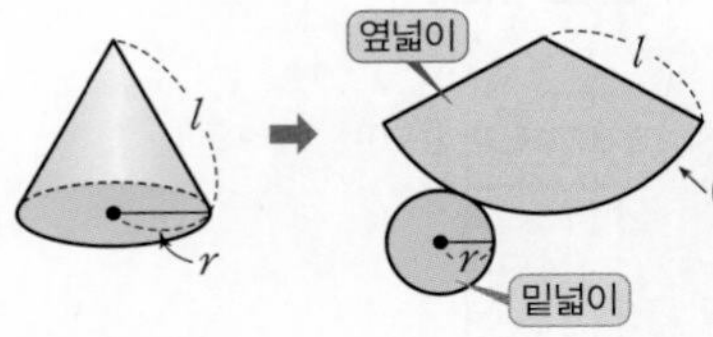

(옆면인 부채꼴의 호의 길이)
=(밑면인 원의 둘레의 길이)
$=2\pi r$

밑면인 원의 반지름의 길이가 r, 모선의 길이가 l일 때

(원뿔의 겉넓이)=(밑넓이)+(옆넓이)
$=\pi r^2+\pi rl$
└ $\frac{1}{2}\times l\times 2\pi r$

각뿔의 겉넓이 구하기

아래 그림과 같은 각뿔에서 다음을 구하시오.

ε 따라하기

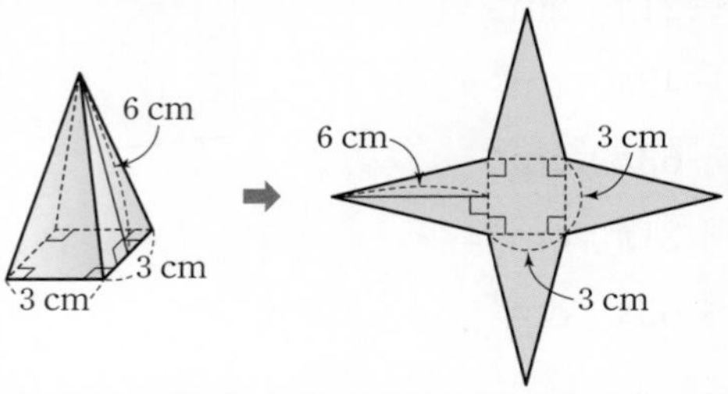

(1) (밑넓이)$=3\times3=9(\text{cm}^2)$

(2) (옆넓이)$=\left(\frac{1}{2}\times3\times6\right)\times4=36(\text{cm}^2)$
합동인 삼각형이 4개

(3) (겉넓이)$=9+36=45(\text{cm}^2)$

01

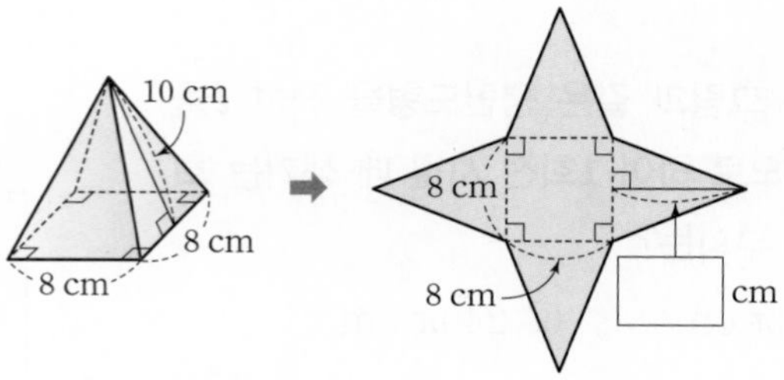

(1) 밑넓이

(2) 옆넓이

(3) 겉넓이

원뿔의 겉넓이 구하기

아래 그림과 같은 원뿔에서 다음을 구하시오.

ε 따라하기

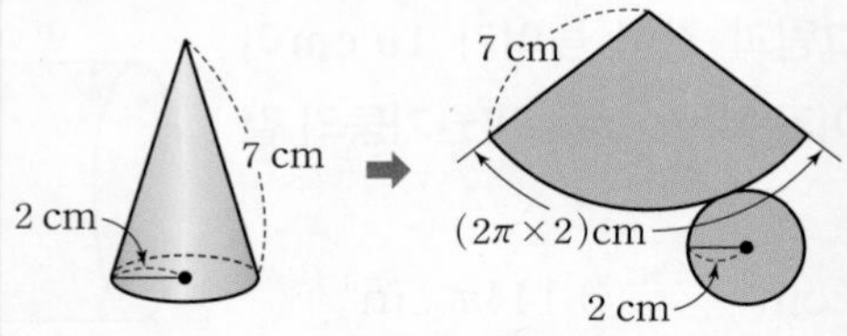

(1) (밑넓이)$=\pi\times2^2=4\pi(\text{cm}^2)$

(2) (옆넓이)$=\frac{1}{2}\times7\times4\pi=14\pi(\text{cm}^2)$

(3) (겉넓이)$=4\pi+14\pi=18\pi(\text{cm}^2)$

(부채꼴의 넓이)
$=\frac{1}{2}\times$(부채꼴의 반지름의 길이)
$\times$(호의 길이)

02

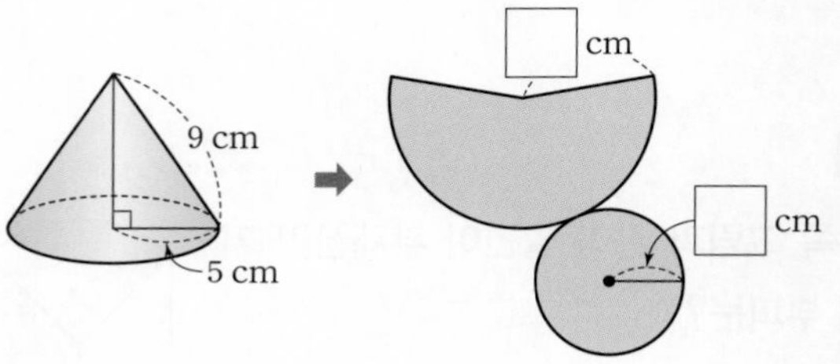

(1) 밑넓이

(2) 옆넓이

(3) 겉넓이

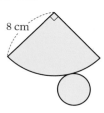

뿔의 겉넓이 구하기

✖ 아래 그림과 같은 뿔에서 다음을 구하시오.

03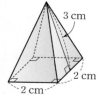

(1) 밑넓이

(2) 옆넓이

(3) 겉넓이

04

(1) 밑넓이

(2) 옆넓이

(3) 겉넓이

05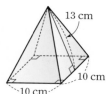

(1) 밑넓이

(2) 옆넓이

(3) 겉넓이

06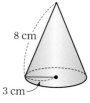

(1) 밑넓이

(2) 옆넓이

(3) 겉넓이

07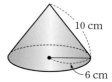

(1) 밑넓이

(2) 옆넓이

(3) 겉넓이

원뿔의 전개도가 주어질 때 겉넓이 구하기

✖ 다음 그림과 같은 전개도로 만들어지는 원뿔의 겉넓이를 구하시오.

08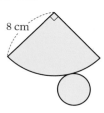

> Tip 옆면인 부채꼴의 호의 길이는 밑면인 원의 둘레의 길이와 같다.

09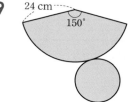

회전체의 겉넓이 구하기

✖ 다음 그림과 같은 평면도형을 직선 l을 회전축으로 하여 1회전 시킬 때 생기는 회전체의 겉넓이를 구하시오.

10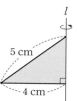

11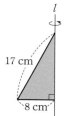

(1) 각뿔의 부피

$$(각뿔의 부피) = \frac{1}{3} \times (각기둥의 부피)$$
$$= \frac{1}{3} \times (밑넓이) \times (높이)$$

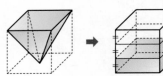

(2) 원뿔의 부피

밑면인 원의 반지름의 길이가 r, 높이가 h일 때

$$(원뿔의 부피) = \frac{1}{3} \times (원기둥의 부피)$$
$$= \frac{1}{3} \times (밑넓이) \times (높이) = \frac{1}{3}\pi r^2 h$$

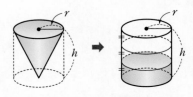

각뿔의 부피 구하기

❋ 아래 그림과 같은 각뿔에서 다음을 구하시오.

 따라하기

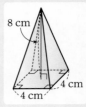

(1) $(밑넓이) = 4 \times 4 = 16(cm^2)$

(2) $(높이) = 8\ cm$

(3) $(부피) = \frac{1}{3} \times 16 \times 8$
$= \frac{128}{3}(cm^3)$

01

(1) 밑넓이

(2) 높이

(3) 부피

02

(1) 밑넓이

(2) 높이

(3) 부피

03

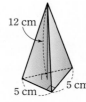

(1) 밑넓이

(2) 높이

(3) 부피

원뿔의 부피 구하기

❋ 아래 그림과 같은 원뿔에서 다음을 구하시오.

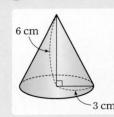 따라하기

(1) $(밑넓이) = \pi \times 3^2$
$= 9\pi(cm^2)$

(2) $(높이) = 6\ cm$

(3) $(부피) = \frac{1}{3} \times 9\pi \times 6$
$= 18\pi(cm^3)$

04

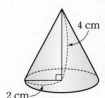

(1) 밑넓이

(2) 높이

(3) 부피

05

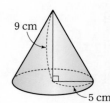

(1) 밑넓이

(2) 높이

(3) 부피

06

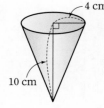

(1) 밑넓이

(2) 높이

(3) 부피

입체도형의 부피 구하기

다음 그림과 같은 입체도형의 부피를 구하시오.

07

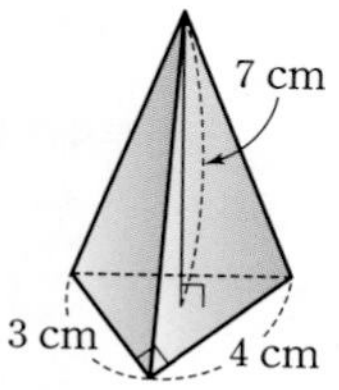
7 cm
3 cm
4 cm

08

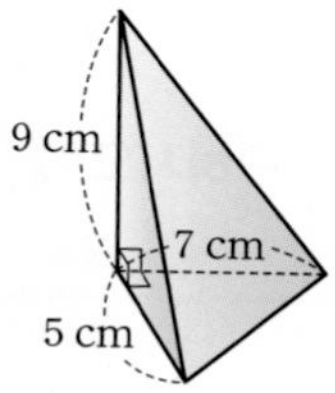
9 cm
7 cm
5 cm

09

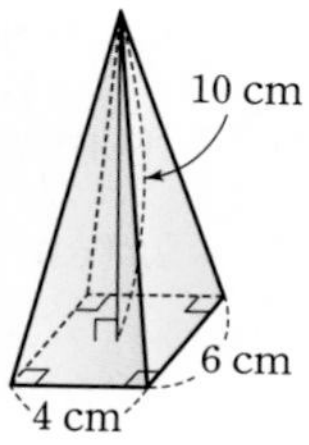
10 cm
6 cm
4 cm

10

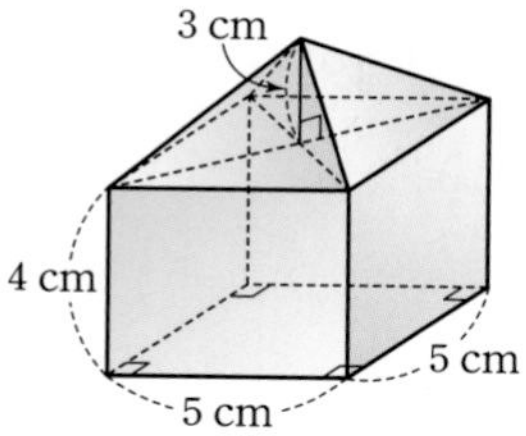
3 cm
4 cm
5 cm
5 cm

Tip (사각뿔의 부피)+(사각기둥의 부피)를 구한다.

11

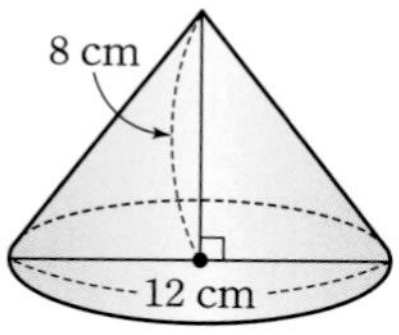
8 cm
12 cm

12

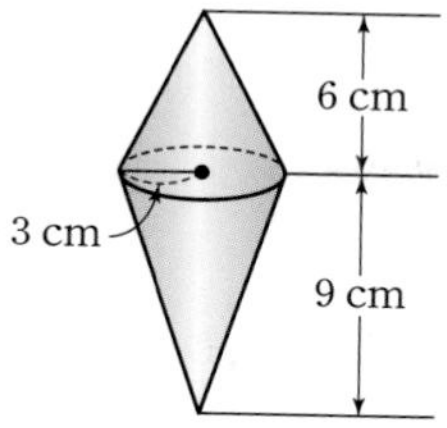
6 cm
3 cm
9 cm

Tip 두 원뿔의 부피의 합을 구한다.

회전체의 부피 구하기

다음 그림과 같은 평면도형을 직선 l을 회전축으로 하여 1회전 시킬 때 생기는 회전체의 부피를 구하시오.

13

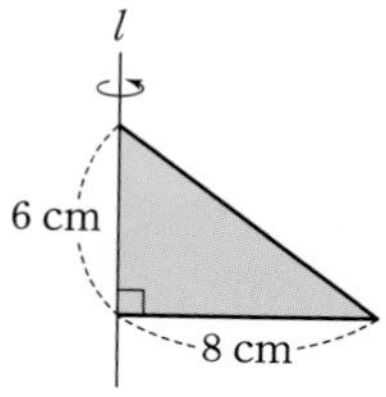
l
6 cm
8 cm

14

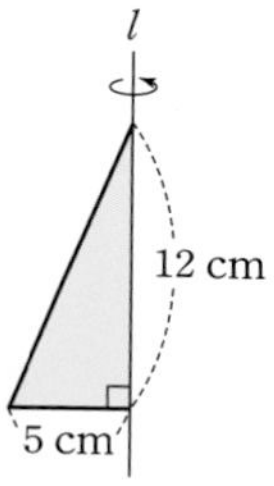
l
12 cm
5 cm

15 대표 문제

오른쪽 그림과 같은 원뿔의 부피가 96π cm³일 때, 이 원뿔의 높이는?

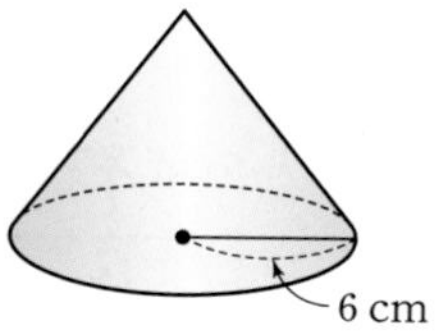
6 cm

① 3 cm ② 5 cm
③ 8 cm ④ 10 cm
⑤ 12 cm

03 뿔대의 겉넓이

(1) 각뿔대의 겉넓이

(각뿔대의 겉넓이)

＝(두 밑넓이의 합)＋(옆넓이)

합동인 4개의 사다리꼴

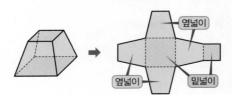

(2) 원뿔대의 겉넓이

(원뿔대의 겉넓이)

＝(두 밑넓이의 합)＋(옆넓이)

(큰 부채꼴의 넓이)−(작은 부채꼴의 넓이)

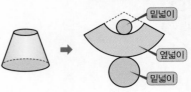

각뿔대의 겉넓이 구하기

❇ 아래 그림과 같은 각뿔대에서 다음을 구하시오.

 따라하기

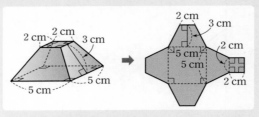

(1) (두 밑넓이의 합)＝$5 \times 5 + 2 \times 2 = 29(\text{cm}^2)$

(2) (옆넓이)＝$\left\{ \dfrac{1}{2} \times (5+2) \times 3 \right\} \times 4 = 42(\text{cm}^2)$

　　　　　합동인 사다리꼴이 4개

(3) (겉넓이)＝$29 + 42 = 71(\text{cm}^2)$

원뿔대의 겉넓이 구하기

❇ 아래 그림과 같은 원뿔대에서 다음을 구하시오.

 따라하기

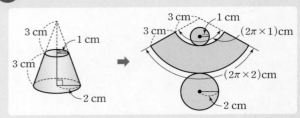

(1) (두 밑넓이의 합)＝$\pi \times 1^2 + \pi \times 2^2 = 5\pi(\text{cm}^2)$

(2) (옆넓이)＝$\dfrac{1}{2} \times 6 \times 4\pi - \dfrac{1}{2} \times 3 \times 2\pi = 9\pi(\text{cm}^2)$

　　　　　큰 부채꼴의 넓이　작은 부채꼴의 넓이

(3) (겉넓이)＝$5\pi + 9\pi = 14\pi(\text{cm}^2)$

01

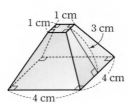

(1) 두 밑넓이의 합

(2) 옆넓이

(3) 겉넓이

03

(1) 두 밑넓이의 합

(2) 옆넓이

(3) 겉넓이

02

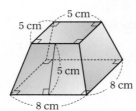

(1) 두 밑넓이의 합

(2) 옆넓이

(3) 겉넓이

04

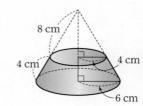

(1) 두 밑넓이의 합

(2) 옆넓이

(3) 겉넓이

04 뿔대의 부피

정답과 풀이 36쪽

(뿔대의 부피)=(자르기 전 큰 뿔의 부피)−(잘린 작은 뿔의 부피)

(1) 각뿔대의 부피

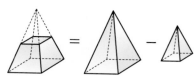

(2) 원뿔대의 부피

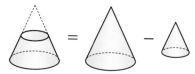

각뿔대의 부피 구하기

❈ 다음 그림과 같은 각뿔대의 부피를 구하시오.

 따라하기

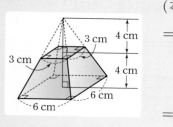

(각뿔대의 부피)

$$=\frac{1}{3}\times(6\times6)\times8$$

$\underline{\text{자르기 전 큰 각뿔의 부피}}$

$$-\frac{1}{3}\times(3\times3)\times4$$

$\underline{\text{잘린 작은 각뿔의 부피}}$

$$=96-12$$

$$=84(\text{cm}^3)$$

01

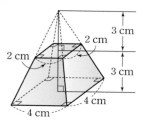

02

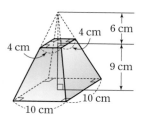

03

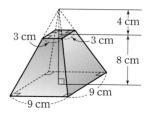

원뿔대의 부피 구하기

❈ 다음 그림과 같은 원뿔대의 부피를 구하시오.

 **따라하기**

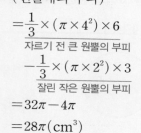

(원뿔대의 부피)

$$=\frac{1}{3}\times(\pi\times4^2)\times6$$

$\underline{\text{자르기 전 큰 원뿔의 부피}}$

$$-\frac{1}{3}\times(\pi\times2^2)\times3$$

$\underline{\text{잘린 작은 원뿔의 부피}}$

$$=32\pi-4\pi$$

$$=28\pi(\text{cm}^3)$$

04

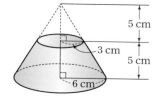

05

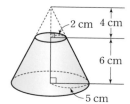

06 대표 문제

오른쪽 그림과 같은 평면도형을 직선 l을 회전축으로 하여 1회전 시킬 때 생기는 회전체의 부피를 구하시오.

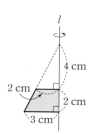

05 구의 겉넓이

반지름의 길이가 r인 구에서

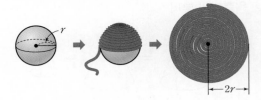

$$(\text{구의 겉넓이}) = \pi \times (2r)^2 = 4\pi r^2$$

참고 반지름의 길이가 r인 구의 겉넓이는 반지름의 길이가 $2r$인 원의 넓이와 같다.

구의 겉넓이 구하기

�ख **다음 그림과 같은 구의 겉넓이를 구하시오.**

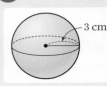

$$(\text{겉넓이}) = 4\pi \times 3^2$$
$$= 36\pi (\text{cm}^2)$$

01

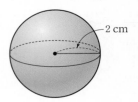

02

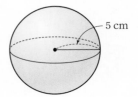

03

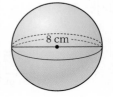

반구의 겉넓이 구하기

✤ **다음 그림과 같은 반구의 겉넓이를 구하시오.**

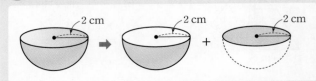

$$(\text{겉넓이}) = \frac{1}{2} \times (4\pi \times 2^2) + \underset{\text{잘린 단면인 원의 넓이}}{\pi \times 2^2}$$
$$= 12\pi (\text{cm}^2)$$

04

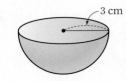

05

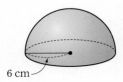

06

일부분이 잘린 구의 겉넓이 구하기

다음 그림과 같은 입체도형의 겉넓이를 구하시오.

따라하기

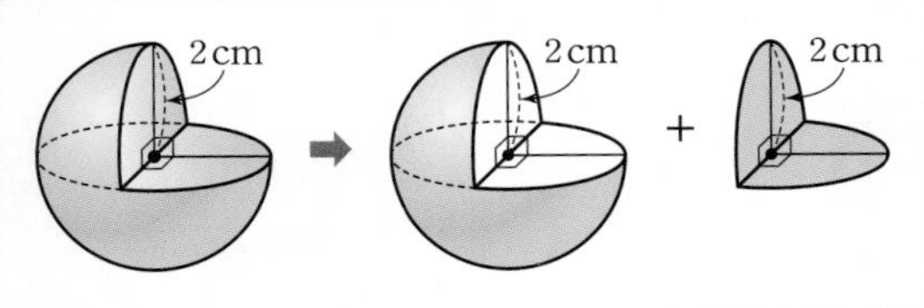

$(\text{겉넓이}) = \frac{3}{4} \times (4\pi \times 2^2) + \pi \times 2^2$

구의 $\frac{3}{4}$　　잘린 단면의 넓이

$= 16\pi(\text{cm}^2)$

07

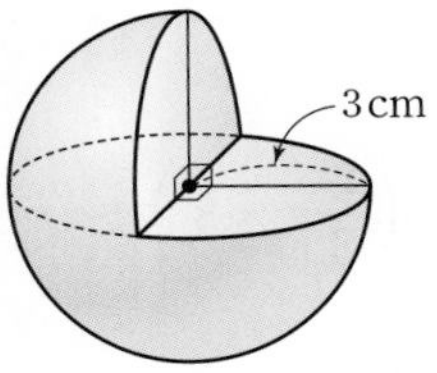

08

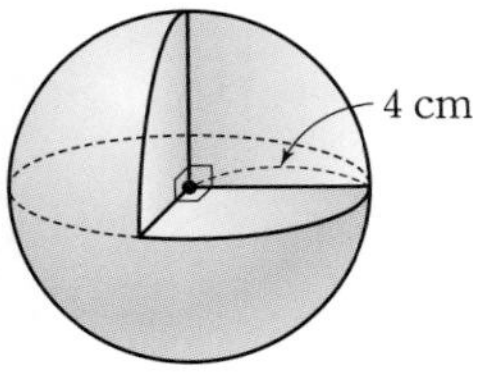

09

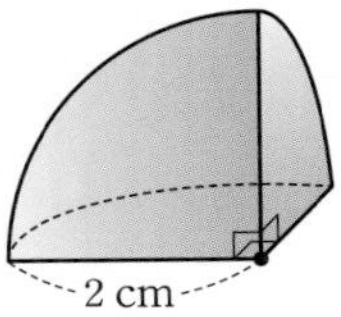

10

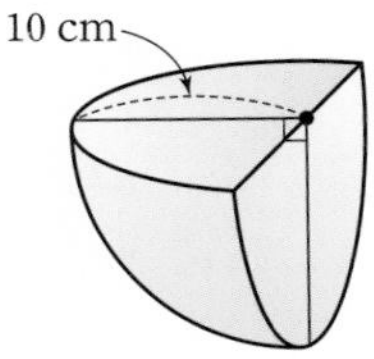

다양한 입체도형의 겉넓이 구하기

다음 그림과 같은 입체도형의 겉넓이를 구하시오.

11

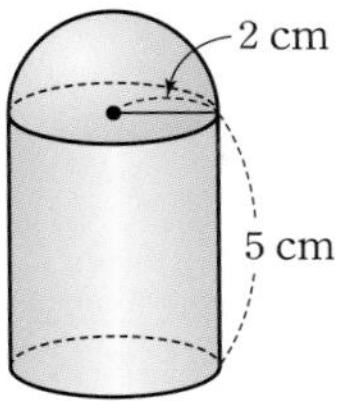

12

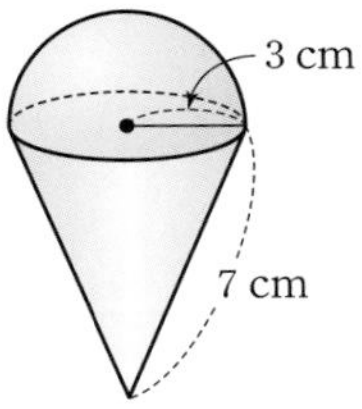

회전체의 겉넓이 구하기

다음 그림과 같은 평면도형을 직선 l을 회전축으로 하여 1회전 시킬 때 생기는 회전체의 겉넓이를 구하시오.

13

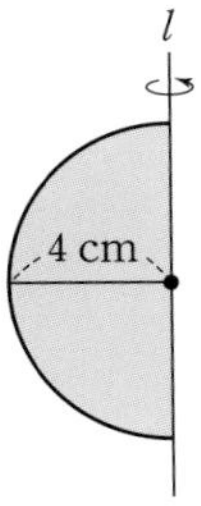

14

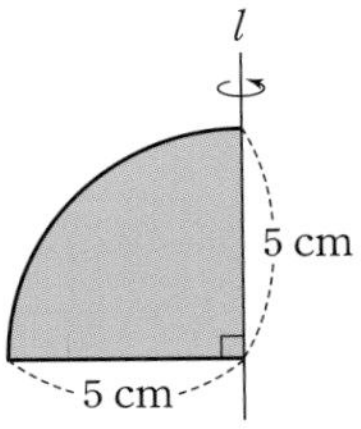

15 대표 문제

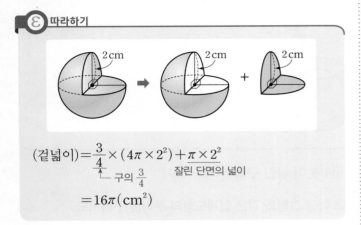

겉넓이가 $36\pi\ \text{cm}^2$인 구의 반지름의 길이는?

① 1 cm　② 2 cm　③ 3 cm
④ 4 cm　⑤ 5 cm

06 구의 부피

정답과 풀이 37쪽

반지름의 길이가 r인 구에서

$$(구의 \; 부피)=\frac{2}{3}\times(원기둥의 \; 부피)$$

$$=\frac{2}{3}\times\pi r^2\times2r$$

$$=\frac{4}{3}\pi r^3$$

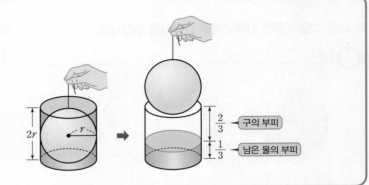

구의 부피 구하기

❖ 다음 그림과 같은 구의 부피를 구하시오.

ε 따라하기

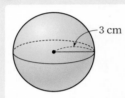

$$(부피)=\frac{4}{3}\pi\times3^3$$
$$=36\pi(\mathrm{cm}^3)$$

01

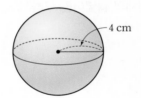

02

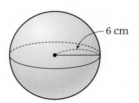

03

일부분이 잘린 구의 부피 구하기

❖ 다음 그림과 같은 입체도형의 부피를 구하시오.

ε 따라하기

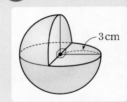

$$(부피)$$
$$=\frac{3}{4}\times\left(\frac{4}{3}\pi\times3^3\right)$$
구의 $\frac{3}{4}$
$$=27\pi(\mathrm{cm}^3)$$

04

05

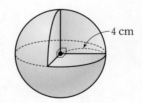

06

다양한 입체도형의 부피 구하기

❈ 다음 그림과 같은 입체도형의 부피를 구하시오.

07

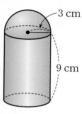

3 cm
9 cm

Tip (반구의 부피) + (원기둥의 부피)를 구한다.

08

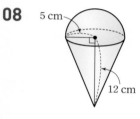

5 cm
12 cm

09

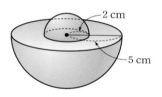

2 cm
5 cm

10

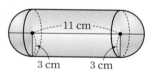

11 cm
3 cm 3 cm

11 대표 문제

겉넓이가 64π cm²인 구의 부피는?

① $\dfrac{64}{3}\pi$ cm³ 　② $\dfrac{128}{3}\pi$ cm³ 　③ $\dfrac{256}{3}\pi$ cm³

④ 96π cm³ 　⑤ 256π cm³

회전체의 부피 구하기

❈ 다음 그림과 같은 평면도형을 직선 l을 회전축으로 하여 1회전 시킬 때 생기는 회전체의 부피를 구하시오.

12

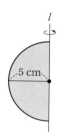

5 cm

13

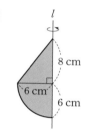

8 cm
6 cm
6 cm

원뿔, 구, 원기둥의 부피의 비

❈ 오른쪽 그림과 같이 원기둥 안에 구와 원뿔이 꼭 맞게 들어 있을 때, 다음을 구하시오.

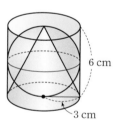

6 cm
3 cm

14 원뿔의 부피

15 구의 부피

16 원기둥의 부피

17 원뿔, 구, 원기둥의 부피의 비

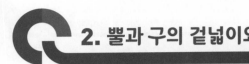

01

오른쪽 그림과 같은 각뿔의 겉넓이를 구
하시오.

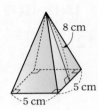

02

오른쪽 그림과 같은 전개도로 만든
원뿔의 겉넓이가 $24\pi \ cm^2$일 때,
l의 값은?

① 7 　　　　 ② 8

③ 9 　　　　 ④ 10

⑤ 11

03

오른쪽 그림과 같은 원뿔의 밑면인 원의
둘레의 길이가 $8\pi \ cm$일 때, 이 원뿔의
부피는?

① $28\pi \ cm^3$ 　　　 ② $32\pi \ cm^3$

③ $36\pi \ cm^3$ 　　　 ④ $40\pi \ cm^3$

⑤ $44\pi \ cm^3$

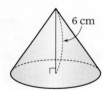

04

오른쪽 그림과 같은 각뿔대의 겉넓
이는?

① $360 \ cm^2$ 　　 ② $380 \ cm^2$

③ $400 \ cm^2$ 　　 ④ $420 \ cm^2$

⑤ $460 \ cm^2$

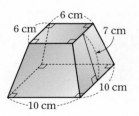

05

오른쪽 그림과 같은 평면도형을 직선 l을
회전축으로 하여 1회전 시킬 때 생기는 회
전체의 부피는?

① $8\pi \ cm^3$ 　　　 ② $12\pi \ cm^3$

③ $15\pi \ cm^3$ 　　　 ④ $18\pi \ cm^3$

⑤ $19\pi \ cm^3$

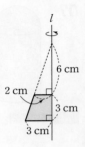

06

오른쪽 그림과 같은 구의 겉넓이는?

① $224\pi \ cm^2$ 　 ② $240\pi \ cm^2$

③ $272\pi \ cm^2$ 　 ④ $288\pi \ cm^2$

⑤ $320\pi \ cm^2$

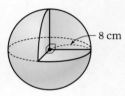

07

반지름의 길이가 $12 \ cm$인 구의 겉넓이와 부피를 차례대로
구하면?

① $460\pi \ cm^2, \ 2100\pi \ cm^3$

② $500\pi \ cm^2, \ 2100\pi \ cm^3$

③ $576\pi \ cm^2, \ 2204\pi \ cm^3$

④ $576\pi \ cm^2, \ 2304\pi \ cm^3$

⑤ $596\pi \ cm^2, \ 2304\pi \ cm^3$

자료의 정리와 해석

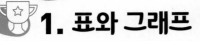

01 줄기와 잎 그림

정답과 풀이 39쪽

(1) 변량: 키, 무게, 성적 등의 자료를 수량으로 나타낸 것
(2) 줄기와 잎 그림: 줄기와 잎을 이용하여 자료를 나타낸 그림
(3) 줄기와 잎 그림을 그리는 방법
　① 변량을 줄기와 잎으로 나눈다.
　② 세로선을 긋고, 세로선의 왼쪽에 줄기를 작은 값부터 차례로 세로로 쓴다.
　③ 세로선의 오른쪽에 각 줄기에 해당하는 잎을 크기순으로 가로로 쓴다.
　④ 그림의 오른쪽 위에 '줄기 | 잎'을 설명한다.

[자료] (단위: 권)

25	20
19	32
16	38
25	40
13	27

변량 →

[줄기와 잎 그림] (1|3은 13권)

줄기	잎
1	3　6　9
2	0　5　5　7
3	2　8
4	0

줄기와 잎 그림 완성하기

다음 자료의 줄기와 잎 그림을 완성하시오.

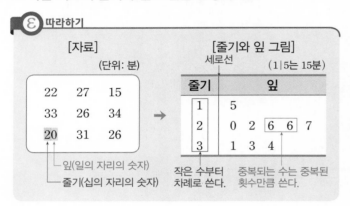

따라하기

[자료] (단위: 분)

22	27	15
33	26	34
20	31	26

└ 잎(일의 자리의 숫자)
└ 줄기(십의 자리의 숫자)

→

[줄기와 잎 그림]
세로선　(1|5는 15분)

줄기	잎
1	5
2	0　2　6　6　7
3	1　3　4

작은 수부터 차례로 쓴다.　중복되는 수는 중복된 횟수만큼 쓴다.

01 유진이네 반 학생들의 수학 성적

(단위: 점)

| 64 | 85 | 76 | 89 | 82 | 67 | 90 | 82 |
| 78 | 91 | 82 | 75 | 82 | 78 | 86 | 73 |

수학 성적

(6|4는 64점)

줄기	잎
6	4　7
7	□　5　6　8　8
8	□　□　□　5　6　9
□	0　1

02 주은이네 반 학생들의 휴대 전화 통화 시간

(단위: 분)

| 27 | 23 | 28 | 34 | 39 | 48 | 50 | 26 |
| 50 | 37 | 35 | 26 | 25 | 16 | 32 | 33 |

통화 시간

(1|6은 16분)

줄기	잎
1	6
2	
3	
4	
5	

03 영호네 반 학생들의 몸무게

(단위: kg)

48	52	55	38	49	37	33	42
45	36	52	60	54	58	49	53
50	46	43	32	51	44	47	64

몸무게

(3|2는 32 kg)

줄기	잎
3	2

줄기와 잎 그림 이해하기

❈ 아래는 소정이네 반 학생들의 통학 시간을 조사하여 나타낸 줄기와 잎 그림이다. 다음을 구하시오.

통학 시간

(1|5는 15분)

줄기	잎
1	5 8
2	0 0 4 7 8
3	2 4 5 5 5 6 7 9
4	3 5 6 7 8 8

04 줄기가 2인 잎의 수

05 잎이 가장 많은 줄기

06 소정이네 반 전체 학생 수

Tip 줄기와 잎 그림에서 자료의 전체 개수는 잎의 총 개수와 같다.

❈ 아래는 어느 체육관 회원들의 나이를 조사하여 나타낸 줄기와 잎 그림이다. 다음을 구하시오.

나이

(1|5는 15살)

줄기	잎
1	5 5 7 8 9 9 9
2	1 1 2 3 4 5 7 7 8 9
3	0 2 3 4 5 6 6 7
4	0 3 4 5 5

07 체육관 전체 회원 수

08 나이가 40살 이상인 회원 수

09 나이가 25살 이상 35살 미만인 회원 수

❈ 아래는 동혁이네 반 학생들의 키를 조사하여 나타낸 줄기와 잎 그림이다. 다음을 구하시오.

키

(14|1은 141 cm)

줄기	잎
14	1 2 4 9
15	0 3 3 4 5 7 8 9 9
16	2 5 6 6 6 7
17	0 4 4 6

10 키가 가장 작은 학생의 키

11 키가 가장 큰 학생의 키

12 키가 5번째로 작은 학생의 키

Tip 키가 작은 학생의 키부터 차례대로 나열해 본다.

❈ 아래는 재민이네 반 학생들의 줄넘기 기록을 조사하여 나타낸 줄기와 잎 그림이다. 다음을 구하시오.

줄넘기 기록

(1|8은 18회)

줄기	잎
1	8 9
2	3 6 7
3	0 2 4 5 6 7 8 9
4	2 4 5 5 6 6
5	1 3

13 줄넘기 기록이 가장 좋은 학생의 줄넘기 기록

14 줄넘기 기록이 35회 미만인 학생 수

15 줄넘기 기록이 8번째로 좋은 학생의 줄넘기 기록

Tip 기록이 좋다는 것은 줄넘기 횟수가 많다는 뜻이다.

02 도수분포표

(1) 계급: 변량을 일정한 간격으로 나눈 구간
  ① 계급의 크기: 변량을 나눈 구간의 너비, 즉 계급의 양 끝 값의 차
  ② 계급의 개수: 변량을 나눈 구간의 수
(2) 도수: 각 계급에 속하는 자료의 수
(3) 도수분포표: 자료를 몇 개의 계급으로 나누고 각 계급의 도수를 나타낸 표
(4) 도수분포표를 만드는 방법
  ① 가장 작은 변량과 가장 큰 변량을 찾는다.
  ② 계급의 크기를 정하여 계급을 나눈다.
  ③ 각 계급에 속하는 변량의 개수를 세어 계급의 도수를 구한다.

[도수분포표]

책의 수(권)	도수(명)
10^{이상} ~ 20^{미만}	3
20 ~ 30	4
30 ~ 40	2
40 ~ 50 ← 계급	1
합계	10

도수의 총합

도수분포표로 나타내기

✖ 다음 자료의 도수분포표를 완성하시오.

따라하기

(단위: 회)

가장 작은 변량 24 29
17 33
20 26
35 28

가장 큰 변량

→ 계급의 크기를 정하여 계급을 나눈다.

횟수(회)	도수(명)	
10^{이상} ~ 20^{미만}	/	1
20 ~ 30	//////	5
30 ~ 40	//	2
합계		8

변량의 개수를 /////, 正을 이용하여 세면 편리하다.

01 도희네 반 학생들의 하루 운동 시간

(단위: 분)

36	24	15	50	48	32	20	43
55	17	34	35	45	27	39	46
28	43	42	52	33	24	38	35

운동 시간(분)	도수(명)	
10^{이상} ~ 20^{미만}	//	2
20 ~ 30		
30 ~ 40		
40 ~ 50		
50 ~ 60		
합계		24

02 어느 도시의 하루 최고 기온

(단위: ℃)

21	18	17	15	14	19	22	26	22
19	24	23	20	17	20	25	23	21

최고 기온(℃)	도수(일)
12^{이상} ~ 16^{미만}	2
16 ~ 20	
20 ~ 24	
24 ~ 28	
합계	18

03 민규네 반 학생들의 발의 길이

(단위: mm)

240	235	225	245	260	255	245
230	245	255	265	250	235	250
250	235	250	255	260	240	255

발의 길이(mm)	도수(명)
220^{이상} ~ 230^{미만}	
합계	21

도수분포표에서 계급의 개수와 크기

다음 도수분포표의 계급의 개수와 계급의 크기를 구하시오.

따라하기

점수(점)	도수(명)
$10^{이상} \sim 15^{미만}$	3
15 ~ 20	5
20 ~ 25	2
합계	10

(계급의 개수)=③

(계급의 크기)

=15−10=20−15

=25−20=⑤(점)

각 계급의 양 끝 값의 차이므로 어느 계급을 택해도 항상 일정하다.

04

던지기 기록(m)	도수(명)
$12^{이상} \sim 20^{미만}$	2
20 ~ 28	9
28 ~ 36	6
36 ~ 44	3
합계	20

계급의 개수: ________, 계급의 크기: ________

05

TV 시청 시간(분)	도수(명)
$10^{이상} \sim 30^{미만}$	5
30 ~ 50	4
50 ~ 70	10
70 ~ 90	3
90 ~ 110	2
합계	24

계급의 개수: ________, 계급의 크기: ________

06

귤의 무게(g)	도수(개)
$40^{이상} \sim 45^{미만}$	1
45 ~ 50	6
50 ~ 55	5
55 ~ 60	10
60 ~ 65	8
65 ~ 70	5
합계	35

계급의 개수: ________, 계급의 크기: ________

도수분포표에서 특정 계급 구하기

아래는 은진이네 반 학생들이 한 달 동안 읽은 책의 수를 조사하여 나타낸 도수분포표이다. 다음을 구하시오.

책의 수(권)	도수(명)
$0^{이상} \sim 3^{미만}$	5
3 ~ 6	8
6 ~ 9	10
9 ~ 12	6
12 ~ 15	4
합계	33

07 도수가 가장 큰 계급

08 도수가 가장 작은 계급

09 도수가 6명인 계급

10 읽은 책이 8권인 학생이 속하는 계급

11 읽은 책이 12번째로 적은 학생이 속하는 계급

12 읽은 책이 10번째로 많은 학생이 속하는 계급

도수분포표에서 도수의 총합으로 계급의 도수 구하기

❖ 다음 도수분포표에서 A의 값을 구하시오.

책의 수(권)	도수(명)
$2^{이상} \sim 6^{미만}$	3
$6 \sim 10$	A
$10 \sim 14$	5
합계	⑫

(어느 한 계급의 도수)
=(도수의 총합)-(나머지 도수의 합)

$$A = ⑫ - (③+5)$$
$$= 4$$

13

참외의 무게(g)	도수(개)
$260^{이상} \sim 280^{미만}$	4
$280 \sim 300$	A
$300 \sim 320$	9
$320 \sim 340$	7
합계	25

14

판매량(개)	도수(일)
$5^{이상} \sim 10^{미만}$	6
$10 \sim 15$	A
$15 \sim 20$	13
$20 \sim 25$	8
$25 \sim 30$	2
합계	36

15

제기차기 횟수(회)	도수(명)
$0^{이상} \sim 6^{미만}$	1
$6 \sim 12$	6
$12 \sim 18$	15
$18 \sim 24$	A
$24 \sim 30$	5
합계	40

❖ 아래는 어느 정류장의 버스 대기 시간을 조사하여 나타낸 도수분포표이다. 다음을 구하시오.

버스 대기 시간(분)	도수(대)
$0^{이상} \sim 5^{미만}$	3
$5 \sim 10$	A
$10 \sim 15$	11
$15 \sim 20$	14
$20 \sim 25$	6
합계	43

16 A의 값

17 대기 시간이 10분 미만인 버스의 수

18 대기 시간이 5번째로 짧은 버스가 속하는 계급

❖ 아래는 수정이네 반 학생들의 사회 수행 평가 점수를 조사하여 나타낸 도수분포표이다. 다음을 구하시오.

수행 평가 점수(점)	도수(명)
$0^{이상} \sim 10^{미만}$	2
$10 \sim 20$	8
$20 \sim 30$	12
$30 \sim 40$	A
$40 \sim 50$	4
합계	32

19 A의 값

20 수행 평가 점수가 30점 이상인 학생 수

21 수행 평가 점수가 10번째로 높은 학생이 속하는 계급

도수분포표에서 계급의 백분율

❖ 다음 도수분포표에서 주어진 계급에 속하는 자료는 전체의 몇 %인지 구하시오.

③ **따라하기**

기록(초)	도수(명)
$0^{이상} \sim 3^{미만}$	2
3 ~ 6	③
6 ~ 9	5
합계	⑩

기록이 3초 이상 6초 미만인 학생은 전체의

계급의 도수 → $\dfrac{③}{⑩} \times 100 = 30(\%)$ ← 도수의 총합

(각 계급의 백분율)$= \dfrac{(그\ 계급의\ 도수)}{(도수의\ 총합)} \times 100(\%)$

22

국어 성적(점)	도수(명)
$50^{이상} \sim 60^{미만}$	3
60 ~ 70	6
70 ~ 80	12
80 ~ 90	7
90 ~ 100	2
합계	30

(1) 국어 성적이 70점 이상 80점 미만인 학생

(2) 국어 성적이 70점 미만인 학생

23

용돈(만 원)	도수(명)
$1^{이상} \sim 2^{미만}$	5
2 ~ 3	19
3 ~ 4	12
4 ~ 5	10
5 ~ 6	4
합계	50

(1) 용돈이 3만 원 이상 4만 원 미만인 학생

(2) 용돈이 4만 원 이상인 학생

❖ 아래는 태영이네 반 학생들의 허리둘레를 조사하여 나타낸 도수분포표이다. 다음 물음에 답하시오.

허리둘레(cm)	도수(명)
$50^{이상} \sim 55^{미만}$	5
55 ~ 60	13
60 ~ 65	10
65 ~ 70	
70 ~ 75	4
합계	40

24 허리둘레가 65 cm 이상 70 cm 미만인 학생 수를 구하시오.

25 허리둘레가 65 cm 이상 70 cm 미만인 학생은 전체의 몇 %인지 구하시오.

26 허리둘레가 65 cm 이상인 학생 수를 구하시오.

27 허리둘레가 65 cm 이상인 학생은 전체의 몇 % 인지 구하시오.

28 대표 문제

오른쪽은 어느 중학교 학생들의 운동 시간을 조사하여 나타낸 도수분포표이다. 운동 시간이 20분 이상 40분 미만인 학생은 전체의 몇 %인가?

운동 시간(분)	도수(명)
$0^{이상} \sim 20^{미만}$	5
20 ~ 40	
40 ~ 60	11
60 ~ 80	8
80 ~ 100	3
합계	36

① 20 %   ② 23 %

③ 25 %   ④ 27 %

⑤ 30 %

(1) **히스토그램**: 도수분포표의 각 계급의 크기를 가로로, 도수를 세로로 하는 직사각형 모양으로 나타낸 그래프

(2) 히스토그램을 그리는 방법

① 가로축에는 각 계급의 양 끝 값을 차례로 나타낸다.

② 세로축에는 도수를 차례로 나타낸다.

③ 각 계급의 크기를 가로의 길이로, 그 도수를 세로의 길이로 하는 직사각형을 차례로 그린다.

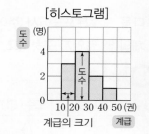

[히스토그램]

도수분포표로 히스토그램 그리기

❖ 다음 도수분포표를 보고, 히스토그램을 완성하시오.

따라하기

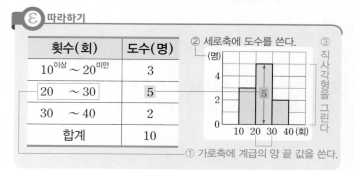

횟수(회)	도수(명)
$10^{이상} \sim 20^{미만}$	3
20 ~ 30	5
30 ~ 40	2
합계	10

② 세로축에 도수를 쓴다.

③ 직사각형을 그린다

① 가로축에 계급의 양 끝 값을 쓴다.

01

윗몸 일으키기 횟수(회)	도수(명)
$10^{이상} \sim 20^{미만}$	6
20 ~ 30	4
30 ~ 40	9
40 ~ 50	11
50 ~ 60	6
60 ~ 70	2
합계	38

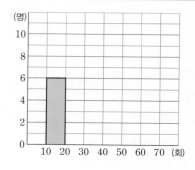

02

수면 시간(시간)	도수(명)
$5^{이상} \sim 6^{미만}$	4
6 ~ 7	7
7 ~ 8	8
8 ~ 9	5
합계	24

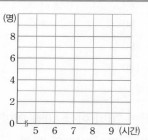

03

앉은키(cm)	도수(명)
$50^{이상} \sim 54^{미만}$	3
54 ~ 58	6
58 ~ 62	8
62 ~ 66	9
66 ~ 70	4
합계	30

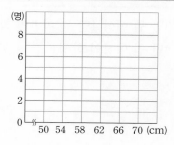

히스토그램으로 도수분포표 완성하기

다음 히스토그램을 보고, 도수분포표를 완성하시오.

04

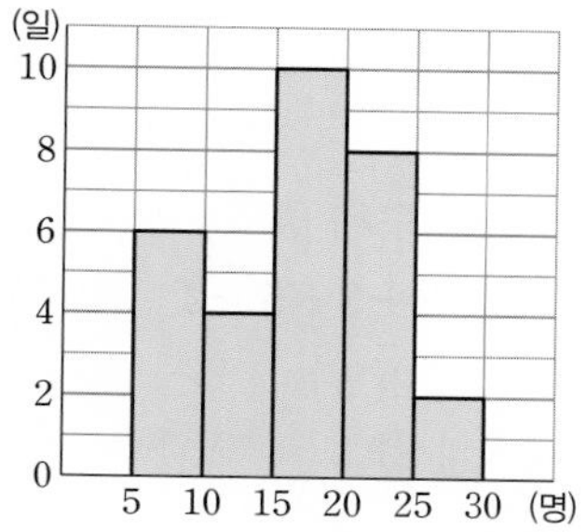

관람객 수(명)	도수(일)
$5^{이상}$ ~ $10^{미만}$	
10 ~ 15	
15 ~ 20	
20 ~ 25	
25 ~ 30	
합계	30

05

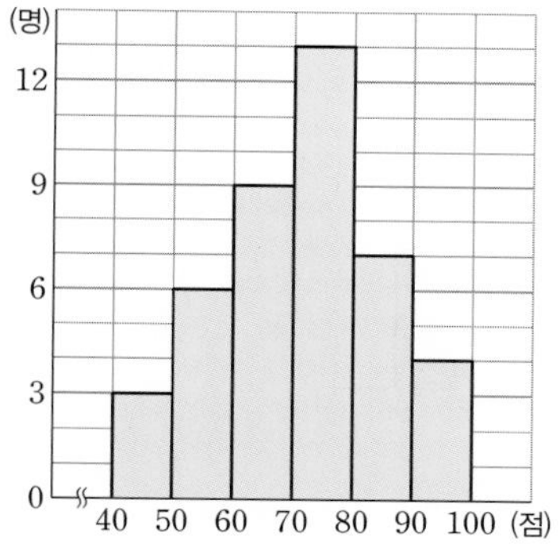

과학 점수(점)	도수(명)
$40^{이상}$ ~ $50^{미만}$	
50 ~ 60	
60 ~ 70	
70 ~ 80	
80 ~ 90	
90 ~ 100	
합계	42

히스토그램에서 계급의 개수와 크기

다음 히스토그램의 계급의 개수와 계급의 크기를 구하시오.

따라하기

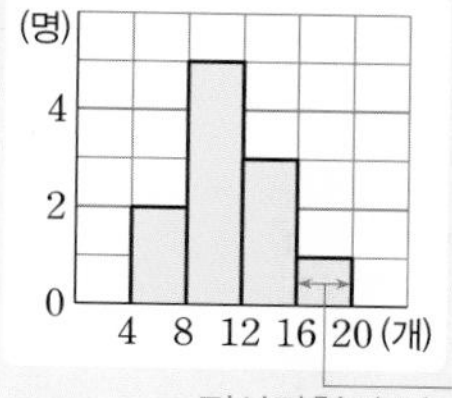

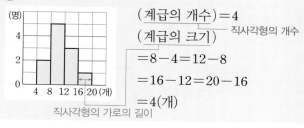

(계급의 개수)=4 — 직사각형의 개수

(계급의 크기)

=8−4=12−8

=16−12=20−16

=4(개)

직사각형의 가로의 길이

06

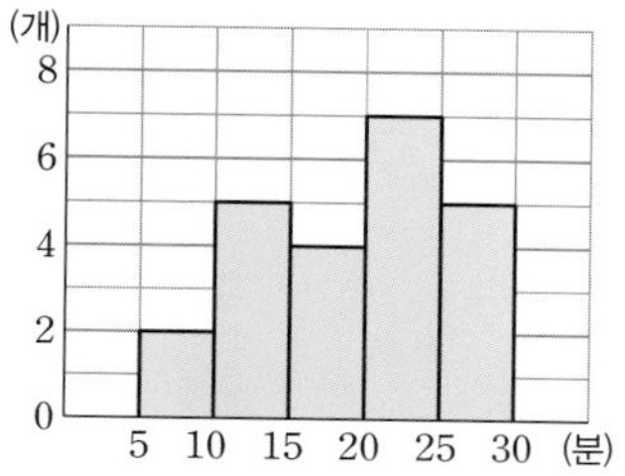

계급의 개수: ________, 계급의 크기: ________

07

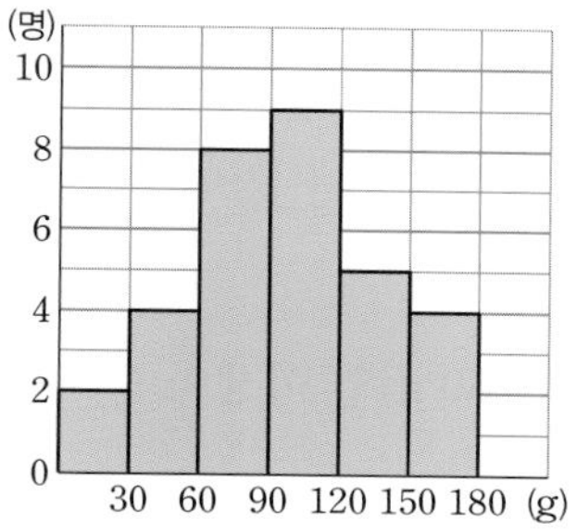

계급의 개수: ________, 계급의 크기: ________

08

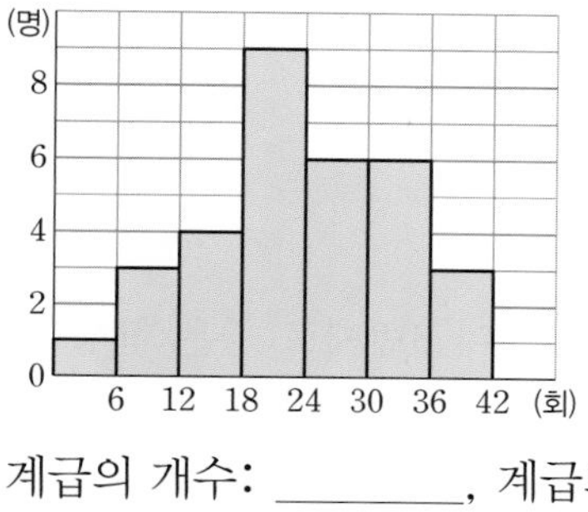

계급의 개수: ________, 계급의 크기: ________

히스토그램에서 특정 계급 구하기

✽ 아래는 광수네 학교 학생들의 멀리 던지기 기록을 조사하여 나타낸 히스토그램이다. 다음을 구하시오.

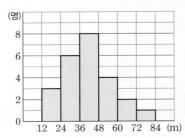

09 도수가 가장 큰 계급

10 도수가 가장 작은 계급

11 도수가 6명인 계급

12 멀리 던지기 기록이 50 m인 학생이 속하는 계급

13 멀리 던지기 기록이 8번째로 짧은 학생이 속하는 계급

14 멀리 던지기 기록이 6번째로 좋은 학생이 속하는 계급

> **Tip** 멀리 던지기 기록이 긴 학생의 기록부터 차례로 나열해 본다.

히스토그램에서 도수의 총합

✽ 다음 히스토그램에서 도수의 총합을 구하시오.

3 따라하기

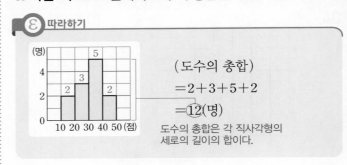

(도수의 총합)
$=2+3+5+2$
$=12$(명)

도수의 총합은 각 직사각형의 세로의 길이의 합이다.

15

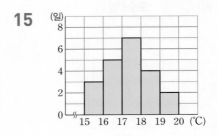

16

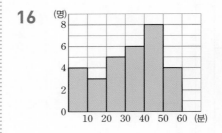

17

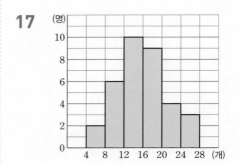

히스토그램에서 계급의 백분율

❀ 다음 히스토그램에서 주어진 계급에 속하는 자료는 전체의 몇 %인지 구하시오.

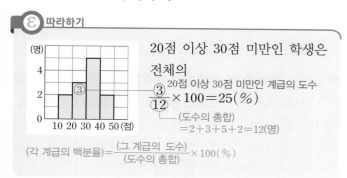

20점 이상 30점 미만인 학생은 전체의

$\dfrac{3}{12} \times 100 = 25(\%)$ ← 20점 이상 30점 미만인 계급의 도수

← (도수의 총합)
$= 2+3+5+2 = 12$(명)

(각 계급의 백분율) $= \dfrac{(그\ 계급의\ 도수)}{(도수의\ 총합)} \times 100(\%)$

18

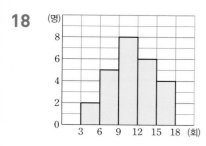

(1) 횟수가 9회 이상 12회 미만인 학생

(2) 횟수가 12회 이상인 학생

Tip 횟수가 12회 이상인 학생 수는 횟수가 12회 이상 15회 미만인 학생 수와 15회 이상 18회 미만인 학생 수의 합이다.

19

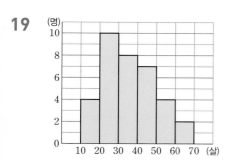

(1) 40살 이상 50살 미만인 입장객

(2) 30살 미만인 입장객

❀ 아래는 지호네 반 학생들의 몸무게를 조사하여 나타낸 히스토그램이다. 다음 물음에 답하시오.

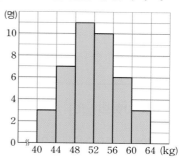

20 몸무게가 56 kg 이상 60 kg 미만인 학생 수를 구하시오.

21 몸무게가 56 kg 이상 60 kg 미만인 학생은 전체의 몇 %인지 구하시오.

22 몸무게가 48 kg 미만인 학생 수를 구하시오.

23 몸무게가 48 kg 미만인 학생은 전체의 몇 %인지 구하시오.

24  대표 문제

오른쪽은 윤성이네 반 학생들의 영어 듣기 평가 성적을 조사하여 나타낸 히스토그램이다. 영어 듣기 평가 성적이 5번째로 높은 학생이 속하는 계급은?

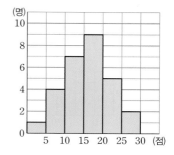

① 5점 이상 10점 미만

② 10점 이상 15점 미만

③ 15점 이상 20점 미만

④ 20점 이상 25점 미만

⑤ 25점 이상 30점 미만

04 히스토그램의 특징

(1) 자료의 분포 상태를 한눈에 알아볼 수 있다.
(2) 각 직사각형의 넓이는 각 계급의 도수에 정비례한다.
　➔ (직사각형의 넓이)＝(계급의 크기)×(그 계급의 도수)━━직사각형의 세로의 길이
(3) (직사각형의 넓이의 합)＝(계급의 크기)×(도수의 총합)
　　　　　　　　　　　　　　└직사각형의 가로의 길이

히스토그램에서 직사각형의 넓이

❖ 다음 히스토그램에서 주어진 계급의 직사각형의 넓이를 구하시오.

따라하기

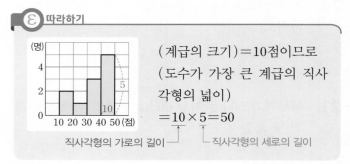

(계급의 크기)＝10점이므로
(도수가 가장 큰 계급의 직사각형의 넓이)
＝10×5＝50
직사각형의 가로의 길이　직사각형의 세로의 길이

01

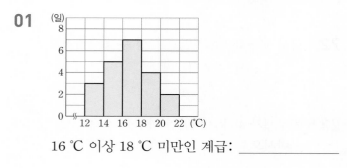

16 ℃ 이상 18 ℃ 미만인 계급: ＿＿＿＿＿

02

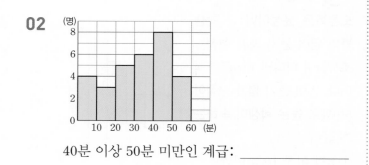

40분 이상 50분 미만인 계급: ＿＿＿＿＿

❖ 아래는 은혜네 반 학생들의 일주일 동안의 독서 시간을 조사하여 나타낸 히스토그램이다. 다음 물음에 답하시오.

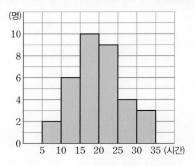

03 독서 시간이 20시간 이상 25시간 미만인 계급의 직사각형의 넓이를 구하시오.

04 모든 직사각형의 넓이의 합을 구하시오.

05 도수가 가장 큰 계급의 직사각형의 넓이를 구하시오.

06 도수가 가장 큰 계급의 직사각형의 넓이는 도수가 가장 작은 계급의 직사각형의 넓이의 몇 배인지 구하시오.

05 도수분포다각형

정답과 풀이 41쪽

(1) **도수분포다각형**: 히스토그램에서 각 직사각형의 윗변의 중앙의 점과 그래프의 양 끝에 도수가 0인 계급이 하나씩 있는 것으로 생각하여 그 중앙의 점을 선분으로 연결하여 그린 그래프

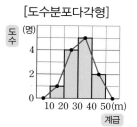
[도수분포다각형]

(2) **도수분포다각형을 그리는 방법**

① 히스토그램에서 각 직사각형의 윗변의 중앙에 점을 찍는다.

② 양 끝에 도수가 0인 계급이 하나씩 있는 것으로 생각하여 그 중앙에 점을 찍는다.

③ ①과 ②에서 찍은 점들을 선분으로 연결한다.

참고 도수분포다각형에서 계급의 개수를 셀 때는 양 끝에 도수가 0인 계급은 세지 않는다.

히스토그램 위에 도수분포다각형 그리기

✦ 다음 히스토그램 위에 도수분포다각형을 그리시오.

따라하기

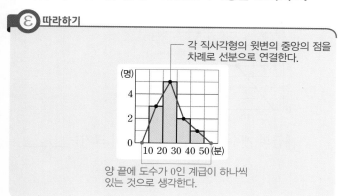

각 직사각형의 윗변의 중앙의 점을 차례로 선분으로 연결한다.

양 끝에 도수가 0인 계급이 하나씩 있는 것으로 생각한다.

01

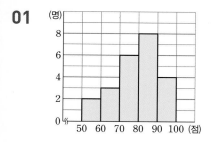

02

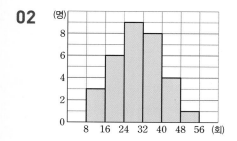

도수분포표로 도수분포다각형 그리기

✦ 다음 도수분포표를 보고, 도수분포다각형을 그리시오.

03

당도(Brix)	도수(개)
$10^{이상} \sim 12^{미만}$	2
12 ~ 14	7
14 ~ 16	5
16 ~ 18	4
18 ~ 20	2
합계	20

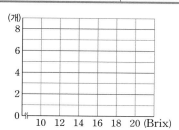

04

키(cm)	도수(명)
$140^{이상} \sim 150^{미만}$	4
150 ~ 160	8
160 ~ 170	9
170 ~ 180	3
합계	24

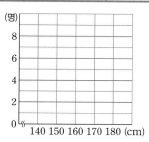

도수분포다각형으로 도수분포표 완성하기

다음 도수분포다각형을 보고, 도수분포표를 완성하시오.

05

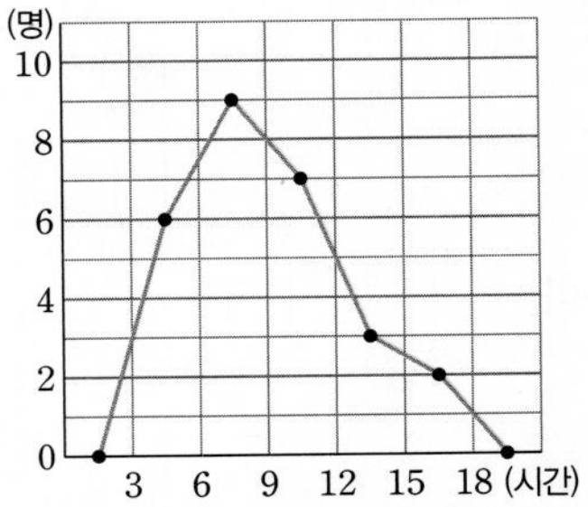

봉사 활동 시간(시간)	도수(명)
3^{이상} ~ 6^{미만}	
6 ~ 9	
9 ~ 12	
12 ~ 15	
15 ~ 18	
합계	27

06

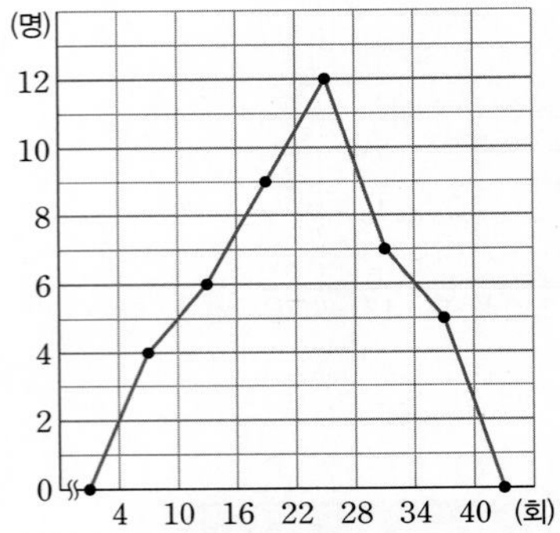

팔 굽혀 펴기 횟수(회)	도수(명)
4^{이상} ~ 10^{미만}	
10 ~ 16	
16 ~ 22	
22 ~ 28	
28 ~ 34	
34 ~ 40	
합계	43

도수분포다각형에서 계급의 개수와 크기

다음 도수분포다각형의 계급의 개수와 계급의 크기를 구하시오.

따라하기

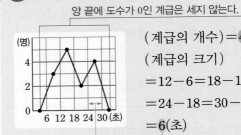

양 끝에 도수가 0인 계급은 세지 않는다.

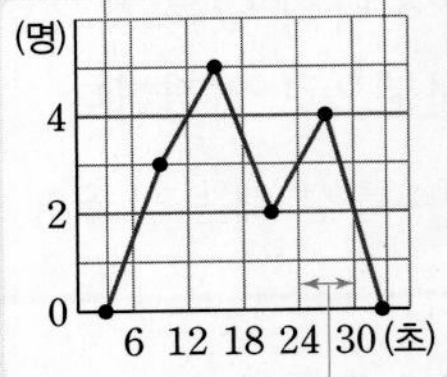

(계급의 개수)=4

(계급의 크기)

=12−6=18−12

=24−18=30−24

=6(초)

07

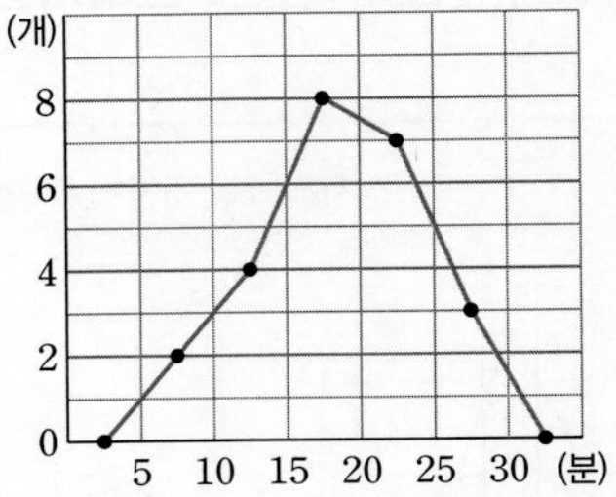

계급의 개수: ________, 계급의 크기: ________

08

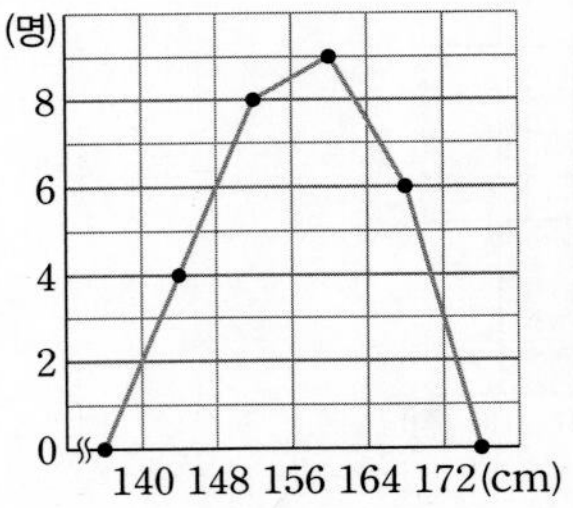

계급의 개수: ________, 계급의 크기: ________

09

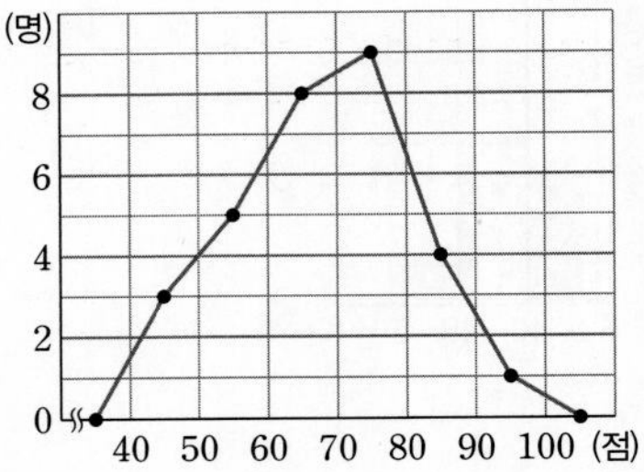

계급의 개수: ________, 계급의 크기: ________

도수분포다각형에서 특정 계급 구하기

✿ 아래는 어느 지역의 낮 평균 기온을 조사하여 나타낸 도수분포다각형이다. 다음을 구하시오.

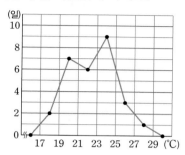

10 도수가 가장 큰 계급

11 도수가 가장 작은 계급

12 도수가 6일인 계급

13 낮 평균 기온이 20 ℃인 날이 속하는 계급

14 낮 평균 기온이 7번째로 낮은 날이 속하는 계급

15 낮 평균 기온이 5번째로 높은 날이 속하는 계급

도수분포다각형에서 도수의 총합

✿ 다음 도수분포다각형에서 도수의 총합을 구하시오.

3 따라하기

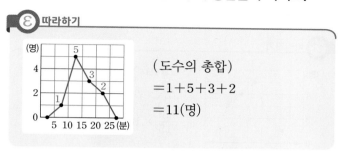

16

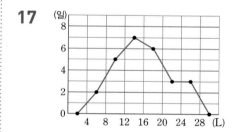

17

18

도수분포다각형에서 계급의 백분율

✿ 다음 도수분포다각형에서 주어진 계급에 속하는 자료는 전체의 몇 %인지 구하시오.

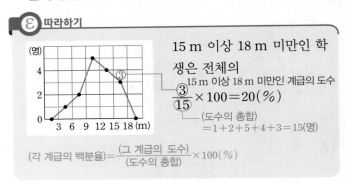

3 따라하기

15 m 이상 18 m 미만인 학생은 전체의

15 m 이상 18 m 미만인 계급의 도수

$\dfrac{③}{⑮} \times 100 = 20(\%)$

(도수의 총합)
$= 1 + 2 + 5 + 4 + 3 = 15$(명)

(각 계급의 백분율) $= \dfrac{(그\ 계급의\ 도수)}{(도수의\ 총합)} \times 100(\%)$

19

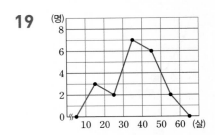

(1) 40살 이상 50살 미만인 관람객

(2) 30살 미만인 관람객

20

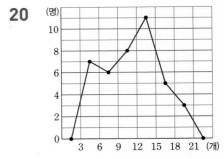

(1) 6개 이상 12개 미만인 학생

(2) 15개 이상인 학생

✿ 아래는 호진이네 반 학생들의 키를 조사하여 나타낸 도수분포다각형이다. 다음 물음에 답하시오.

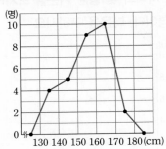

21 키가 150 cm 이상 160 cm 미만인 학생 수를 구하시오.

22 키가 150 cm 이상 160 cm 미만인 학생은 전체의 몇 %인지 구하시오.

23 키가 160 cm 이상인 학생 수를 구하시오.

24 키가 160 cm 이상인 학생은 전체의 몇 %인지 구하시오.

25 대표 문제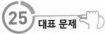

오른쪽은 농구 선수들의 경기 당 성공한 블로킹의 개수를 조사하여 나타낸 도수분포다각형이다. 블로킹을 16개 이상 성공한 선수는 전체의 몇 %인가?

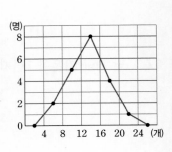

① 20 %　　　② 24 %　　　③ 25 %

④ 28 %　　　⑤ 30 %

정답과 풀이 42쪽

06 도수분포다각형의 특징

(1) 도수의 분포 상태를 연속적으로 관찰할 수 있다.

(2) 도수의 총합이 같은 두 개 이상의 자료의 분포 상태를 동시에 나타내어 비교할 때 편리하다.

(3) (도수분포다각형과 가로축으로 둘러싸인 부분의 넓이)＝(히스토그램의 각 직사각형의 넓이의 합)

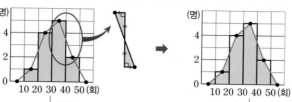

색칠한 두 부분의 넓이는 같다.

도수분포다각형에서 넓이 구하기

✴ 다음 도수분포다각형과 가로축으로 둘러싸인 부분의 넓이를 구하시오.

따라하기

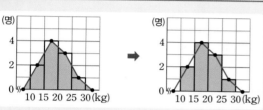

$$(\text{색칠한 부분의 넓이})＝\underset{\text{계급의 크기}}{5}\times\underset{\text{도수의 총합}}{(2+4+3+1)}＝50$$

01

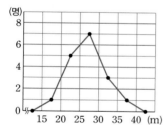

02

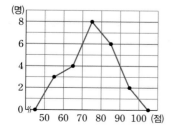

03

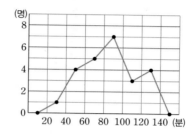

04

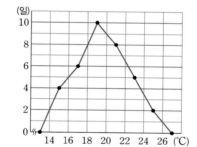

05

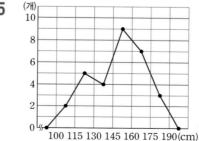

정답과 풀이 43쪽

01

다음은 영재네 반 학생들의 제기차기 횟수를 조사하여 나타낸 줄기와 잎 그림이다. 제기차기 횟수가 30회 이상인 학생 수를 구하시오.

(1|4는 14회)

줄기	잎
1	4 6
2	3 5 7 7 8 8 8 9
3	1 2 2 5 6 6 9
4	0 5 5 8

02

오른쪽은 혜수네 반 학생들의 과학 수행 평가 점수를 조사하여 나타낸 도수분포표이다. 다음 중에서 옳지 않은 것은?

수행 평가 점수(점)	도수(명)
$0^{이상} \sim 10^{미만}$	4
10 ~ 20	7
20 ~ 30	8
30 ~ 40	11
40 ~ 50	2
합계	32

① 계급의 개수는 5이다.
② 계급의 크기는 10점이다.
③ 점수가 30점 이상인 학생 수는 13이다.
④ 도수가 가장 작은 계급은 0점 이상 10점 미만이다.
⑤ 가장 높은 점수를 받은 학생이 속한 계급은 40점 이상 50점 미만이다.

03

오른쪽은 정경이네 반 학생들이 일 년 동안 도서관을 이용한 횟수를 조사하여 나타낸 도수분포표이다. 도수가 두 번째로 큰 계급을 구하시오.

이용 횟수(회)	도수(명)
$0^{이상} \sim 5^{미만}$	3
5 ~ 10	6
10 ~ 15	
15 ~ 20	13
20 ~ 25	5
합계	38

04

오른쪽은 연주네 반 학생들이 일주일 동안 받은 문자 메시지의 개수를 조사하여 나타낸 히스토그램이다. 다음 중 옳은 것은?

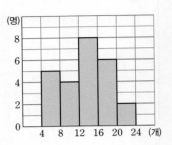

① 전체 학생 수는 28이다.
② 계급의 개수는 7이다.
③ 계급의 크기는 5개이다.
④ 문자 메시지를 12개 미만 받은 학생 수는 9이다.
⑤ 문자 메시지를 8번째로 많이 받은 학생이 속한 계급의 도수는 8명이다.

05

오른쪽은 어느 중학교 선생님들의 나이를 조사하여 나타낸 히스토그램이다. 도수가 가장 큰 계급의 직사각형의 넓이를 a, 도수가 가장 작은 계급의 직사각형의 넓이를 b라 할 때, $a-b$의 값을 구하시오.

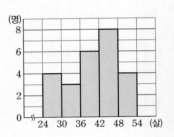

06

다음은 동규네 반 학생들이 먹은 간식의 칼로리를 조사하여 나타낸 도수분포다각형이다. 칼로리가 700 kcal 이상인 간식은 전체의 몇 %인지 구하시오.

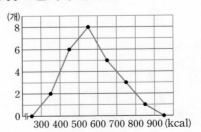

2. 상대도수와 그 그래프

01 상대도수

정답과 풀이 43쪽

(1) 상대도수: 도수의 총합에 대한 각 계급의 도수의 비율

$$(\text{어떤 계급의 상대도수}) = \frac{(\text{그 계급의 도수})}{(\text{도수의 총합})}$$

(2) 상대도수의 분포표: 각 계급의 상대도수를 나타낸 표

(3) 상대도수의 특징

① 상대도수의 총합은 항상 1이다.

② 각 계급의 상대도수는 그 계급의 도수에 정비례한다.

③ 도수의 총합이 다른 두 집단의 분포 상태를 비교할 때 편리하다.

[상대도수의 분포표]

횟수(회)	도수(명)	상대도수
$0^{이상} \sim 5^{미만}$	6	$\frac{6}{20} = 0.3$
$5 \sim 10$	12	$\frac{12}{20} = 0.6$
$10 \sim 15$	2	$\frac{2}{20} = 0.1$
합계	20	1

상대도수의 분포표 만들기

❖ 각 계급의 상대도수를 구하여 다음 표를 완성하시오.

따라하기

도수의 총합이 30, 도수가 6인 계급의 상대도수는

$$\frac{6}{30} = 0.2 \quad (\text{어떤 계급의 상대도수}) = \frac{(\text{그 계급의 도수})}{(\text{도수의 총합})}$$

01

성적(점)	도수(명)	상대도수
$50^{이상} \sim 60^{미만}$	4	$\frac{4}{40} = 0.1$
$60 \sim 70$	8	
$70 \sim 80$	12	
$80 \sim 90$	10	
$90 \sim 100$	6	
합계	40	

02

나이(살)	도수(명)	상대도수
$10^{이상} \sim 15^{미만}$	7	
$15 \sim 20$	9	
$20 \sim 25$	15	
$25 \sim 30$	11	
$30 \sim 35$	8	
합계	50	

상대도수의 분포표에서 도수 구하기

❖ 각 계급의 도수를 구하여 다음 표를 완성하시오.

따라하기

도수의 총합이 50, 상대도수가 0.3인 계급의 도수는

$$50 \times 0.3 = 15 \quad \begin{array}{l} (\text{어떤 계급의 도수}) \\ = (\text{도수의 총합}) \times (\text{그 계급의 상대도수}) \end{array}$$

03

독서 시간(분)	도수(명)	상대도수
$0^{이상} \sim 6^{미만}$	$20 \times 0.15 = 3$	0.15
$6 \sim 12$		0.2
$12 \sim 18$		0.3
$18 \sim 24$		0.25
$24 \sim 30$		0.1
합계	20	1

04

키(cm)	도수(명)	상대도수
$120^{이상} \sim 130^{미만}$		0.08
$130 \sim 140$		0.12
$140 \sim 150$		0.4
$150 \sim 160$		0.26
$160 \sim 170$		0.14
합계	100	1

상대도수의 분포표에서 계급의 백분율

❄ 아래는 수영 선수들의 자유형 400 m 기록을 조사하여 나타낸 상대도수의 분포표이다. 다음 물음에 답하시오.

자유형 400m 기록(초)	상대도수
$220^{이상} \sim 240^{미만}$	0.06
240 ~ 260	0.18
260 ~ 280	
280 ~ 300	0.32
300 ~ 320	0.16
320 ~ 340	0.04
합계	1

05 기록이 260초 이상 280초 미만인 계급의 상대도수를 구하시오.

06 기록이 260초 이상 280초 미만인 학생은 전체의 몇 %인지 구하시오.

Tip (백분율)＝(상대도수)×100(%)이다.

07 기록이 260초 이상 300초 미만인 학생은 전체의 몇 %인지 구하시오.

08 기록이 260초 미만인 학생은 전체의 몇 %인지 구하시오.

09 기록이 300초 이상인 학생은 전체의 몇 %인지 구하시오.

상대도수의 총합

❄ 아래는 세영이네 반 학생들의 머리둘레를 조사하여 나타낸 상대도수의 분포표이다. 다음 물음에 답하시오.

머리둘레(cm)	상대도수
$50^{이상} \sim 52^{미만}$	0.1
52 ~ 54	0.16
54 ~ 56	0.22
56 ~ 58	0.3
58 ~ 60	B
60 ~ 62	0.08
합계	A

10 A의 값을 구하시오.

11 B의 값을 구하시오.

12 머리둘레가 58 cm 이상 60 cm 미만인 학생은 전체의 몇 %인지 구하시오.

13 머리둘레가 58 cm 이상인 학생은 전체의 몇 %인지 구하시오.

14 머리둘레가 56 cm 미만인 학생은 전체의 몇 %인지 구하시오.

상대도수를 이용하여 도수의 총합 구하기

❋ 어떤 계급의 도수와 상대도수가 다음과 같을 때, 도수의 총합을 구하시오.

3 따라하기

어떤 계급의 도수가 12, 그 계급의 상대도수가 0.4일 때, 도수의 총합은

$$\frac{12}{0.4}=30 \quad \text{(도수의 총합)}=\frac{\text{(그 계급의 도수)}}{\text{(어떤 계급의 상대도수)}}$$

15 어떤 계급의 도수: 15, 상대도수: 0.3

16 어떤 계급의 도수: 8, 상대도수: 0.25

17 어떤 계급의 도수: 24, 상대도수: 0.16

❋ 아래는 재민이네 반 학생들의 과학 성적을 조사하여 나타낸 상대도수의 분포표이다. 다음 물음에 답하시오.

과학 성적(점)	도수(명)	상대도수
60^{이상} ~ 70^{미만}	3	0.12
70 ~ 80	7	0.28
80 ~ 90		0.4
90 ~ 100		0.2
합계		1

18 조사한 전체 학생 수를 구하시오.

19 과학 성적이 80점 이상 90점 미만인 학생 수를 구하시오.

20 과학 성적이 90점 이상 100점 미만인 학생 수를 구하시오.

상대도수의 특징 이해하기

❋ 다음 중에서 옳은 것은 ○표, 옳지 않은 것은 ×표를 ( ) 안에 써넣으시오.

21 상대도수는 0 이상 10 이하이다. ( )

22 상대도수의 총합은 도수의 총합에 따라 달라진다.
( )

23 각 계급의 상대도수는 그 계급의 도수에 정비례한다. ( )

24 어떤 계급의 도수와 상대도수를 알면 도수의 총합을 구할 수 있다. ( )

25 한 도수분포표에서 도수가 가장 큰 계급의 상대도수가 가장 크다. ( )

26 두 집단의 자료에서 도수가 같으면 그 계급의 상대도수는 같다. ( )

27 도수의 총합이 다른 두 자료의 분포 상태를 비교할 때 상대도수를 이용하면 편리하다.
( )

상대도수의 분포표 이해하기

✜ 다음 상대도수의 분포표에서 A, B, C, D의 값을 각각 구하시오.

③ 따라하기

책의 수(권)	도수(명)	상대도수
$0^{이상} \sim 5^{미만}$	6	0.3
5 ~ 10	10	B
10 ~ 15		C
합계	A	D

$$A = \frac{6}{0.3} = 20, \quad B = \frac{10}{20} = 0.5$$

도수의 총합   상대도수

$D = 1$이므로 $C = 1 - (0.3 + 0.5) = 0.2$

상대도수의 총합은 항상 1이다.

28

공부 시간(시간)	도수(명)	상대도수
$7^{이상} \sim 10^{미만}$		0.1
10 ~ 13	10	0.25
13 ~ 16	12	B
16 ~ 19		C
19 ~ 22		0.15
합계	A	D

A: _____, B: _____

C: _____, D: _____

29

줄넘기 기록(회)	도수(명)	상대도수
$0^{이상} \sim 20^{미만}$	6	B
20 ~ 40		0.24
40 ~ 60	20	0.4
60 ~ 80		0.16
80 ~ 100		C
합계	A	D

A: _____, B: _____

C: _____, D: _____

✜ 아래는 어느 중학교 학생들의 몸무게를 조사하여 나타낸 상대도수의 분포표이다. 다음 물음에 답하시오.

몸무게(kg)	도수(명)	상대도수
$45^{이상} \sim 50^{미만}$		0.15
50 ~ 55	16	0.2
55 ~ 60	24	B
60 ~ 65		C
65 ~ 70		0.1
합계	A	D

30 조사한 전체 학생 수를 구하시오.

31 A, B, C, D의 값을 각각 구하시오.

32 몸무게가 55 kg 이상 65 kg 미만인 학생은 전체의 몇 %인지 구하시오.

33 몸무게가 55 kg 미만인 학생 수를 구하시오.

34 대표 문제

오른쪽은 어느 도시의 하루 최고 기온을 조사하여 나타낸 상대도수의 분포표이다. 하루 최고 기온이 20 ℃ 이상 22 ℃ 미만인 날은 전체의 몇 %인가?

최고 기온(℃)	상대도수
$16^{이상} \sim 18^{미만}$	0.25
18 ~ 20	0.3
20 ~ 22	
22 ~ 24	0.15
합계	

① 20 %   ② 25 %   ③ 30 %

④ 35 %   ⑤ 40 %

02 상대도수의 분포를 나타낸 그래프

정답과 풀이 45쪽

(1) **상대도수의 분포를 나타낸 그래프**: 상대도수의 분포표를 히스토그램이나 도수분포다각형 모양으로 나타낸 그래프

(2) **상대도수의 분포를 나타낸 그래프를 그리는 방법**

① 가로축에는 각 계급의 양 끝 값을 차례로 써넣는다.

② 세로축에는 상대도수를 차례로 써넣는다.

③ 히스토그램이나 도수분포다각형과 같은 방법으로 그린다.

[상대도수의 분포를 나타낸 그래프]

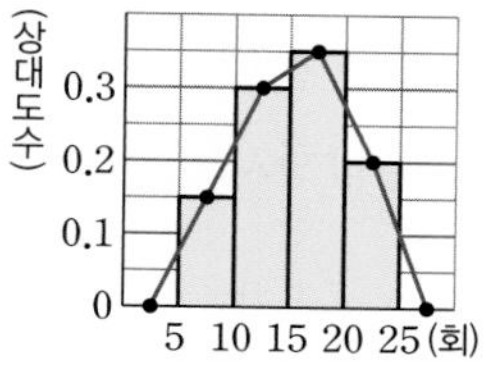

참고 (상대도수의 분포를 나타낸 그래프와 가로축으로 둘러싸인 부분의 넓이)=(계급의 크기)

상대도수의 분포를 나타낸 그래프 그리기

※ 다음 상대도수의 분포표를 이용하여 상대도수의 분포를 히스토그램 모양으로 그리시오.

01

열량(kcal)	상대도수
250이상 ~ 300미만	0.2
300 ~ 350	0.25
350 ~ 400	0.4
400 ~ 450	0.15
합계	1

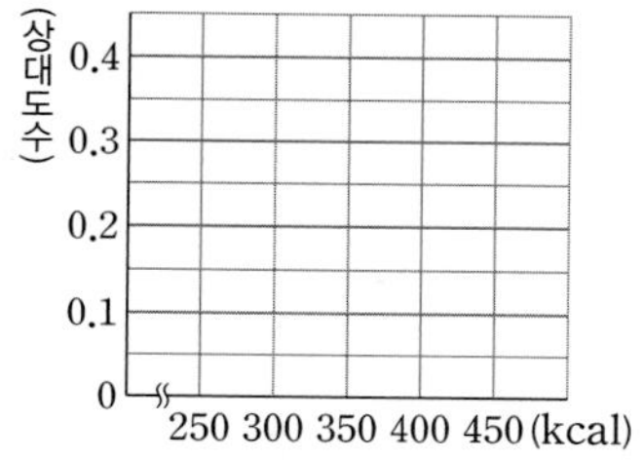

02

인터넷 사용 시간(시간)	상대도수
2이상 ~ 4미만	0.1
4 ~ 6	0.15
6 ~ 8	0.35
8 ~ 10	0.25
10 ~ 12	0.15
합계	1

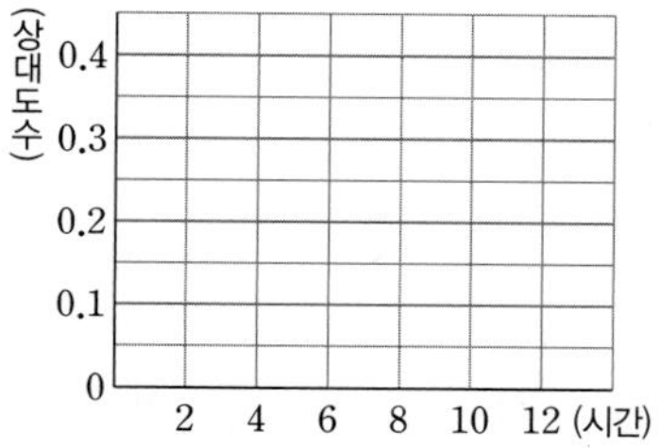

※ 다음 상대도수의 분포표를 이용하여 상대도수의 분포를 도수분포다각형 모양으로 그리시오.

03

나이(살)	상대도수
10이상 ~ 20미만	0.15
20 ~ 30	0.3
30 ~ 40	0.4
40 ~ 50	0.1
50 ~ 60	0.05
합계	1

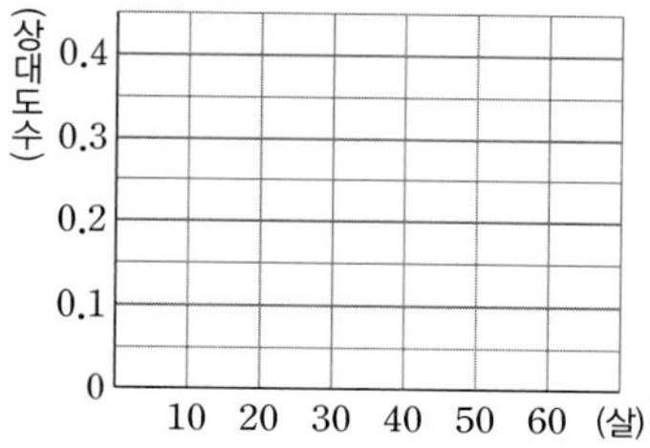

04

멀리뛰기 기록(cm)	상대도수
60이상 ~ 80미만	0.06
80 ~ 100	0.1
100 ~ 120	0.18
120 ~ 140	0.34
140 ~ 160	0.2
160 ~ 180	0.12
합계	1

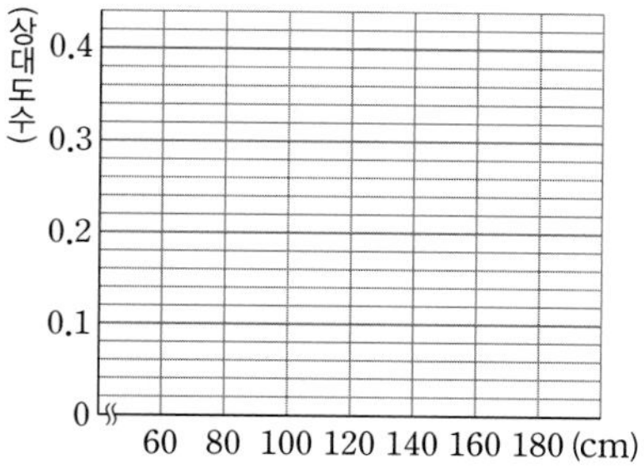

상대도수의 분포를 나타낸 그래프에서 계급의 백분율

❈ 아래는 율리네 반 학생들의 일 년 동안의 도서관 방문 횟수에 대한 상대도수의 분포를 나타낸 그래프이다. 다음 물음에 답하시오.

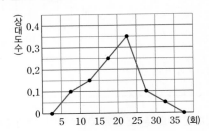

05 도서관 방문 횟수가 20회 이상 25회 미만인 계급의 상대도수를 구하시오.

06 도서관 방문 횟수가 15회 미만인 계급의 상대도수를 구하시오.

07 도서관 방문 횟수가 25회 이상 30회 미만인 학생은 전체의 몇 %인지 구하시오.

Tip (백분율)=(상대도수)×100(%)이다.

08 도서관 방문 횟수가 15회 미만인 학생은 전체의 몇 %인지 구하시오.

09 도서관 방문 횟수가 25회 이상인 학생은 전체의 몇 %인지 구하시오.

상대도수의 분포를 나타낸 그래프에서 도수

❈ 아래는 남국이네 반 학생 25명의 하루 동안 가족과 대화한 시간에 대한 상대도수의 분포를 나타낸 그래프이다. 다음을 구하시오.

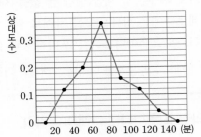

❸ 따라하기

가족과 대화 시간이 20분 이상 40분 미만인 학생 수는

$$25 \times 0.12 = 3$$

도수의 총합ᵗ   ᵗ상대도수

10 상대도수가 가장 큰 계급의 도수

11 가족과 대화 시간이 가장 긴 학생이 속하는 계급의 도수

Tip 가족과 대화 시간이 가장 긴 학생은 120분 이상 140분 미만인 계급에 속한다.

12 가족과 대화 시간이 40분 이상 60분 미만인 학생 수

13 가족과 대화 시간이 100분 이상인 학생 수

도수의 총합이 주어지지 않은 상대도수의 분포를 나타낸 그래프

아래는 문학 동아리 회원들이 일주일 동안 읽은 책의 쪽수에 대한 상대도수의 분포를 나타낸 그래프이다. 다음을 구하시오.

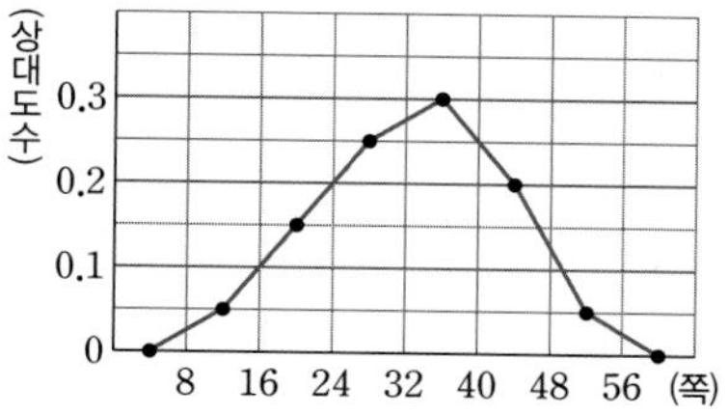

따라하기

읽은 책의 쪽수가 8쪽 이상 16쪽 미만인 계급의 도수가 30명일 때, (도수의 총합)=$\frac{\text{(그 계급의 도수)}}{\text{(어떤 계급의 상대도수)}}$

$$(\text{도수의 총합})=\frac{30}{0.05}=600(\text{명})$$

14 읽은 책의 쪽수가 24쪽 이상 32쪽 미만인 회원 수가 75일 때,

(1) 문학 동아리 전체 회원 수

(2) 상대도수가 가장 큰 계급의 도수

15 읽은 책의 쪽수가 48쪽 이상 56쪽 미만인 회원 수가 12일 때,

(1) 문학 동아리 전체 회원 수

(2) 읽은 책의 쪽수가 24쪽 미만인 회원 수

16 읽은 책의 쪽수가 16쪽 이상 24쪽 미만인 회원 수가 27일 때,

(1) 문학 동아리 전체 회원 수

(2) 읽은 책의 쪽수가 40쪽 이상인 회원 수

아래는 과자의 열량에 대한 상대도수의 분포를 나타낸 그래프이다. 열량이 400 kcal 이상 450 kcal 미만인 과자가 10개일 때, 다음을 구하시오.

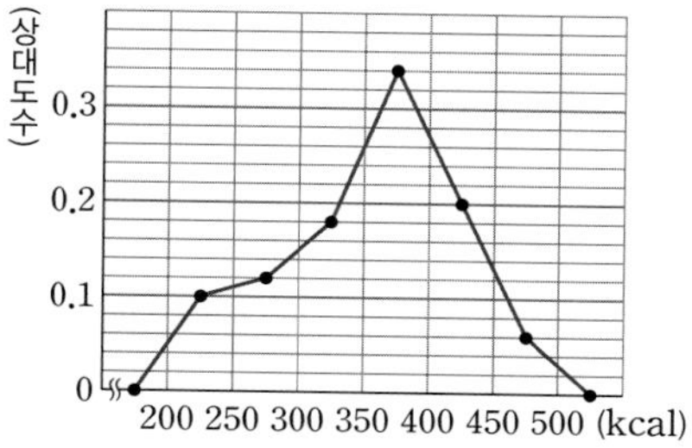

17 전체 과자의 개수

18 열량이 300 kcal 이상 400 kcal 미만인 과자의 개수

19 열량이 300 kcal 미만인 과자의 개수

20 대표 문제

오른쪽은 하정이네 반 학생 40명의 필통 속에 들어 있는 볼펜의 수에 대한 상대도수의 분포를 나타낸 그래프이다. 볼펜의 수가 8자루 이상인 학생 수는?

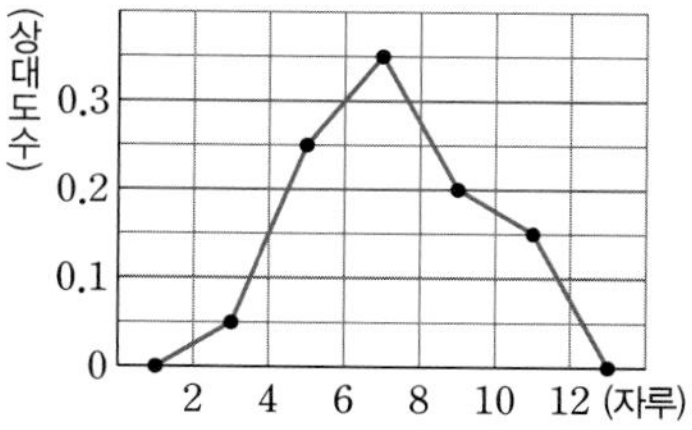

① 8 ② 10 ③ 12 ④ 14 ⑤ 16

도수의 총합이 다른 두 자료의 분포를 비교할 때

(1) 각 계급의 도수를 비교하는 것보다 상대도수를 비교하는 것이 더 적절하다.

(2) 두 자료의 상대도수의 분포를 나타내는 그래프를 함께 그려 보면 두 자료의 분포 상태를 한눈에 비교할 수 있다.

B 그래프가 A 그래프보다 오른쪽으로 치우쳐 → 있으므로 B가 A보다 횟수가 많은 편이다.

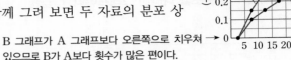

상대도수의 분포표에서 두 자료의 비교

✂ 아래는 A 중학교 학생 125명과 B 중학교 학생 200명의 통학 시간을 조사하여 나타낸 상대도수의 분포표이다. 다음 물음에 답하시오.

통학 시간(분)	A 중학교		B 중학교	
	도수(명)	상대도수	도수(명)	상대도수
$10^{이상} \sim 15^{미만}$	10	0.08	8	0.04
15 ~ 20	25		28	
20 ~ 25	40		32	
25 ~ 30	30		72	
30 ~ 35	15		40	
35 ~ 40	5		20	
합계	125	1	200	1

01 각 계급의 상대도수를 구하여 상대도수의 분포표를 완성하시오.

02 A 중학교와 B 중학교 중에서 통학 시간이 15분 이상 20분 미만인 학생의 비율은 어느 중학교가 더 높은지 구하시오.

03 상대도수의 분포표를 도수분포다각형 모양의 그래프로 그리시오.

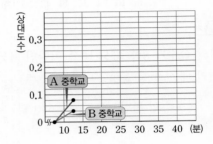

04 A 중학교와 B 중학교 중에서 통학 시간이 25분 미만인 학생의 비율은 어느 중학교가 더 높은지 구하시오.

05 A 중학교와 B 중학교 중에서 통학 시간이 30분 이상인 학생의 비율은 어느 중학교가 더 높은지 구하시오.

06 A 중학교와 B 중학교 중에서 어느 중학교의 통학 시간이 더 긴 편인지 구하시오.

Tip 그래프가 오른쪽으로 치우쳐 있는 쪽이 계급이 큰 쪽의 비율이 더 높다.

상대도수의 분포를 나타낸 그래프에서 두 자료의 비교

✿ 아래는 어느 중학년 남학생 150명과 여학생 100명의 미술 실기 점수에 대한 상대도수의 분포를 나타낸 그래프이다. 다음 물음에 답하시오.

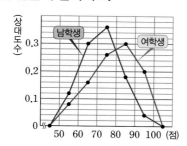

07 남학생과 여학생 중에서 점수가 80점 이상 90점 미만인 학생의 비율은 어느 쪽이 더 높은지 구하시오.

08 남학생과 여학생 중에서 점수가 70점 미만인 학생의 비율은 어느 쪽이 더 높은지 구하시오.

09 여학생 중에서 70점 이상 90점 미만인 학생 수를 구하시오.

10 남학생 중에서 80점 이상인 학생 수를 구하시오.

11 남학생과 여학생 중에서 어느 쪽이 미술 실기 점수가 더 높은 편인지 구하시오.

✿ 아래는 농구 경기 시즌 동안 A팀과 B팀 선수들이 성공한 3점 슛의 개수에 대한 상대도수의 분포를 나타낸 그래프이다. 다음 중에서 옳은 것은 ○표, 옳지 않은 것은 ×표를 ( ) 안에 써넣으시오.

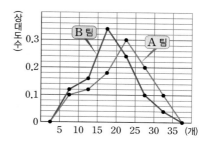

12 A팀과 B팀의 도수의 총합은 같다. ( )

13 성공한 3점 슛이 20개 이상 25개 미만인 선수의 비율은 A팀이 B팀보다 더 높다. ( )

14 성공한 3점 슛이 20개 미만인 선수의 비율은 B팀이 A팀보다 더 높다. ( )

15 성공한 3점 슛이 25개 이상 30개 미만인 선수의 수는 A팀이 B팀보다 더 많다. ( )

16 A팀보다 B팀의 3점 슛의 개수가 더 많은 편이다. ( )

01

도수의 총합이 75명, 어떤 계급의 도수가 24명일 때, 이 계급의 상대도수는?

① 0.3 ② 0.32 ③ 0.35

④ 0.38 ⑤ 0.4

02

준형이네 반 학생들의 키를 조사하였더니 상대도수가 0.14인 계급의 도수가 21명이었다. 준형이네 반의 전체 학생 수를 구하시오.

03

오른쪽은 승민이네 학교 1학년 학생 300명의 수학 성적을 조사하여 나타낸 상대도수의 분포표이다. 수학 성적이 80점 이상 90점 미만인 학생 수는?

수학 성적(점)	도수(명)
$50^{이상} \sim 60^{미만}$	0.15
60 $\sim$ 70	0.2
70 $\sim$ 80	0.4
80 $\sim$ 90	0.15
90 $\sim$ 100	0.1
합계	1

① 30 ② 35

③ 40 ④ 45

⑤ 50

04

아래는 어느 전시관 입장객의 나이를 조사하여 나타낸 상대도수의 분포표이다. 다음 중에서 $A \sim E$의 값이 옳지 <u>않은</u> 것은?

나이(살)	도수(명)	상대도수
$5^{이상} \sim 10^{미만}$	6	0.12
10 $\sim$ 15	A	0.18
15 $\sim$ 20	12	C
20 $\sim$ 25	18	0.36
25 $\sim$ 30		D
합계	B	E

① A: 9 ② B: 50 ③ C: 0.2

④ D: 0.1 ⑤ E: 1

05

다음은 예원이네 반 학생 40명의 일주일 동안의 공부 시간에 대한 상대도수의 분포를 나타낸 그래프이다. 공부 시간이 20시간 이상 25시간 미만인 학생은 전체의 a %이고, 학생 수는 b일 때, $a+b$의 값을 구하시오.

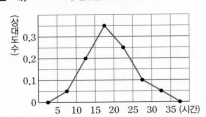

06

오른쪽은 어느 중학교 1반과 2반 학생들의 몸무게에 대한 상대도수의 분포를 나타낸 그래프이다. 어느 반 학생들의 몸무게가 더 무거운 편인지 구하시오.

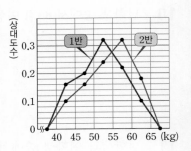

사뿐

중학 사회
중학 역사

사회를 한 권으로
가뿐하게!

중학 사회

①-1　　②-1　　①-2　　②-2

중학 역사

①-1　　②-1　　①-2　　②-2

중｜학｜도｜역｜시 **EBS**

중학 수학의 기초력 강화

연산 3 엡실론

정답과 풀이

중학 수학

1·2

Contents 이 책의 차례

정답과 풀이

정답과 풀이

1 기본 도형

1. 점, 선, 면, 각

01 점, 선, 면 | 6~7쪽 |

01 평	02 입	03 평	04 입
05 점 B	06 점 D	07 점 E	08 모서리 BC
09 모서리 AE	10 4	11 5	12 6, 9
13 5, 8	14 8, 12	15 ×	16 ○
17 ×	18 ○	19 ○	20 ③, ⑤

15 도형을 이루는 기본 요소는 점, 선, 면이다.

17 면과 면이 만나면 교선이 생긴다.

20 ① 정육면체는 입체도형이다.
② 교점은 선과 선 또는 선과 면이 만나는 경우에 생긴다.
④ 삼각뿔의 교점의 개수는 4이다.

02 직선, 반직선, 선분 | 8~9쪽 |

01 $\overrightarrow{\text{OP}}$	02 $\overrightarrow{\text{OP}}$	03 $\overrightarrow{\text{OP}}$	04 $\overrightarrow{\text{PO}}$

05 A B C
06 A B C
07 A B C
08 A B C
09 $\overrightarrow{\text{BC}}$ A B C D
$\overrightarrow{\text{BD}}$ A B C D
$\overrightarrow{\text{BC}}$ = $\overrightarrow{\text{BD}}$
10 $\overrightarrow{\text{AB}}$ A B C D
$\overrightarrow{\text{BC}}$ A B C D
$\overrightarrow{\text{AB}}$ ≠ $\overrightarrow{\text{BC}}$
11 $\overrightarrow{\text{BC}}$ A B C D
$\overrightarrow{\text{BD}}$ A B C D
$\overrightarrow{\text{BC}}$ ≠ $\overrightarrow{\text{BD}}$
12 $\overrightarrow{\text{AC}}$ A B C D
$\overrightarrow{\text{CA}}$ A B C D
$\overrightarrow{\text{AC}}$ ≠ $\overrightarrow{\text{CA}}$

13 $\overrightarrow{\text{AB}}$, $\overrightarrow{\text{AC}}$, $\overrightarrow{\text{BC}}$	14 $\overrightarrow{\text{AB}}$, $\overrightarrow{\text{AC}}$, $\overrightarrow{\text{BA}}$, $\overrightarrow{\text{BC}}$, $\overrightarrow{\text{CA}}$, $\overrightarrow{\text{CB}}$		
15 $\overline{\text{AB}}$, $\overline{\text{AC}}$, $\overline{\text{BC}}$	16 6	17 12	18 2

16 서로 다른 직선은
$\overleftrightarrow{\text{AB}}$, $\overleftrightarrow{\text{AC}}$, $\overleftrightarrow{\text{AD}}$, $\overleftrightarrow{\text{BC}}$, $\overleftrightarrow{\text{BD}}$, $\overleftrightarrow{\text{CD}}$의 6개이다.

17 서로 다른 반직선은 $\overrightarrow{\text{AB}}$, $\overrightarrow{\text{AC}}$, $\overrightarrow{\text{AD}}$, $\overrightarrow{\text{BA}}$, $\overrightarrow{\text{BC}}$, $\overrightarrow{\text{BD}}$, $\overrightarrow{\text{CA}}$,
$\overrightarrow{\text{CB}}$, $\overrightarrow{\text{CD}}$, $\overrightarrow{\text{DA}}$, $\overrightarrow{\text{DB}}$, $\overrightarrow{\text{DC}}$의 12개이다.

18 $\overrightarrow{\text{AB}}$, $\overrightarrow{\text{AC}}$의 2개이다.

03 두 점 사이의 거리 | 10~11쪽 |

01 8 cm	02 13 cm	03 11 cm	04 9 cm
05 $\frac{1}{2}$, 5, $\frac{1}{2}$, 5	06 4, 2, 8	07 8, 8	08 9, 18
09 6 cm	10 12 cm	11 6 cm	12 9 cm
13 14 cm	14 14 cm	15 7 cm	16 21 cm
17 26 cm	18 11 cm		
19 (1) 8 cm (2) 16 cm (3) 16 cm			
20 (1) 16 cm (2) 16 cm (3) 32 cm (4) 48 cm			

09 $\overline{\text{MB}} = 2\overline{\text{MN}} = 2 \times 3 = 6(\text{cm})$

10 $\overline{\text{AB}} = 2\overline{\text{MB}} = 2 \times 6 = 12(\text{cm})$

11 $\overline{\text{AM}} = \overline{\text{MB}} = 6(\text{cm})$

12 $\overline{\text{AN}} = \overline{\text{AM}} + \overline{\text{MN}}$
$= 6 + 3 = 9(\text{cm})$

13 $\overline{\text{AM}} = \frac{1}{2}\overline{\text{AB}} = \frac{1}{2} \times 28 = 14(\text{cm})$

14 $\overline{\text{MB}} = \overline{\text{AM}} = 14$ cm

15 $\overline{\text{MN}} = \frac{1}{2}\overline{\text{MB}} = \frac{1}{2} \times 14 = 7(\text{cm})$

16 $\overline{\text{AN}} = \overline{\text{AM}} + \overline{\text{MN}}$
$= 14 + 7 = 21(\text{cm})$

17 $\overline{\text{AC}} = 2\overline{\text{MN}} = 2 \times 13 = 26(\text{cm})$

18 $\overline{\text{MN}} = \frac{1}{2}\overline{\text{AC}} = \frac{1}{2} \times 22 = 11(\text{cm})$

19 (1) $\overline{\text{MN}} = \frac{1}{3}\overline{\text{AB}} = \frac{1}{3} \times 24 = 8(\text{cm})$
(2) $\overline{\text{AN}} = 2\overline{\text{MN}} = 2 \times 8 = 16(\text{cm})$
(3) $\overline{\text{MB}} = 2\overline{\text{MN}} = 2 \times 8 = 16(\text{cm})$

20 (1) $\overline{\text{MN}} = \frac{1}{2}\overline{\text{MB}} = \frac{1}{2} \times 32 = 16(\text{cm})$
(2) $\overline{\text{AM}} = \overline{\text{MN}} = 16$ cm
(3) $\overline{\text{AN}} = 2\overline{\text{MN}} = 2 \times 16 = 32(\text{cm})$
(4) $\overline{\text{AB}} = 3\overline{\text{MN}} = 3 \times 16 = 48(\text{cm})$

04 각

| 12~13쪽 |

01 110°	**02** 130°	**03** 160°	**04** 180°
05 65°, 59°	**06** 172°, 100°, 95°, 115°		**07** 90°
08 25°	**09** 10°	**10** 20°	**11** 50°
12 32°	**13** 55°	**14** 22°	**15** 29°
16 $\angle x = 20°$, $\angle y = 60°$, $\angle z = 100°$			
17 $\angle x = 45°$, $\angle y = 60°$, $\angle z = 75°$		**18** ④	

01 $\angle AOC = \angle AOB + \angle BOC$
$= 90° + 20° = 110°$

02 $\angle BOD = \angle BOC + \angle COD$
$= 20° + 110° = 130°$

03 $\angle COE = \angle COD + \angle DOE$
$= 110° + 50° = 160°$

08 $\angle x + 65° = 90°$이므로 $\angle x = 25°$

09 $5\angle x + 4\angle x = 90°$이므로
$9\angle x = 90°$, $\angle x = 10°$

10 $(3\angle x - 10°) + 2\angle x = 90°$이므로
$5\angle x = 100°$, $\angle x = 20°$

11 $\angle x + 130° = 180°$이므로 $\angle x = 50°$

12 $(4\angle x + 20°) + \angle x = 180°$이므로
$5\angle x = 160°$, $\angle x = 32°$

13 $35° + 90° + \angle x = 180°$이므로 $\angle x = 55°$

14 $3\angle x + 70° + 2\angle x = 180°$이므로
$5\angle x = 110°$, $\angle x = 22°$

15 $60° + \angle x + (4\angle x - 25°) = 180°$이므로
$5\angle x = 145°$, $\angle x = 29°$

16 $\angle x = 180° \times \dfrac{1}{1+3+5} = 180° \times \dfrac{1}{9} = 20°$

$\angle y = 180° \times \dfrac{3}{1+3+5} = 180° \times \dfrac{1}{3} = 60°$

$\angle z = 180° \times \dfrac{5}{1+3+5} = 180° \times \dfrac{5}{9} = 100°$

17 $\angle x = 180° \times \dfrac{3}{3+4+5} = 180° \times \dfrac{1}{4} = 45°$

$\angle y = 180° \times \dfrac{4}{3+4+5} = 180° \times \dfrac{1}{3} = 60°$

$\angle z = 180° \times \dfrac{5}{3+4+5} = 180° \times \dfrac{5}{12} = 75°$

05 맞꼭지각

| 14~16쪽 |

01 $\angle DOE$	**02** $\angle FOA$	**03** $\angle EOC$	**04** $\angle EOA$
05 $\angle AOC$	**06** $\angle x = 50°$, $\angle y = 35°$		
07 $\angle x = 45°$, $\angle y = 55°$		**08** $\angle x = 90°$, $\angle y = 60°$	
09 45°	**10** 20°	**11** 40°	**12** 35°
13 $\angle x = 74°$, $\angle y = 106°$		**14** $\angle x = 55°$, $\angle y = 83°$	
15 $\angle x = 30°$, $\angle y = 110°$		**16** $\angle x = 35°$, $\angle y = 55°$	
17 80°	**18** 45°	**19** 75°	**20** 85°
21 20°	**22** 16°	**23** 30°	**24** ③

09 $2\angle x = 90°$이므로 $\angle x = 45°$

10 $3\angle x - 20° = 40°$이므로 $3\angle x = 60°$, $\angle x = 20°$

11 $\angle x + 10° = 2\angle x - 30°$이므로 $\angle x = 40°$

12 $2\angle x + 10° = 4\angle x - 60°$이므로
$2\angle x = 70°$, $\angle x = 35°$

13 $\angle x = 74°$(맞꼭지각)
$\angle y + 74° = 180°$(평각)이므로 $\angle y = 106°$

14 $\angle x = 55°$(맞꼭지각)
$42° + 55° + \angle y = 180°$(평각)이므로 $\angle y = 83°$

15 $\angle x + 40° = 70°$(맞꼭지각)이므로 $\angle x = 30°$
$\angle y + 70° = 180°$(평각)이므로 $\angle y = 110°$

16 $\angle x = 35°$(맞꼭지각)
$\angle y + 35° + 90° = 180°$(평각)이므로 $\angle y = 55°$

17 $\angle x = 50° + 30° = 80°$

18 $90° + \angle x = 135°$, $\angle x = 45°$

19 $35° + \angle x = 110°$, $\angle x = 75°$

20 $40° + 90° = \angle x + 45°$, $\angle x = 85°$

21 $2\angle x + 3\angle x + 4\angle x = 180°$이므로
$9\angle x = 180°$, $\angle x = 20°$

22 $90° + 4\angle x + (\angle x + 10°) = 180°$이므로
$5\angle x = 80°$, $\angle x = 16°$

23 $(2\angle x-15°)+(\angle x+5°)+(3\angle x+10°)=180°$이므로
$6\angle x=180°$, $\angle x=30°$

24 $\angle x+25°=45°+90°$(맞꼭지각)이므로 $\angle x=110°$
$45°+90°+(\angle y-30°)=180°$(평각)이므로
$\angle y=75°$
따라서 $\angle x-\angle y=110°-75°=35°$

06 수직과 수선
| 17쪽 |

01 직교, ⊥ **02** 90 **03** 수직이등분선
04 O **05** $\overline{AO}$ **06** (1) 점 B (2) 13 cm
07 (1) 점 E (2) 3 cm **08** (1) 점 C (2) 8 cm

확인 문제
| 18쪽 |

01 16 **02** ②, ④ **03** ④ **04** ② **05** ③
06 $a=7$, $b=5$

01 $a=6$, $b=10$이므로 $a+b=16$

02 ① 직선과 선분은 다르다.
③ 시작점이 다르므로 서로 다른 반직선이다.
⑤ 방향이 다르므로 서로 다른 반직선이다.

03 $\overline{AM}=\dfrac{1}{2}\overline{AB}=\dfrac{1}{2}\times16=8(cm)$
$\overline{NM}=\dfrac{1}{2}\overline{AM}=\dfrac{1}{2}\times8=4(cm)$
$\overline{MB}=\overline{AM}=8\ cm$
$\overline{NB}=\overline{NM}+\overline{MB}=4+8=12(cm)$

04 $\angle AOC+\angle DOB=180°-90°=90°$이므로
$\angle DOB=90°\times\dfrac{1}{5+1}=90°\times\dfrac{1}{6}=15°$

05 $35°+\angle x+45°=180°$(평각)이므로 $\angle x=100°$
$\angle y=45°$, $\angle z=35°$(맞꼭지각)
따라서 $\angle x-\angle y-\angle z=100°-45°-35°$
$=20°$

06 점 B와 $\overline{CD}$ 사이의 거리는 점 B에서 $\overline{CD}$에 내린 수선의 발까지의 거리이므로 7 cm이다. ➡ $a=7$
점 D와 $\overline{BC}$ 사이의 거리는 점 D에서 $\overline{BC}$에 내린 수선의 발까지의 거리이므로 5 cm이다. ➡ $b=5$

2. 위치 관계

01 평면에서 위치 관계
| 19쪽 |

01 있지 않다 **02** 있다 **03** 있다
04 있지 않다 **05** $\overline{AD}$, $\overline{BC}$ **06** $\overleftrightarrow{BC}$
07 $\overleftrightarrow{AB}$, $\overleftrightarrow{BC}$, $\overleftrightarrow{DE}$, $\overleftrightarrow{EF}$ **08** $\overleftrightarrow{EF}$

07

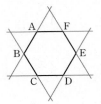

08 직선 BC와 평행한 직선은 각 변을 연장하였을 때 직선 BC와 만나지 않는 직선이다.

02 공간에서 두 직선의 위치 관계
| 20~21쪽 |

01 평행하다. **02** 꼬인 위치에 있다.
03 한 점에서 만난다. **04** 꼬인 위치에 있다.
05 평행하다. **06** $\overline{AC}$, $\overline{AD}$, $\overline{BC}$, $\overline{BE}$
07 $\overline{DE}$ **08** $\overline{CF}$, $\overline{DF}$, $\overline{EF}$
09 $\overline{AC}$, $\overline{DF}$ **10** $\overline{AD}$, $\overline{BC}$, $\overline{AE}$, $\overline{BF}$
11 $\overline{DC}$, $\overline{EF}$, $\overline{HG}$ **12** $\overline{CG}$, $\overline{DH}$, $\overline{EH}$, $\overline{FG}$
13 $\overline{CF}$, $\overline{CG}$, $\overline{DG}$, $\overline{EF}$ **14** $\overline{AB}$, $\overline{DE}$, $\overline{EF}$, $\overline{BF}$
15 $\overline{AC}$, $\overline{AD}$, $\overline{CG}$, $\overline{DE}$, $\overline{DG}$
16 (1) $\overline{AB}$, $\overline{AD}$, $\overline{BC}$, $\overline{CD}$ (2) $\overline{BD}$
17 (1) $\overline{AB}$, $\overline{AC}$, $\overline{BE}$, $\overline{CD}$ (2) $\overline{BE}$, $\overline{DE}$
18 ④

08 꼬인 위치에 있는 두 직선은 만나지도 않고 평행하지도 않다.

18 $\overline{AC}$와 꼬인 위치에 있는 모서리는
$\overline{BF}$, $\overline{DH}$, $\overline{EF}$, $\overline{FG}$, $\overline{GH}$, $\overline{EH}$의 6개이다.

03 공간에서 직선과 평면의 위치 관계
| 22쪽 |

01 $\overline{AB}$, $\overline{AC}$, $\overline{BC}$ **02** $\overline{AD}$, $\overline{BE}$, $\overline{CF}$ **03** $\overline{CF}$
04 면 ABFE, 면 BFGC **05** 면 CGHD, 면 AEHD
06 면 ABCD, 면 EFGH **07** 면 ABFE, 면 CGHD
08 $\overline{AD}$, $\overline{BC}$, $\overline{FG}$, $\overline{EH}$
09 면 ABCDE, 면 FGHIJ
10 $\overline{AF}$, $\overline{BG}$, $\overline{CH}$, $\overline{DI}$, $\overline{EJ}$

04 공간에서 두 평면의 위치 관계 | 23〜24쪽 |

01 면 ABCD, 면 ABFE, 면 EFGH, 면 CGHD

02 면 AEHD

03 면 ABCD, 면 ABFE, 면 EFGH, 면 CGHD

04 면 BFGC　　　**05** $\overline{FG}$　　　**06** 면 DEF

07 면 ABC, 면 DEF, 면 BEFC　　**08** 면 EFGH

09 면 ABFE, 면 AEHD, 면 BFGC

10 면 BFGC, 면 EFGH　　　**11** $\overline{AD}$, $\overline{EF}$

12 $\overline{CF}$, $\overline{DF}$, $\overline{EF}$　**13** $\overline{EF}$　　**14** $\overline{AD}$, $\overline{BC}$, $\overline{EF}$

15 면 ABCD, 면 BCFE, 면 AEFD

16 면 ABE, 면 DCF, 면 AEFD

17 $\overline{DE}$, $\overline{GF}$　　**18** $\overline{AD}$, $\overline{DG}$, $\overline{DE}$, $\overline{EF}$, $\overline{FG}$

19 면 ADGC　　**20** 면 ABED, 면 CFG

21 면 ABED　　**22** ③, ④

22 평면 BFHD와 수직인 평면은 평면 ABCD, 평면 AEGC, 평면 EFGH이다.

🔖 확인 문제 | 25쪽 |

01 $\overrightarrow{FE}$　**02** ③　**03** ②　**04** ㄷ　**05** ㄴ　**06** ④

01 직선 AB와 평행한 직선을 찾는다.

02 ①, ②, ④, ⑤ 꼬인 위치에 있다.
③ 평행하다.

03 주어진 전개도로 만든 삼각뿔은 오른쪽 그림과 같다.
따라서 모서리 AF와 꼬인 위치에 있는 모서리는 $\overline{BD}$이다.

04 ㄱ. 면 ABC와 평행한 모서리는 $\overline{DE}$, $\overline{EF}$, $\overline{FD}$의 3개이다.
ㄴ. 모서리 AB와 수직으로 만나는 모서리는 $\overline{AD}$, $\overline{BC}$, $\overline{BE}$의 3개이다.
ㄷ. 면 BEFC와 수직인 모서리는 $\overline{AB}$, $\overline{DE}$의 2개이다.
ㄹ. 면 BEFC와 수직인 면은 면 ABC, 면 DEF, 면 ADEB의 3개이다.

05

$l \perp P$, $m \perp P$이면 $l /\!/ m$이다.

---

06 서로 평행한 두 면은 면 ABCDEF와 면 GHIJKL, 면 ABHG와 면 EDJK, 면 BHIC와 면 FLKE, 면 CIJD와 면 AGLF의 4쌍이다.

---

3. 평행선의 성질

01 동위각과 엇각 | 26〜27쪽 |

01 $\angle e$　**02** $\angle f$　**03** $\angle g$　**04** $\angle d$　**05** $\angle g$
06 $\angle b$　**07** ○　**08** ×　**09** ×　**10** ○
11 ○　**12** $120°$　**13** $60°$　**14** $120°$　**15** $60°$
16 $85°$　**17** $85°$　**18** $95°$　**19** $65°$　**20** $65°$
21 $65°$　**22** $115°$　**23** $115°$　**24** $110°$　**25** $165°$

08 $\angle g$의 동위각은 $\angle d$이다.

09 $\angle d$의 엇각은 $\angle e$이다.

13 $\angle b$의 동위각은 $\angle e = 180° - 120° = 60°$

15 $\angle b$의 엇각은 $\angle d = 180° - 120° = 60°$

17 $\angle d$의 엇각은 $\angle b = 85°$ (맞꼭지각)

18 $\angle f$의 동위각은 $\angle c = 180° - 85° = 95°$

20 $\angle b$의 동위각은 $\angle e = 65°$ (맞꼭지각)

22 $\angle c$의 엇각은 $\angle d = 180° - 65° = 115°$

23 $\angle c$의 동위각은 $\angle f = 180° - 65° = 115°$

24 $\angle e$의 동위각은 $\angle b = 180° - 70° = 110°$

25

$\angle a$의 동위각은 $\angle x = 180 - 75° = 105°$
$\angle b$의 엇각은 $\angle y = 60°$ (맞꼭지각)
따라서 $\angle a$의 동위각과 $\angle b$의 엇각의 크기의 합은
$105° + 60° = 165°$

02 평행선의 성질
|28~32쪽|

01 65°	**02** 120°	**03** 95°	**04** 50°	**05** 135°
06 100°	**07** 85°	**08** 110°	**09** 30°	
10 $\angle x=65°$, $\angle y=80°$		**11** $\angle x=125°$, $\angle y=85°$		
12 $\angle x=130°$, $\angle y=93°$		**13** $\angle x=126°$, $\angle y=138°$		
14 $\angle x=105°$, $\angle y=160°$		**15** 80°		**16** 55°
17 55°		**18** 60°	**19** $\angle x=60°$, $\angle y=50°$	
20 $\angle x=85°$, $\angle y=125°$		**21** $\angle x=90°$, $\angle y=40°$		
22 $\angle x=85°$, $\angle y=50°$		**23** $\angle x=40°$, $\angle y=140°$		
24 40°	**25** 60°	**26** 25°	**27** 30°	
28 78°	**29** 105°	**30** 35°	**31** 135°	
32 110°	**33** 60°	**34** 50°	**35** 50°	
36 70°	**37** 36°	**38** 38°	**39** 80°	
40 110°	**41** 100°	**42** 52°	**43** ②	

15 $\angle x+60°=140°$ (엇각)
$\angle x=80°$

16 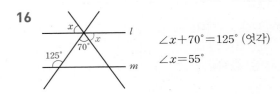 $\angle x+70°=125°$ (엇각)
$\angle x=55°$

17 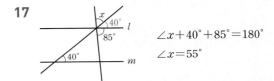 $\angle x+40°+85°=180°$
$\angle x=55°$

18 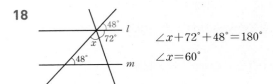 $\angle x+72°+48°=180°$
$\angle x=60°$

19 $\angle x=60°$ (동위각)
$\angle x+\angle y=110°$ (동위각)이므로
$60°+\angle y=110°$
$\angle y=50°$

20 $\angle x=180°-95°$ (엇각)
$=85°$
$\angle y=180°-55°$
$=125°$

21 $\angle y=40°$ (엇각)
$\angle x+\angle y=130°$ (동위각)이므로
$\angle x+40°=130°$
$\angle x=90°$

22 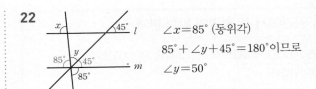 $\angle x=85°$ (동위각)
$85°+\angle y+45°=180°$이므로
$\angle y=50°$

23 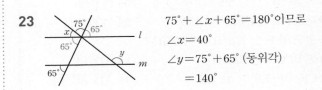 $75°+\angle x+65°=180°$이므로
$\angle x=40°$
$\angle y=75°+65°$ (동위각)
$=140°$

24 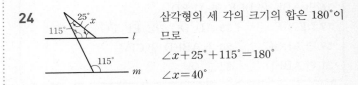 삼각형의 세 각의 크기의 합은 180°이
므로
$\angle x+25°+115°=180°$
$\angle x=40°$

25 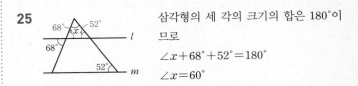 삼각형의 세 각의 크기의 합은 180°이
므로
$\angle x+68°+52°=180°$
$\angle x=60°$

26 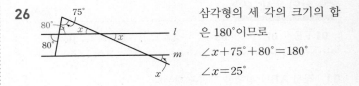 삼각형의 세 각의 크기의 합
은 180°이므로
$\angle x+75°+80°=180°$
$\angle x=25°$

27 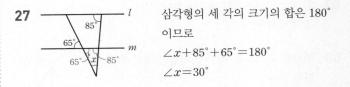 삼각형의 세 각의 크기의 합은 180°
이므로
$\angle x+85°+65°=180°$
$\angle x=30°$

28 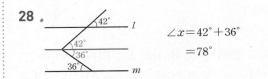 $\angle x=42°+36°$
$=78°$

29 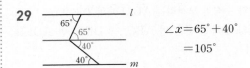 $\angle x=65°+40°$
$=105°$

30 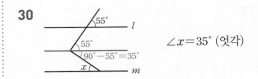 $\angle x=35°$ (엇각)

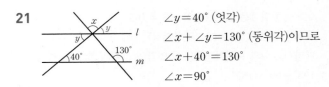

31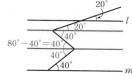

$$\angle x = 75° + 60°$$
$$= 135°$$

32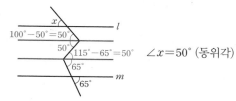

$$\angle x = 40° + 70°$$
$$= 110°$$

33

$$\angle x = 20° + 40°$$
$$= 60°$$

34

$$\angle x = 50° \text{ (동위각)}$$

35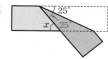

$$\angle x = 25° + 25° \text{ (엇각)}$$
$$= 50°$$

36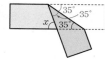

$$\angle x = 35° + 35° \text{ (엇각)}$$
$$= 70°$$

37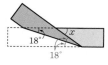

$$\angle x = 18° + 18° \text{ (엇각)}$$
$$= 36°$$

38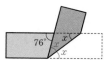

$$\angle x + \angle x = 76° \text{ (엇각)}$$
$$2\angle x = 76°, \quad \angle x = 38°$$

39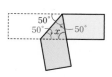

삼각형의 세 각의 크기의 합은 180°이므로
$$\angle x + 50° + 50° = 180°$$
$$\angle x = 80°$$

40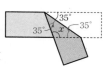

삼각형의 세 각의 크기의 합은 180°이므로
$$\angle x + 35° + 35° = 180°$$
$$\angle x = 110°$$

41

$$\angle x + 40° + 40° = 180° \text{ (평각)}$$
$$\angle x = 100°$$

42

$$\angle x + 64° + 64° = 180° \text{ (평각)}$$
$$\angle x = 52°$$

43 $\angle x + 115° = 180°$이므로
$$\angle x = 65°$$
삼각형의 세 각의 크기의 합은
180°이므로
$$\angle y + \angle x + \angle x = 180°$$
$$\angle y + 65° + 65° = 180°$$
$$\angle y = 50°$$
따라서 $\angle x + \angle y = 115°$

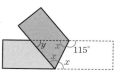

---

03 두 직선이 평행할 조건　　| 33쪽 |

01 ○　　**02** ×　　**03** ○　　**04** ×　　**05** $l /\!/ m$

06 $n /\!/ k$　　**07** ㄷ

01 동위각의 크기가 같으므로 두 직선 l, m은 평행하다.

02 엇각의 크기가 같지 않으므로 두 직선 l, m은 평행하지 않다.

03 동위각의 크기가 같으므로 두 직선 l, m은 평행하다.

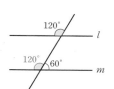

04 엇각의 크기가 같지 않으므로 두 직선 l, m은 평행하지 않다.

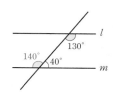

05 동위각의 크기가 40°로 같으므로 두 직선 l, m은 평행하다.

06 엇각의 크기가 55°로 같으므로 두 직선 n, k는 평행하다.

07 ㄷ. 동위각의 크기가 95°, 85°로 같지 않으므로 두 직선 l, m은 평행하지 않다.

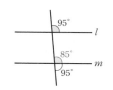

확인 문제

| 34쪽 |

01 ④   02 $\angle x=100°$, $\angle y=140°$ 03 ②   04 ③
05 ②   06 ④

01 ④ $\angle d$의 엇각은 $\angle c$이므로
　$\angle c=180°-110°=70°$

02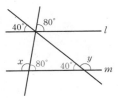
　$\angle x=180°-80°=100°$
　$\angle y=180°-40°=140°$

03 삼각형의 세 각의 크기의 합은 $180°$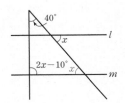
이므로
　$40°+(2\angle x-10°)+\angle x=180°$
　$3\angle x=150°$
　$\angle x=50°$

04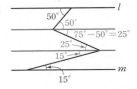
　$\angle x=25°+15°=40°$

05 삼각형의 세 각의 크기의 합은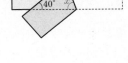
$180°$이므로
　$40°+2\angle x=180°$
　$2\angle x=140°$
　$\angle x=70°$

06 동위각의 크기가 같거나 엇각의 크기가 같으면 두 직선 l, m은
서로 평행하다.

ㄱ. 　ㄴ.

ㄷ. 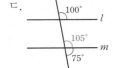　ㄹ.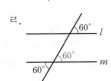

따라서 두 직선 l, m이 서로 평행한 것은 ㄴ, ㄹ이다.

---

2 작도와 합동

1. 작도와 합동

01 길이가 같은 선분의 작도

| 36쪽 |

01 ✕   02 ○   03 ○   04 (1) ㉢ → ㉠ → ㉡
(2) ㉠ 컴퍼스, ㉡ 컴퍼스, ㉢ 눈금 없는 자
05 눈금 없는 자, 컴퍼스, $\overline{AB}$, 2
06

01 작도할 때는 눈금 없는 자와 컴퍼스를 사용한다.

04 (1) 작도 순서는 다음과 같다.
　㉢ 눈금 없는 자를 사용하여 점 C를 시작점으로 하는 반직
　　선을 긋는다.
　㉠ 컴퍼스를 사용하여 $\overline{AB}$의 길이를 잰다.
　㉡ 점 C를 중심으로 하고 반지름의 길이가 $\overline{AB}$인 원을 그
　　려 ㉢에서 그은 반직선과의 교점을 D라 하면 $\overline{CD}=\overline{AB}$
　　이다.

06

위의 그림과 같이 원점을 O, 2에 대응하는 점을 A라 할 때
① 컴퍼스를 사용하여 $\overline{OA}$의 길이를 잰다.
② 점 A를 중심으로 하고 반지름의 길이가 $\overline{OA}$인 원을 그려
　수직선과의 교점 중 원점이 아닌 점을 B라 하면 점 B에 대
　응하는 수가 4이다.
③ 점 B를 중심으로 하고 반지름의 길이가 $\overline{OA}$인 원을 그려
　수직선과의 교점 중 점 A가 아닌 점을 C라 하면 점 C에 대
　응하는 수가 6이다.

02 크기가 같은 각의 작도

| 37쪽 |

01 ㉤, ㉠, ㉣, ㉢   02 $\overline{OD}$, $\overline{AP}$, $\overline{AQ}$ 03 $\overline{PQ}$
04 $\angle PAQ$ 05 ㉤, ㉡, ㉥, ㉢, ㉣   06 $\overrightarrow{AC}$, $\overline{PQ}$, $\overline{PR}$
07 $\overline{QR}$ 08 $\angle QPR$ 09 $\overrightarrow{PR}$

01 작도 순서는 다음과 같다.
　㉤ 점 O를 중심으로 하는 적당한 원을 그려 $\overrightarrow{OX}$, $\overrightarrow{OY}$와의 교
　　점을 각각 C, D라 한다.
　㉥ 점 A를 중심으로 하고 반지름의 길이가 $\overline{OC}$인 원을 그려
　　$\overrightarrow{AB}$와의 교점을 Q라 한다.
　㉠ 컴퍼스를 사용하여 $\overline{CD}$의 길이를 잰다.
　㉣ 점 Q를 중심으로 하고 반지름의 길이가 $\overline{CD}$인 원을 그려 ㉥
　　의 원과의 교점을 P라 한다.
　㉢ $\overrightarrow{AP}$를 그으면 $\angle PAQ$가 작도된다.

02 원의 반지름이므로 $\overline{OD}=\overline{OC}$

또, 점 A를 중심으로 하고 반지름의 길이가 $\overline{OC}$인 원을 그린 것이므로 $\overline{AP}=\overline{AQ}=\overline{OC}$

따라서 $\overline{OC}=\overline{OD}=\overline{AP}=\overline{AQ}$

03 점 Q를 중심으로 하고 반지름의 길이가 $\overline{CD}$인 원을 그린 것이므로 $\overline{PQ}=\overline{CD}$

05 작도 순서는 다음과 같다.

㉠ 점 P를 지나는 직선을 그어 직선 l과의 교점을 A라 한다.

㉤ 점 A를 중심으로 하는 적당한 원을 그려 $\overrightarrow{AP}$, 직선 l과의 교점을 각각 B, C라 한다.

㉡ 점 P를 중심으로 하고 반지름의 길이가 $\overline{AB}$인 원을 그려 $\overrightarrow{AP}$와의 교점을 Q라 한다.

㉥ 컴퍼스를 사용하여 $\overline{BC}$의 길이를 잰다.

㉢ 점 Q를 중심으로 하고 반지름의 길이가 $\overline{BC}$인 원을 그려 ㉡의 원과의 교점을 R라 한다.

㉣ $\overrightarrow{PR}$를 그으면 직선 PR가 작도된다.

06 원의 반지름이므로 $\overline{AC}=\overline{AB}$

또, 점 P를 중심으로 하고 반지름의 길이가 $\overline{AB}$인 원을 그린 것이므로 $\overline{PQ}=\overline{PR}=\overline{AB}$

따라서 $\overline{AB}=\overline{AC}=\overline{PQ}=\overline{PR}$

07 점 Q를 중심으로 하고 반지름의 길이가 $\overline{BC}$인 원을 그린 것이므로 $\overline{QR}=\overline{BC}$

---

03 삼각형 | 38~39쪽 |

01 9 cm	**02** 6 cm	**03** 50°	**04** 60°	**05** 70°
06 ×	**07** ○	**08** ○	**09** ×	**10** ㄴ, ㄷ
11 ㄷ, ㄹ	**12** ㄴ, ㄷ	**13** ㄷ, ㄹ	**14** ㄴ, ㄷ, ㄹ	
15 4	**16** 6, 7, 8	**17** 6, 7, 8, 9, 10		
18 6, 7, 8, 9, 10, 11, 12, 13, 14			**19** ④	

01 (∠B의 대변의 길이)=$\overline{AC}$=9 cm

02 (∠C의 대변의 길이)=$\overline{AB}$=6 cm

03 ($\overline{AB}$의 대각의 크기)=∠C=50°

04 ($\overline{BC}$의 대각의 크기)=∠A=60°

05 ($\overline{AC}$의 대각의 크기)=∠B=70°

06 3=1+2이므로 삼각형을 만들 수 없다.

07 5<4+3이므로 삼각형을 만들 수 있다.

08 11<10+6이므로 삼각형을 만들 수 있다.

09 18>7+10이므로 삼각형을 만들 수 없다.

10 ㄱ. 11=5+6 ㄴ. 11<5+8
ㄷ. 13<5+11 ㄹ. 17>5+11
따라서 x의 값이 될 수 있는 것은 ㄴ, ㄷ이다.

11 ㄱ. 7>2+3 ㄴ. 7>3+3
ㄷ. 7<3+5 ㄹ. 9<3+7
따라서 x의 값이 될 수 있는 것은 ㄷ, ㄹ이다.

12 ㄱ. 9=4+5 ㄴ. 9<4+6
ㄷ. 10<4+9 ㄹ. 14>4+9
따라서 x의 값이 될 수 있는 것은 ㄴ, ㄷ이다.

13 ㄱ. 세 변의 길이: 8, 1, 5 → 8>1+5
ㄴ. 세 변의 길이: 8, 2, 6 → 8=2+6
ㄷ. 세 변의 길이: 8, 4, 8 → 8<4+8
ㄹ. 세 변의 길이: 8, 9, 13 → 13<8+9
따라서 x의 값이 될 수 있는 것은 ㄷ, ㄹ이다.

14 ㄱ. 세 변의 길이: 1, 3, 2 → 3=1+2
ㄴ. 세 변의 길이: 8, 10, 16 → 16<8+10
ㄷ. 세 변의 길이: 11, 13, 22 → 22<11+13
ㄹ. 세 변의 길이: 13, 15, 26 → 26<13+15
따라서 x의 값이 될 수 있는 것은 ㄴ, ㄷ, ㄹ이다.

15 (ⅰ) 가장 긴 변의 길이가 x일 때,
$x<1+4$, $x<5$
(ⅱ) 가장 긴 변의 길이가 4일 때,
$4<x+1$, 즉 $x+1>4$
(ⅰ), (ⅱ)에서 자연수 x는 4이다.

16 (ⅰ) 가장 긴 변의 길이가 x일 때,
$x<2+7$, $x<9$
(ⅱ) 가장 긴 변의 길이가 7일 때,
$7<x+2$, 즉 $x+2>7$
(ⅰ), (ⅱ)에서 자연수 x는 6, 7, 8

17 (ⅰ) 가장 긴 변의 길이가 x일 때,
$x<3+8$, $x<11$
(ⅱ) 가장 긴 변의 길이가 8일 때,
$8<x+3$, 즉 $x+3>8$
(ⅰ), (ⅱ)에서 자연수 x는 6, 7, 8, 9, 10

18 (ⅰ) 가장 긴 변의 길이가 x일 때,
$x<5+10$, $x<15$
(ⅱ) 가장 긴 변의 길이가 10일 때,
$10<x+5$, 즉 $x+5>10$
(ⅰ), (ⅱ)에서 자연수 x는 6, 7, 8, 9, 10, 11, 12, 13, 14

19 (ⅰ) 가장 긴 변의 길이가 x cm일 때,
$x<9+6$, $x<15$
(ⅱ) 가장 긴 변의 길이가 9 cm일 때,
$9<x+6$, 즉 $x+6>9$
(ⅰ), (ⅱ)에서 자연수 x는 4, 5, 6, ⋯ , 13, 14의 11개이다.

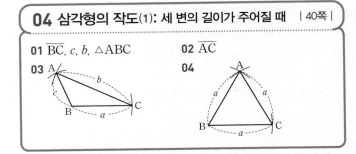

04 삼각형의 작도(1): 세 변의 길이가 주어질 때 | 40쪽 |

01 $\overline{BC}$, c, b, △ABC 　02 $\overline{AC}$
03 　04

05 삼각형의 작도(2): 두 변의 길이와 그 끼인각의 | 41쪽 |
　　크기가 주어질 때

01 a, ∠B, c, △ABC 　02 $\overline{AC}$, $\overline{AB}$
03 　04

06 삼각형의 작도(3): 한 변의 길이와 그 양 끝 | 42쪽 |
　　각의 크기가 주어질 때

01 $\overline{BC}$, ∠B, ∠YCB, A 　02 $\overline{AB}$
03 A 　04

07 삼각형이 하나로 정해지는 조건 | 43쪽 |

01 ○ 　02 × 　03 ○ 　04 × 　05 ×
06 ㄷ, ㅁ 　07 ㄱ, ㄹ, ㅂ 　08 ①, ④

02 16＝6＋10이므로 삼각형이 만들어지지 않는다.

04 ∠A가 $\overline{AB}$, $\overline{BC}$의 끼인각이 아니므로 삼각형이 하나로 정해지지 않는다.

05 세 각의 크기가 각각 같은 삼각형은 무수히 많으므로 삼각형이 하나로 정해지지 않는다.

06 ㄷ. 세 변의 길이가 주어진 경우이므로 삼각형이 하나로 정해진다.
ㅁ. 두 변의 길이와 그 끼인각의 크기가 주어진 경우이므로 삼각형이 하나로 정해진다.
따라서 △ABC가 하나로 정해지기 위해 추가로 필요한 조건은 ㄷ, ㅁ이다.

07 ㄱ. 두 변의 길이와 그 끼인각의 크기가 주어진 경우이므로 삼각형이 하나로 정해진다.
ㄹ. ∠C＝180°－(∠A＋∠B)이므로 ∠A의 크기를 알면 ∠C의 크기도 구할 수 있다.
즉, 한 변의 길이와 그 양 끝 각의 크기가 주어진 경우이므로 삼각형이 하나로 정해진다.
ㅂ. 한 변의 길이와 그 양 끝 각의 크기가 주어진 경우이므로 삼각형이 하나로 정해진다.
따라서 △ABC가 하나로 정해지기 위해 추가로 필요한 조건은 ㄱ, ㄹ, ㅂ이다.

08 ① $\overline{AC}＝\overline{AB}＋\overline{BC}$이므로 삼각형을 만들 수 없다.
② $\overline{AC}＜\overline{AB}＋\overline{BC}$이므로 삼각형을 만들 수 있다.
즉, 세 변의 길이가 주어진 경우이므로 삼각형이 하나로 정해진다.
③ 두 변의 길이와 그 끼인각의 크기가 주어진 경우이므로 삼각형이 하나로 정해진다.
④ ∠B는 $\overline{AC}$, $\overline{BC}$의 끼인각이 아니므로 삼각형이 하나로 정해지지 않는다.
⑤ ∠C＝180°－(50°＋55°)＝75°
즉, 한 변의 길이와 그 양 끝 각의 크기가 주어진 경우이므로 삼각형이 하나로 정해진다.
따라서 삼각형이 하나로 정해지지 않는 것은 ①, ④이다.

08 합동 | 44쪽 |

01 ○ 　02 × 　03 × 　04 꼭짓점 E
05 $\overline{FG}$ 　06 ∠C 　07 8 cm 　08 4 cm 　09 30°
10 100°

02 오른쪽 그림과 같은 두 마름모는 둘레의 길이는 같지만 서로 합동이 아니다.

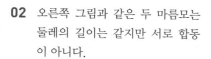
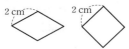

03 오른쪽 그림과 같은 두 직사각형은 넓이는 같지만 서로 합동이 아니다.

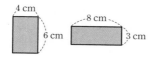

07 $\overline{AB}=\overline{DF}=8$ cm

08 $\overline{EF}=\overline{CB}=4$ cm

09 $\angle D=\angle A=30°$

10 △ABC에서 세 각의 크기의 합은 180°이므로
$30°+50°+\angle C=180°$, $\angle C=100°$
따라서 $\angle E=\angle C=100°$

---

09 삼각형의 합동 조건 | 45~47쪽 |

01 $\overline{EF}$, $\overline{FD}$, $\overline{DE}$, △EFD, SSS
02 $\overline{PQ}$, $\angle P$, $\overline{PR}$, △PQR, SAS
03 35, $\angle H$, $\overline{HI}$, $\angle I$, △HIG, ASA
04 △KJL, SAS   **05** △NMO, SSS
06 △SUT, ASA   **07** △WXV, SAS   **08** ○
09 ×   **10** ×   **11** ○   **12** ○   **13** ④
14 △ABD≡△CBD, SSS 합동
15 △ABO≡△CDO, SAS 합동
16 △ABD≡△CBD, ASA 합동
17 (1) $\overline{DE}$, SSS (2) $\angle F$, SAS
18 (1) $\overline{DE}$, SAS (2) $\angle D$, ASA (3) $\angle F$, ASA

04 △ABC와 △KJL에서
$\overline{AB}=\overline{KJ}$, $\angle A=\angle K$, $\overline{AC}=\overline{KL}$
이므로 △ABC≡△KJL (SAS 합동)

05 △DEF와 △NMO에서
$\overline{DE}=\overline{NM}$, $\overline{EF}=\overline{MO}$, $\overline{DF}=\overline{NO}$
이므로 △DEF≡△NMO (SSS 합동)

06 △STU에서 $\angle U=180°-(55°+50°)=75°$
△GHI와 △SUT에서
$\angle H=\angle U$, $\overline{HI}=\overline{UT}$, $\angle I=\angle T$
이므로 △GHI≡△SUT (ASA 합동)

---

07 △WXV에서 $\angle V=180°-(80°+40°)=60°$
△PQR와 △WXV에서
$\overline{QR}=\overline{XV}$, $\angle R=\angle V$, $\overline{PR}=\overline{WV}$
이므로 △PQR≡△WXV (SAS 합동)

08 대응하는 세 변의 길이가 각각 같으므로
△ABC≡△DEF (SSS 합동)

09 끼인각이 아닌 다른 각의 크기가 같으므로 합동인지 아닌지 알 수 없다.

11 대응하는 두 변의 길이가 각각 같고 그 끼인각의 크기가 같으므로 △ABC≡△DEF (SAS 합동)

12 대응하는 한 변의 길이와 그 양 끝 각의 크기가 각각 같으므로 △ABC≡△DEF (ASA 합동)

13 ④ 나머지 한 각의 크기는 $180°-(65°+40°)=75°$
따라서 주어진 삼각형과 대응하는 한 변의 길이가 같고, 그 양 끝 각의 크기가 각각 같으므로 합동이다. (ASA 합동)

14 △ABD와 △CBD에서
$\overline{AB}=\overline{CB}$, $\overline{AD}=\overline{CD}$, $\overline{BD}$는 공통
이므로 △ABD≡△CBD (SSS 합동)

15 △ABO와 △CDO에서
$\overline{AO}=\overline{CO}$, $\angle AOB=\angle COD$ (맞꼭지각), $\overline{BO}=\overline{DO}$
이므로 △ABO≡△CDO (SAS 합동)

16 △ABD에서 $\angle ADB=180°-(90°+35°)=55°$
△BCD에서 $\angle DBC=180°-(90°+55°)=35°$
△ABD와 △CBD에서
$\overline{BD}$는 공통, $\angle ABD=\angle CBD$, $\angle ADB=\angle CDB$
이므로 △ABD≡△CBD (ASA 합동)

17 (1) $\overline{AB}=\overline{DE}$이면 대응하는 세 변의 길이가 각각 같으므로 SSS 합동이다.
  (2) $\angle C=\angle F$이면 대응하는 두 변의 길이가 각각 같고, 그 끼인각의 크기가 같으므로 SAS 합동이다.

18 (1) $\overline{AB}=\overline{DE}$이면 대응하는 두 변의 길이가 각각 같고, 그 끼인각의 크기가 같으므로 SAS 합동이다.
  (2) $\angle A=\angle D$이면
    $\angle C=180°-(\angle A+\angle B)$
      $=180°-(\angle D+\angle E)$
      $=\angle F$
    즉, 대응하는 한 변의 길이가 같고, 그 양 끝 각의 크기가 각각 같으므로 ASA 합동이다.
  (3) $\angle C=\angle F$이면 대응하는 한 변의 길이가 같고, 그 양 끝 각의 크기가 각각 같으므로 ASA 합동이다.

◠확인 문제◠ | 48쪽 |

01 ㄷ   02 ⑤   03 ①, ⑤   04 ③, ⑤
05 △DCM, SAS 합동   06 ④, ⑤

02 ① $3<3+3$ ② $8<4+7$ ③ $7<5+4$
④ $15<10+10$ ⑤ $21=8+13$
따라서 삼각형의 세 변의 길이가 될 수 없는 것은 ⑤이다.

03 한 변의 길이와 그 양 끝 각의 크기가 주어졌을 때, 삼각형의
작도는 주어진 한 각을 작도한 후 선분을 작도하고 다른 한 각을
작도하거나 주어진 선분을 작도한 후 두 각을 작도하면 된다.
따라서 작도 순서가 옳지 않은 것은 ①, ⑤이다.

04 ① $\overline{AB}=\overline{EF}=8\ cm$
② $\overline{GF}=\overline{CB}=10\ cm$
③ ∠B=∠F이므로 각의 크기를 알 수 없다.
④ ∠H=∠D=110°
⑤ $\overline{AB}=\overline{EF}=8\ cm$, $\overline{CD}=\overline{GH}=4\ cm$이므로
(사각형 ABCD의 둘레의 길이)
$=\overline{AB}+\overline{BC}+\overline{CD}+\overline{DA}$
$=8+10+4+5=27(cm)$
따라서 옳지 않은 것은 ③, ⑤이다.

05 △ABM과 △DCM에서
점 M은 $\overline{BC}$의 중점이므로 $\overline{BM}=\overline{CM}$
사각형 ABCD가 직사각형이므로
$\overline{AB}=\overline{DC}$, ∠ABM=∠DCM=90°
따라서 △ABM≡△DCM (SAS 합동)

06 ④ ∠A=∠D이면
∠B=180°−(∠A+∠C)=180°−(∠D+∠F)=∠E
이므로 △ABC≡△ADC (ASA 합동)
⑤ ∠B=∠E이면
∠A=180°−(∠B+∠C)=180°−(∠E+∠F)=∠D
이므로 △ABC≡△ADC (ASA 합동)

3 다각형

1. 다각형

01 다각형 | 50~51쪽 |

01 ×   02 ○   03 ×   04 ○   05 ×
06 (1) 사각형 (2) 4 (3) 4 (4) 4
07 (1) 오각형 (2) 5 (3) 5 (4) 5
08 (1) 육각형 (2) 6 (3) 6 (4) 6
09 (1) 칠각형 (2) 7 (3) 7 (4) 7
10 60°   11 95°   12 80°   13 45°
14 120°, 60°   15 40°, 140°
16 72°, 108°   17 70°, 110°
18 125°, 55°   19 90°, 90°   20 ⑤

01 선분과 곡선으로 둘러싸여 있으므로 다각형이 아니다.

05 입체도형이므로 다각형이 아니다.

06 선분 4개로 둘러싸인 평면도형은 사각형이다.
사각형은 변이 4개, 꼭짓점이 4개, 내각이 4개이다.

07 선분 5개로 둘러싸인 평면도형은 오각형이다.
오각형은 변이 5개, 꼭짓점이 5개, 내각이 5개이다.

08 선분 6개로 둘러싸인 평면도형은 육각형이다.
육각형은 변이 6개, 꼭짓점이 6개, 내각이 6개이다.

09 선분 7개로 둘러싸인 평면도형은 칠각형이다.
칠각형은 변이 7개, 꼭짓점이 7개, 내각이 7개이다.

14 (∠A의 외각의 크기)
$=180°-($∠A의 내각의 크기$)$
$=180°-120°=60°$

15 (∠A의 내각의 크기)
$=180°-($∠A의 외각의 크기$)$
$=180°-140°=40°$

16 (∠A의 외각의 크기)
$=180°-($∠A의 내각의 크기$)$
$=180°-72°=108°$

17 (∠A의 내각의 크기)
$=180°-($∠A의 외각의 크기$)$
$=180°-110°=70°$

18 ($\angle$A의 외각의 크기)
$=180°-($∠A의 내각의 크기$)$
$=180°-125°=55°$

19 ($\angle$A의 내각의 크기)
$=180°-($∠A의 외각의 크기$)$
$=180°-90°=90°$

20 ⑤ 다각형의 한 꼭짓점에서 내각의 크기와 외각의 크기의 합은 $180°$이다.

---

02 정다각형
| 52쪽 |

01 정오각형 **02** 정팔각형 **03** 정육각형
04 정구각형 **05** ○ **06** ×
07 ○ **08** × **09** ○
10 (1) 변, 내각 (2) 정십각형

01 조건 (가)와 (나)에서 구하는 다각형은 정다각형이다.
조건 (다)에서 5개의 선분으로 둘러싸인 다각형은 오각형이다.
따라서 조건을 모두 만족시키는 다각형은 정오각형이다.

02 조건 (가)와 (나)에서 구하는 다각형은 정다각형이다.
조건 (다)에서 꼭짓점이 8개인 다각형은 팔각형이다.
따라서 조건을 모두 만족시키는 다각형은 정팔각형이다.

03 조건 (가)에서 구하는 다각형은 정다각형이다.
조건 (나)에서 6개의 내각을 가지고 있는 다각형은 육각형이다.
따라서 조건을 모두 만족시키는 다각형은 정육각형이다.

04 조건 (가)에서 구하는 다각형은 정다각형이다.
구하는 정다각형을 정n각형이라 하면 조건 (나)에서 변의 개수와 꼭짓점의 개수의 합이 18이므로
$n+n=18$, $2n=18$, $n=9$
따라서 조건을 모두 만족시키는 다각형은 정구각형이다.

06 모든 변의 길이가 같아도 내각의 크기가 다르면 정다각형이 아니다.

08 모든 내각의 크기가 같아도 변의 길이가 다르면 정다각형이 아니다.

10 (1) 정다각형은 모든 변의 길이가 같고 모든 내각의 크기가 같은 다각형이다.
(2) 꼭짓점이 10개인 정다각형은 정십각형이다.

---

03 다각형의 대각선
| 53~54쪽 |

01 0 **02** 1 **03** 3 **04** 5
05 7 **06** 10 **07** 칠각형 **08** 구각형
09 십일각형 **10** 십오각형 **11** 십칠각형 **12** 이십각형
13 2 **14** 14 **15** 27 **16** 54
17 77 **18** 104 **19** 152 **20** 170
21 팔각형 **22** 십각형 **23** 십일각형 **24** 십오각형
25 십팔각형 **26** ③

01 삼각형에서는 대각선을 그을 수 없다.

02 사각형의 한 꼭짓점에서 그을 수 있는 대각선의 개수는
$4-3=1$

03 육각형의 한 꼭짓점에서 그을 수 있는 대각선의 개수는
$6-3=3$

04 팔각형의 한 꼭짓점에서 그을 수 있는 대각선의 개수는
$8-3=5$

05 십각형의 한 꼭짓점에서 그을 수 있는 대각선의 개수는
$10-3=7$

06 십삼각형의 한 꼭짓점에서 그을 수 있는 대각선의 개수는
$13-3=10$

07 구하는 다각형을 n각형이라 하면
$n-3=4$에서 $n=7$
따라서 구하는 다각형은 칠각형이다.

08 구하는 다각형을 n각형이라 하면
$n-3=6$에서 $n=9$
따라서 구하는 다각형은 구각형이다.

09 구하는 다각형을 n각형이라 하면
$n-3=8$에서 $n=11$
따라서 구하는 다각형은 십일각형이다.

10 구하는 다각형을 n각형이라 하면
$n-3=12$에서 $n=15$
따라서 구하는 다각형은 십오각형이다.

11 구하는 다각형을 n각형이라 하면
$n-3=14$에서 $n=17$
따라서 구하는 다각형은 십칠각형이다.

12 구하는 다각형을 n각형이라 하면
$n-3=17$에서 $n=20$
따라서 구하는 다각형은 이십각형이다.

13 사각형의 대각선의 개수는
$\dfrac{4\times(4-3)}{2}=2$

14 칠각형의 대각선의 개수는

$$\frac{7 \times (7-3)}{2} = 14$$

15 구각형의 대각선의 개수는

$$\frac{9 \times (9-3)}{2} = 27$$

16 십이각형의 대각선의 개수는

$$\frac{12 \times (12-3)}{2} = 54$$

17 십사각형의 대각선의 개수는

$$\frac{14 \times (14-3)}{2} = 77$$

18 십육각형의 대각선의 개수는

$$\frac{16 \times (16-3)}{2} = 104$$

19 십구각형의 대각선의 개수는

$$\frac{19 \times (19-3)}{2} = 152$$

20 이십각형의 대각선의 개수는

$$\frac{20 \times (20-3)}{2} = 170$$

21 구하는 다각형을 n각형이라 하면

$$\frac{n(n-3)}{2} = 20$$에서

$n(n-3) = 40 = 8 \times 5$이므로 $n=8$

따라서 구하는 다각형은 팔각형이다.

22 구하는 다각형을 n각형이라 하면

$$\frac{n(n-3)}{2} = 35$$에서

$n(n-3) = 70 = 10 \times 7$이므로 $n=10$

따라서 구하는 다각형은 십각형이다.

23 구하는 다각형을 n각형이라 하면

$$\frac{n(n-3)}{2} = 44$$에서

$n(n-3) = 88 = 11 \times 8$이므로 $n=11$

따라서 구하는 다각형은 십일각형이다.

24 구하는 다각형을 n각형이라 하면

$$\frac{n(n-3)}{2} = 90$$에서

$n(n-3) = 180 = 15 \times 12$이므로 $n=15$

따라서 구하는 다각형은 십오각형이다.

25 구하는 다각형을 n각형이라 하면

$$\frac{n(n-3)}{2} = 135$$에서

$n(n-3) = 270 = 18 \times 15$이므로 $n=18$

따라서 구하는 다각형은 십팔각형이다.

26 주어진 다각형을 n각형이라 하면

$n-3 = 10$에서 $n=13$

따라서 십삼각형의 대각선의 개수는

$$\frac{13 \times (13-3)}{2} = 65$$

확인 문제
| 55쪽 |

01 ⑤   **02** ④   **03** ②, ④   **04** ③   **05** 78
06 정팔각형

01 ① 선분과 곡선으로 둘러싸여 있으므로 다각형이 아니다.
② 선분으로 둘러싸여 있지 않으므로 다각형이 아니다.
③, ④ 입체도형이므로 다각형이 아니다.
따라서 다각형인 것은 ⑤이다.

02 다각형의 한 꼭짓점에서 내각의 크기와 외각의 크기의 합은 $180°$이므로
$\angle x = 180° - 65° = 115°$
$\angle y = 180° - 110° = 70°$
따라서 $\angle x + \angle y = 115° + 70° = 185°$

03 ② 모든 변의 길이가 같아도 내각의 크기가 다르면 정다각형이 아니다.
④ 네 변의 길이가 같은 사각형은 마름모이다.
따라서 옳지 않은 것은 ②, ④이다.

04 주어진 다각형을 n각형이라 하면
$n-3 = 7$에서 $n=10$
십각형의 변의 개수는 10, 꼭짓점의 개수는 10이므로
$a=10$, $b=10$
따라서 $a+b = 10+10 = 20$

05 십오각형의 한 꼭짓점에서 그을 수 있는 대각선의 개수는
$a = 15-3 = 12$
십오각형의 대각선의 개수는
$b = \dfrac{15 \times (15-3)}{2} = 90$
따라서 $b-a = 90-12 = 78$

06 조건 (가)에서 구하는 다각형은 정다각형이다.
구하는 정다각형을 정n각형이라 하면
조건 (나)에서 대각선의 개수가 20이므로
$$\frac{n(n-3)}{2} = 20$$에서 $n(n-3) = 40 = 8 \times 5$
즉, $n=8$
따라서 구하는 다각형은 정팔각형이다.

2. 다각형의 내각과 외각의 크기

01 삼각형의 내각의 크기의 합 | 56~57쪽 |

01 $75°$	02 $40°$	03 $125°$	04 $36°$	05 $40°$
06 $50°$	07 $28°$	08 $65°$	09 $60°$	10 $28°$
11 $40°, 60°, 80°$		12 $36°, 36°, 108°$	
13 $45°, 60°, 75°$		14 $40°, 50°, 90°$	15 ⑤

01 삼각형의 세 내각의 크기의 합은 180°이므로
$\angle x + 60° + 45° = 180°$
따라서 $\angle x = 180° - (60° + 45°) = 75°$

02 삼각형의 세 내각의 크기의 합은 180°이므로
$50° + \angle x + 90° = 180°$
따라서 $\angle x = 180° - (50° + 90°) = 40°$

03 삼각형의 세 내각의 크기의 합은 180°이므로
$35° + 20° + \angle x = 180°$
따라서 $\angle x = 180° - (35° + 20°) = 125°$

04 삼각형의 세 내각의 크기의 합은 180°이므로
$2\angle x + 2\angle x + \angle x = 180°$, $5\angle x = 180°$
따라서 $\angle x = 36°$

05 삼각형의 세 내각의 크기의 합은 180°이므로
$\angle x + (\angle x + 20°) + 2\angle x = 180°$, $4\angle x = 160°$
따라서 $\angle x = 40°$

06 삼각형의 세 내각의 크기의 합은 180°이므로
$30° + (\angle x + 50°) + \angle x = 180°$, $2\angle x = 100°$
따라서 $\angle x = 50°$

07 삼각형의 세 내각의 크기의 합은 180°이므로
$2\angle x + 3\angle x + 40° = 180°$, $5\angle x = 140°$
따라서 $\angle x = 28°$

08 $\angle ABC = 35°$ (맞꼭지각)
삼각형의 세 내각의 크기의 합은 180°이므로
$80° + 35° + \angle x = 180°$
따라서 $\angle x = 180° - (80° + 35°) = 65°$

09 $\angle BAC = 40°$ (맞꼭지각)
삼각형의 세 내각의 크기의 합은 180°이므로
$40° + 60° + (\angle x + 20°) = 180°$, $120° + \angle x = 180°$
따라서 $\angle x = 60°$

10 $\angle ABC = 66°$ (맞꼭지각)
$\angle ACB = 180° - 94° = 86°$
삼각형의 세 내각의 크기의 합은 180°이므로
$\angle x + 66° + 86° = 180°$
따라서 $\angle x = 28°$

11 세 내각의 크기를 각각 $2\angle x$, $3\angle x$, $4\angle x$라 하면 세 내각의
크기의 합이 180°이므로
$2\angle x + 3\angle x + 4\angle x = 180°$
$9\angle x = 180°$, $\angle x = 20°$
따라서 세 내각의 크기는
$40°, 60°, 80°$

12 세 내각의 크기를 각각 $\angle x$, $\angle x$, $3\angle x$라 하면 세 내각의 크기의 합이 180°이므로
$\angle x + \angle x + 3\angle x = 180°$
$5\angle x = 180°$, $\angle x = 36°$
따라서 세 내각의 크기는
$36°, 36°, 108°$

13 세 내각의 크기를 각각 $3\angle x$, $4\angle x$, $5\angle x$라 하면 세 내각의
크기의 합이 180°이므로
$3\angle x + 4\angle x + 5\angle x = 180°$
$12\angle x = 180°$, $\angle x = 15°$
따라서 세 내각의 크기는
$45°, 60°, 75°$

14 세 내각의 크기를 각각 $4\angle x$, $5\angle x$, $9\angle x$라 하면 세 내각의
크기의 합이 180°이므로
$4\angle x + 5\angle x + 9\angle x = 180°$
$18\angle x = 180°$, $\angle x = 10°$
따라서 세 내각의 크기는
$40°, 50°, 90°$

15 세 내각의 크기를 각각 $\angle x$, $3\angle x$, $5\angle x$라 하면 세 내각의 크기의 합이 180°이므로
$\angle x + 3\angle x + 5\angle x = 180°$
$9\angle x = 180°$, $\angle x = 20°$
따라서 가장 큰 내각의 크기는
$5\angle x = 5 \times 20° = 100°$

02 삼각형의 내각과 외각의 관계 | 58~61쪽 |

01 $111°$	02 $128°$	03 $105°$	04 $50°$	05 $65°$
06 $53°$	07 $34°$	08 $25°$	09 $112°$	10 $30°$
11 $70°$	12 $55°$	13 $130°$	14 $81°$	15 $35°$
16 $39°$	17 $\angle x = 118°, \angle y = 48°$		18 $\angle x = 58°, \angle y = 103°$	
19 $\angle x = 96°, \angle y = 34°$	20 $81°$		21 $140°$	22 $83°$
23 $120°$	24 $50°$	25 $150°$	26 $22°$	27 $72°$
28 $78°$				

01 삼각형의 한 외각의 크기는 그와 이웃하지 않는 두 내각의 크기의 합과 같으므로
$\angle x = 65° + 46° = 111°$

02 $\angle x = 90° + 38° = 128°$

03 $\angle x = 60° + 45° = 105°$

04 $130° = \angle x + 80°$이므로
$\angle x = 130° - 80° = 50°$

05 $126° = \angle x + 61°$이므로
$\angle x = 126° - 61° = 65°$

06 $105° = 52° + \angle x$이므로
$\angle x = 105° - 52° = 53°$

07 $56° = \angle x + 22°$이므로
$\angle x = 56° - 22° = 34°$

08 $2\angle x + 50° = \angle x + 3\angle x$이므로
$2\angle x = 50°$
따라서 $\angle x = 25°$

09 $\angle x = 72° + (180° - 140°) = 112°$

10 $110° = (2\angle x + 10°) + 40°$이므로
$2\angle x = 60°$
따라서 $\angle x = 30°$

11 오른쪽 그림에서
$\angle a = 30°$ (맞꼭지각)
$100° = \angle a + \angle x = 30° + \angle x$
이므로
$\angle x = 100° - 30° = 70°$

12 $130° = (180° - 105°) + \angle x$에서
$130° = 75° + \angle x$이므로
$\angle x = 130° - 75° = 55°$
[다른 풀이] $105° = \angle x + (180° - 130°)$이므로
$\angle x = 105° - 50° = 55°$

13 $\angle ACB = 180° - 115° = 65°$
$\triangle ABC$는 $\overline{AB} = \overline{AC}$인 이등변삼각형이므로
$\angle ABC = \angle ACB = 65°$
삼각형의 내각과 외각의 관계에 의하여
$\angle x = \angle ABC + \angle ACB$
$= 65° + 65° = 130°$

14 $\triangle DBC$는 $\overline{DB} = \overline{DC}$인 이등변삼각형이므로
$\angle DCB = \angle DBC = 27°$
삼각형의 내각과 외각의 관계에 의하여
$\angle ADC = 27° + 27° = 54°$
$\triangle ADC$는 $\overline{CA} = \overline{CD}$인 이등변삼각형이므로
$\angle DAC = \angle ADC = 54°$
따라서 $\triangle ABC$에서
$\angle x = \angle ABC + \angle BAC$
$= 27° + 54° = 81°$

15 $\triangle DBC$는 $\overline{DB} = \overline{DC}$인 이등변삼각형이므로
$\angle DCB = \angle DBC = \angle x$
삼각형의 내각과 외각의 관계에 의하여
$\angle ADC = \angle x + \angle x = 2\angle x$
$\triangle ADC$는 $\overline{CA} = \overline{CD}$인 이등변삼각형이므로
$\angle DAC = \angle ADC = 2\angle x$
따라서 $\triangle ABC$에서 $\angle x + 2\angle x = 105°$이므로
$3\angle x = 105°$, $\angle x = 35°$

16 $\triangle DBC$는 $\overline{DB} = \overline{DC}$인 이등변삼각형이므로
$\angle DCB = \angle DBC = \angle x$
삼각형의 내각과 외각의 관계에 의하여
$\angle ADC = \angle x + \angle x = 2\angle x$
$\triangle ADC$는 $\overline{CA} = \overline{CD}$인 이등변삼각형이므로
$\angle DAC = \angle ADC = 2\angle x$
따라서 $\triangle ABC$에서 $\angle x + 2\angle x = 117°$이므로
$3\angle x = 117°$, $\angle x = 39°$

17 $\triangle ABE$에서
$\angle x = 82° + 36° = 118°$
$\triangle DEC$에서
$\angle x = \angle y + 70°$, $118° = \angle y + 70°$
따라서 $\angle y = 118° - 70° = 48°$

18 $\triangle DEC$에서
$\angle y = 48° + 55° = 103°$
$\triangle ABE$에서
$\angle y = \angle x + 45°$, $103° = \angle x + 45°$
따라서 $\angle x = 103° - 45° = 58°$

19 $\triangle AED$에서
$\angle x = 50° + 46° = 96°$
$\triangle EBC$에서
$\angle x = 62° + \angle y$, $96° = \angle y + 62°$
따라서 $\angle y = 96° - 62° = 34°$

20 $\triangle ABC$에서 $110° = \angle ABC + \angle ACB = 52° + \angle ACB$
이므로 $\angle ACB = 110° - 52° = 58°$
이때 $\angle ACD = \angle DCB$이므로
$\angle DCB = \dfrac{1}{2}\angle ACB = \dfrac{1}{2} \times 58° = 29°$
따라서 $\triangle DBC$에서
$\angle x = \angle DBC + \angle DCB = 52° + 29° = 81°$
[다른 풀이] $\triangle ABC$에서 $\angle ACD = \dfrac{1}{2} \times (110° - 52°) = 29°$
$\triangle ADC$에서 $\angle x = 110° - 29° = 81°$

21 $\triangle ABD$에서 $\angle BDC = \angle BAD + \angle ABD$이므로
$95° = 50° + \angle ABD$, $\angle ABD = 95° - 50° = 45°$
$\angle DBC = \angle ABD = 45°$
따라서 $\triangle DBC$에서
$\angle x = \angle BDC + \angle DBC = 95° + 45° = 140°$

22 △ABC에서 ∠BAC=180°−(60°+74°)=46°

∠BAD=$\frac{1}{2}$∠BAC=$\frac{1}{2}$×46°=23°

△ABD에서 ∠x=23°+60°=83°

23 오른쪽 그림에서

∠a=35°+45°=80°

따라서 색칠한 삼각형에서

∠x=∠a+40°

　　=80°+40°=120°

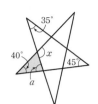

24 오른쪽 그림에서

∠a=20°+35°=55°

∠b=25°+50°=75°

따라서 색칠한 삼각형에서

∠x=180°−(∠a+∠b)

　　=180°−(55°+75°)=50°

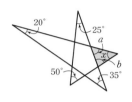

25 오른쪽 그림의 색칠한 삼각형
에서

(30°+∠b)+(∠a+∠d)+∠c

=180°이므로

∠a+∠b+∠c+∠d

=180°−30°=150°

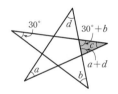

26 ∠ABD=∠DBC=∠a, ∠ACD=∠DCE=∠b라 하자.

△ABC에서 ∠ACE=∠BAC+∠ABC이므로

2∠b=44°+2∠a, ∠b=22°+∠a

△DBC에서 ∠DCE=∠DBC+∠BDC이므로

∠b=∠a+∠x

따라서 ∠a+∠x=22°+∠a이므로

∠x=22°

27 ∠ABD=∠DBC=∠a, ∠ACD=∠DCE=∠b라 하자.

△ABC에서 ∠ACE=∠BAC+∠ABC이므로

2∠b=∠x+2∠a, ∠b=$\frac{1}{2}$∠x+∠a

△DBC에서 ∠DCE=∠DBC+∠BDC이므로

∠b=∠a+36°

따라서 $\frac{1}{2}$∠x+∠a=∠a+36°이므로

$\frac{1}{2}$∠x=36°, ∠x=72°

28 ∠ACD=∠DCB=∠a, ∠ABD=∠DBE=∠b라 하자.

△ABC에서 ∠ABE=∠BAC+∠ACB이므로

2∠b=∠x+2∠a, ∠b=$\frac{1}{2}$∠x+∠a

△DBC에서 ∠DBE=∠BDC+∠DCB이므로

∠b=39°+∠a

따라서 $\frac{1}{2}$∠x+∠a=39°+∠a이므로

$\frac{1}{2}$∠x=39°, ∠x=78°

03 다각형의 내각의 크기의 합 　|62~63쪽|

01 720°	**02** 1080°	**03** 1440°	**04** 1800°
05 2880°	**06** 구각형	**07** 십일각형	**08** 십삼각형
09 십오각형	**10** 이십각형	**11** 110°	**12** 160°
13 145°	**14** 132°	**15** 101°	**16** 75°
17 56°	**18** ③		

01 육각형의 내각의 크기의 합은

180°×(6−2)=180°×4=720°

02 팔각형의 내각의 크기의 합은

180°×(8−2)=180°×6=1080°

03 십각형의 내각의 크기의 합은

180°×(10−2)=180°×8=1440°

04 십이각형의 내각의 크기의 합은

180°×(12−2)=180°×10=1800°

05 십팔각형의 내각의 크기의 합은

180°×(18−2)=180°×16=2880°

06 구하는 다각형을 n각형이라 하면

180°×(n−2)=1260°

n−2=7, n=9

따라서 구하는 다각형은 구각형이다.

07 구하는 다각형을 n각형이라 하면

180°×(n−2)=1620°

n−2=9, n=11

따라서 구하는 다각형은 십일각형이다.

08 구하는 다각형을 n각형이라 하면

180°×(n−2)=1980°

n−2=11, n=13

따라서 구하는 다각형은 십삼각형이다.

09 구하는 다각형을 n각형이라 하면

180°×(n−2)=2340°

n−2=13, n=15

따라서 구하는 다각형은 십오각형이다.

10 구하는 다각형을 n각형이라 하면
$180° \times (n-2) = 3240°$
$n-2 = 18$, $n = 20$
따라서 구하는 다각형은 이십각형이다.

11 오각형의 내각의 크기의 합은
$180° \times (5-2) = 540°$
$\angle x + 130° + 100° + 120° + 80° = 540°$
$\angle x + 430° = 540°$
따라서 $\angle x = 540° - 430° = 110°$

12 육각형의 내각의 크기의 합은
$180° \times (6-2) = 720°$
$100° + 105° + 140° + \angle x + 120° + 95° = 720°$
$\angle x + 560° = 720°$
따라서 $\angle x = 720° - 560° = 160°$

13 팔각형의 내각의 크기의 합은
$180° \times (8-2) = 1080°$
$110° + 140° + 150° + 145° + 130° + \angle x + 140° + 120° = 1080°$
$\angle x + 935° = 1080°$
따라서 $\angle x = 1080° - 935° = 145°$

14 사각형의 내각의 크기의 합은
$180° \times (4-2) = 360°$
$82° + 76° + \angle x + (180° - 110°) = 360°$
$\angle x + 228° = 360°$
따라서 $\angle x = 360° - 228° = 132°$

15 오각형의 내각의 크기의 합은
$180° \times (5-2) = 540°$
$90° + \angle x + 108° + (\angle x + 10°) + (180° - 50°) = 540°$
$2\angle x + 338° = 540°$, $2\angle x = 202°$
따라서 $\angle x = 101°$

16 오른쪽 그림과 같이 $\overline{CE}$를 그으면 오각형 ABCEF의 내각의 크기의 합은
$180° \times (5-2) = 540°$
이므로
$95° + 100° + (65° + \angle DCE)$
$\qquad + (\angle DEC + 70°) + 105° = 540°$
$\angle DCE + \angle DEC = 105°$
또, $\triangle DCE$에서
$\angle x + \angle DCE + \angle DEC = 180°$이므로
$\angle x + 105° = 180°$
따라서 $\angle x = 180° - 105° = 75°$

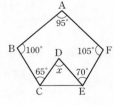

17 오른쪽 그림과 같이 $\overline{AF}$를 그으면
$\triangle AGF$에서
$70° + \angle GAF + \angle GFA = 180°$
$\angle GAF + \angle GFA = 110°$
또, 육각형 ABCDEF의 내각의 크기의 합은
$180° \times (6-2) = 720°$이므로
$120° + \angle x + 144° + 130° + (80° + \angle GFA)$
$\qquad\qquad\qquad + (\angle GAF + 80°) = 720°$
$120° + \angle x + 144° + 130° + 80°$
$\qquad\qquad + (\angle GFA + \angle GAF) + 80° = 720°$
$120° + \angle x + 144° + 130° + 80° + 110° + 80° = 720°$
$664° + \angle x = 720°$
따라서 $\angle x = 720° - 664° = 56°$

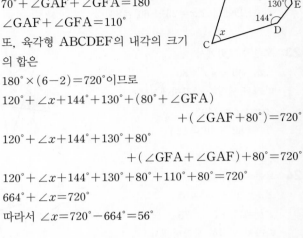

18 주어진 다각형을 n각형이라 하면
$n-3 = 11$, $n = 14$
따라서 십사각형의 내각의 크기의 합은
$180° \times (14-2) = 180° \times 12 = 2160°$

---

04 다각형의 외각의 크기의 합 | 64~65쪽 |

01 360°	**02** 360°	**03** 360°	**04** 125°	**05** 60°
06 29°	**07** 93°	**08** 100°	**09** 76°	**10** 50°
11 138°	**12** 91°	**13** 45°	**14** 98°	**15** 55°
16 155°	**17** ③			

04 다각형의 외각의 크기의 합은 항상 360°이므로
$\angle x + 115° + 120° = 360°$
$\angle x + 235° = 360°$
따라서 $\angle x = 360° - 235° = 125°$

05 다각형의 외각의 크기의 합은 항상 360°이므로
$\angle x + 90° + 45° + 105° + 60° = 360°$
$\angle x + 300° = 360°$
따라서 $\angle x = 360° - 300° = 60°$

06 다각형의 외각의 크기의 합은 항상 360°이므로
$78° + 50° + 48° + \angle x + 70° + 85° = 360°$
$\angle x + 331° = 360°$
따라서 $\angle x = 360° - 331° = 29°$

07 다각형의 외각의 크기의 합은 항상 360°이므로
$40° + 38° + 55° + 60° + 44° + \angle x + 30° = 360°$
$\angle x + 267° = 360°$
따라서 $\angle x = 360° - 267° = 93°$

08 다각형의 외각의 크기의 합은 항상 $360°$이므로
$\angle x + 75° + 85° + (180° - 80°) = 360°$
$\angle x + 260° = 360°$
따라서 $\angle x = 360° - 260° = 100°$

09 다각형의 외각의 크기의 합은 항상 $360°$이므로
$\angle x + (180° - 110°) + 88° + 60° + 66° = 360°$
$\angle x + 284° = 360°$
따라서 $\angle x = 360° - 284° = 76°$

10 다각형의 외각의 크기의 합은 항상 $360°$이므로
$25° + 85° + 72° + 68° + (180° - 120°) + \angle x = 360°$
$\angle x + 310° = 360°$
따라서 $\angle x = 360° - 310° = 50°$

11 다각형의 외각의 크기의 합은 항상 $360°$이므로
$65° + 80° + (180° - \angle x) + 45° + 70° + 58° = 360°$
$498° - \angle x = 360°$
따라서 $\angle x = 498° - 360° = 138°$

12 다각형의 외각의 크기의 합은 항상 $360°$이므로
$45° + (180° - 150°) + 44° + 30° + \angle x + 58° + 62° = 360°$
$\angle x + 269° = 360°$
따라서 $\angle x = 360° - 269° = 91°$

13 다각형의 외각의 크기의 합은 항상 $360°$이므로
$\angle x + (180° - 90°) + 95° + (180° - 50°) = 360°$
$\angle x + 315° = 360°$
따라서 $\angle x = 360° - 315° = 45°$

14 다각형의 외각의 크기의 합은 항상 $360°$이므로
$50° + \angle x + (180° - 105°) + (180° - 88°) + 45° = 360°$
$\angle x + 262° = 360°$
따라서 $\angle x = 360° - 262° = 98°$

15 다각형의 외각의 크기의 합은 항상 $360°$이므로
$95° + 30° + (180° - 130°) + \angle x + 70° + (180° - 120°) = 360°$
$\angle x + 305° = 360°$
따라서 $\angle x = 360° - 305° = 55°$

16 다각형의 외각의 크기의 합은 항상 $360°$이므로
$60° + 36° + (180° - \angle x) + 76° + 88° + (180° - 105°) = 360°$
$515° - \angle x = 360°$
따라서 $\angle x = 515° - 360° = 155°$

17 다각형의 외각의 크기의 합은 항상 $360°$이므로
$\angle a + \angle b + \angle c + \angle d + \angle e = 360°$

---

05 정다각형의 한 내각과 한 외각의 크기 | 66~67쪽 |

01 $108°$	**02** $140°$	**03** $150°$	**04** $160°$
05 정팔각형	**06** 정십각형	**07** 정십오각형	**08** 정이십각형
09 $60°$	**10** $40°$	**11** $30°$	**12** $20°$
13 $18°$	**14** 정팔각형	**15** 정십각형	**16** 정십오각형
17 정삼십각형	**18** ②		

01 (정오각형의 한 내각의 크기)
$= \dfrac{180° \times (5-2)}{5} = 108°$

02 (정구각형의 한 내각의 크기)
$= \dfrac{180° \times (9-2)}{9} = 140°$

03 (정십이각형의 한 내각의 크기)
$= \dfrac{180° \times (12-2)}{12} = 150°$

04 (정십팔각형의 한 내각의 크기)
$= \dfrac{180° \times (18-2)}{18} = 160°$

05 구하는 정다각형을 정n각형이라 하면
$\dfrac{180° \times (n-2)}{n} = 135°$에서
$180° \times (n-2) = 135° \times n$
$45° \times n = 360°$, $n = 8$
따라서 구하는 정다각형은 정팔각형이다.

06 구하는 정다각형을 정n각형이라 하면
$\dfrac{180° \times (n-2)}{n} = 144°$에서
$180° \times (n-2) = 144° \times n$
$36° \times n = 360°$, $n = 10$
따라서 구하는 정다각형은 정십각형이다.

07 구하는 정다각형을 정n각형이라 하면
$\dfrac{180° \times (n-2)}{n} = 156°$에서
$180° \times (n-2) = 156° \times n$
$24° \times n = 360°$, $n = 15$
따라서 구하는 정다각형은 정십오각형이다.

08 구하는 정다각형을 정n각형이라 하면
$\dfrac{180° \times (n-2)}{n} = 162°$에서
$180° \times (n-2) = 162° \times n$
$18° \times n = 360°$, $n = 20$
따라서 구하는 정다각형은 정이십각형이다.

09 (정육각형의 한 외각의 크기)

$$=\frac{360°}{6}=60°$$

10 (정구각형의 한 외각의 크기)

$$=\frac{360°}{9}=40°$$

11 (정십이각형의 한 외각의 크기)

$$=\frac{360°}{12}=30°$$

12 (정십팔각형의 한 외각의 크기)

$$=\frac{360°}{18}=20°$$

13 (정이십각형의 한 외각의 크기)

$$=\frac{360°}{20}=18°$$

14 구하는 정다각형을 정n각형이라 하면

$$\frac{360°}{n}=45°에서$$

$360°=45°\times n$, $n=8$

따라서 구하는 정다각형은 정팔각형이다.

15 구하는 정다각형을 정n각형이라 하면

$$\frac{360°}{n}=36°에서$$

$360°=36°\times n$, $n=10$

따라서 구하는 정다각형은 정십각형이다.

16 구하는 정다각형을 정n각형이라 하면

$$\frac{360°}{n}=24°에서$$

$360°=24°\times n$, $n=15$

따라서 구하는 정다각형은 정십오각형이다.

17 구하는 정다각형을 정n각형이라 하면

$$\frac{360°}{n}=12°에서$$

$360°=12°\times n$, $n=30$

따라서 구하는 정다각형은 정삼십각형이다.

18 한 외각의 크기는

$$180°\times\frac{1}{2+1}=180°\times\frac{1}{3}=60°$$

구하는 정다각형을 정n각형이라 하면

$$\frac{360°}{n}=60°에서$$

$360°=60°\times n$, $n=6$

따라서 구하는 정다각형은 정육각형이다.

확인 문제 | 68쪽 |

01 ⑤　　**02** ⑤　　**03** ③　　**04** ①　　**05** ①　　**06** ④

01 $\angle ACB=\angle ECD=38°$ (맞꼭지각)

△ABC에서 세 내각의 크기의 합은 $180°$이므로

$84°+\angle x+\angle 38°=180°$

따라서 $\angle x=180°-(84°+38°)=58°$

02 $\angle ABD=\angle DBC=\angle a$, $\angle ACD=\angle DCE=\angle b$라 하자.

△ABC에서 $\angle ACE=\angle BAC+\angle ABC$이므로

$2\angle b=\angle x+2\angle a$, $\angle b=\frac{1}{2}\angle x+\angle a$

△DBC에서 $\angle DCE=\angle DBC+\angle BDC$이므로

$\angle b=\angle a+40°$

$\frac{1}{2}\angle x+\angle a=\angle a+40°$, $\frac{1}{2}\angle x=40°$

따라서 $\angle x=80°$

03 주어진 다각형을 n각형이라 하면

$180°\times(n-2)=1440°$

$n-2=8$, $n=10$

따라서 주어진 다각형은 십각형이므로 십각형의 대각선의 개수는

$$\frac{10\times(10-3)}{2}=35$$

04 다각형의 외각의 크기의 합은 항상 $360°$이므로

$94°+(180°-\angle x)+48°+64°+76°=360°$

$462°-\angle x=360°$

따라서 $\angle x=462°-360°=102°$

05 정n각형의 한 외각의 크기는 $\frac{360°}{n}$이므로 주어진 정다각형의 한 외각의 크기는 다음과 같다.

① $\frac{360°}{3}=120°$　　　② $\frac{360°}{4}=90°$

③ $\frac{360°}{5}=72°$　　　④ $\frac{360°}{6}=60°$

⑤ $\frac{360°}{8}=45°$

따라서 한 외각의 크기가 둔각인 정다각형은 ①이다.

06 주어진 정다각형을 정n각형이라 하면

$n-2=7$, $n=9$

따라서 정구각형의 한 내각의 크기는

$$\frac{180°\times(9-2)}{9}=140°$$

4 원과 부채꼴

1. 원과 부채꼴

01 원과 부채꼴 | 70쪽 |

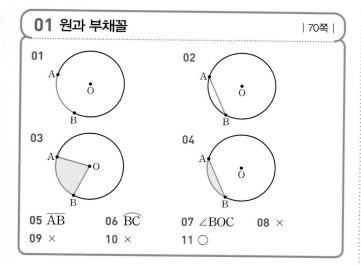

| 01 | 02 |
| 03 | 04 |

05 $\overline{AB}$ **06** $\overset{\frown}{BC}$ **07** $\angle BOC$ **08** ×
09 × **10** × **11** ○

08 원 위의 두 점을 이은 선분은 현이다.

09 원의 현 중에서 길이가 가장 긴 것은 지름이다.

10 반원은 활꼴인 동시에 부채꼴이다.

02 부채꼴의 중심각의 크기와 호의 길이 | 71~72쪽 |

01 4	02 5	03 105	04 60	05 6
06 45	07 ③	08 45°	09 140°	10 60°
11 120°	12 20	13 6	14 24	15 10

01 $65:130=2:x$이므로 $x=4$

04 $30:x=7:14$이므로 $x=60$

05 $27:90=x:20$이므로 $x=6$

06 $120:x=16:6$이므로 $x=45$

07 $25:100=4:x$이므로 $x=16$
$25:y=4:8$이므로 $y=50$

08 $\angle x=180°\times\dfrac{1}{1+3}=180°\times\dfrac{1}{4}=45°$

09 $\angle x=180°\times\dfrac{7}{2+7}=180°\times\dfrac{7}{9}=140°$

10 $\angle x=360°\times\dfrac{1}{1+2+3}=360°\times\dfrac{1}{6}=60°$

11 $\angle x=360°\times\dfrac{5}{3+7+5}=360°\times\dfrac{1}{3}=120°$

12 $\overline{AD}\,/\!/\,\overline{OC}$이므로
$\angle DAO=\angle COB=30°$ (동위각)
$\overline{OD}$를 그으면 $\overline{OA}=\overline{OD}$이므로
$\angle ODA=\angle OAD=30°$
즉, $\angle AOD=180°-(30°+30°)=120°$
따라서 $120:30=x:5$, $x=20$

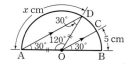

13 $\overline{AD}\,/\!/\,\overline{OC}$이므로
$\angle DAO=\angle COB=24°$ (동위각)
$\overline{OD}$를 그으면 $\overline{OA}=\overline{OD}$이므로
$\angle ODA=\angle OAD=24°$
즉, $\angle AOD=180°-(24°+24°)=132°$
따라서 $132:24=33:x$, $x=6$

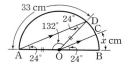

14 $\overline{DO}\,/\!/\,\overline{CB}$이므로
$\angle CBO=\angle DOA=45°$ (동위각)
$\overline{OC}$를 그으면 $\overline{OC}=\overline{OB}$이므로
$\angle OCB=\angle OBC=45°$
즉, $\angle COB=180°-(45°+45°)=90°$
따라서 $45:90=12:x$, $x=24$

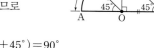

15 $\overline{DO}\,/\!/\,\overline{CB}$이므로
$\angle CBO=\angle DOA=50°$ (동위각)
$\overline{OC}$를 그으면 $\overline{OC}=\overline{OB}$이므로
$\angle OCB=\angle OBC=50°$
즉, $\angle COB=180°-(50°+50°)=80°$
따라서 $50:80=x:16$, $x=10$

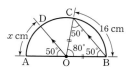

03 부채꼴의 중심각의 크기와 넓이 | 73쪽 |

| 01 10 | 02 35 | 03 9 | 04 120 | 05 15 |
| 06 6 | 07 10 | | | |

03 $45:90=x:18$이므로 $x=9$

04 $x:40=15:5$이므로 $x=120$

05 $x:30=1:2$이므로 $x=15$

06 $9:x=3:2$이므로 $x=6$

07 $x:25=2:5$이므로 $x=10$

04 부채꼴의 중심각의 크기와 현의 길이 | 74쪽 |

01 6	**02** 10	**03** 110	**04** 60	**05** ○
06 ○	**07** ×	**08** ×	**09** ③, ⑤	

07 현의 길이는 중심각의 크기에 정비례하지 않는다.

08 (△AOC의 넓이)<(△AOB의 넓이)+(△BOC의 넓이)
　　　　　　　　=2×(△DOE의 넓이)

09 ① 알 수 없다.
　　② 현의 길이는 중심각의 크기에 정비례하지 않는다.
　　④ (△AOB의 넓이)<2×(△COD의 넓이)
　　따라서 옳은 것은 ③, ⑤이다.

확인 문제 | 75쪽 |

01 ⑤	**02** 57	**03** 75°	**04** 24 cm	**05** ③
06 ①, ④				

01 ⑤ $\overparen{AB}$와 $\overline{AB}$로 둘러싸인 도형은 활꼴이다.

02 $x:50=9:15$이므로 $x=30$
　　$50:90=15:y$이므로 $y=27$
　　따라서 $x+y=30+27=57$

03 $\overline{AC}$가 지름이면 ∠AOB+∠BOC=180°이므로
　　$\angle AOB=180°\times\dfrac{5}{5+7}=180°\times\dfrac{5}{12}=75°$

04 $\overline{AB}/\!/\overline{CD}$이므로
　　∠CDO=∠BOD=30° (엇각)
　　$\overline{OC}=\overline{OD}$이므로
　　∠OCD=∠ODC=30°
　　즉, ∠COD=180°-(30°+30°)=120°
　　따라서 $120:30=\overparen{CD}:6$, $\overparen{CD}=24$(cm)

05 원 O의 넓이를 x cm²라 하면
　　$105:360=14:x$, $x=48$
　　따라서 원 O의 넓이는 48 cm²이다.

06 ② $\overparen{CD}:\overparen{DE}=$∠COD:∠DOE=60:20이므로
　　　　$\overparen{CD}:\overparen{DE}=3:1$, $\overparen{CD}=3\overparen{DE}$
　　③ $\overparen{AB}:\overparen{DE}=$∠AOB:∠DOE=80:20이므로
　　　　$\overparen{AB}:\overparen{DE}=4:1$, $\overparen{DE}=\dfrac{1}{4}\overparen{AB}$
　　⑤ (부채꼴 COD의 넓이):(부채꼴 DOE의 넓이)
　　　　=∠COD:∠DOE=3:1이므로
　　　　(부채꼴 COD의 넓이)=3×(부채꼴 DOE의 넓이)
　　따라서 옳지 않은 것은 ①, ④이다.

2. 원과 부채꼴의 호의 길이와 넓이

01 원의 둘레의 길이와 넓이 | 76~78쪽 |

01 8π cm	**02** 20π cm	**03** 14π cm	**04** 22π cm
05 30π cm	**06** 6 cm	**07** 13 cm	**08** 17 cm
09 20 cm	**10** 4π cm²	**11** 64π cm²	**12** 81π cm²
13 400π cm²	**14** 5 cm	**15** 7 cm	**16** 10 cm
17 12 cm	**18** 2π cm	**19** 12π cm	**20** 30π cm
21 60π cm	**22** ④	**23** 12π cm	**24** 30π cm
25 40π cm	**26** $(18\pi+8)$ cm		**27** 6π cm²
28 40π cm²	**29** 25π cm²	**30** ③	

01 $2\pi\times4=8\pi$(cm)

02 $2\pi\times10=20\pi$(cm)

03 $2\pi\times7=14\pi$(cm)

04 $2\pi\times11=22\pi$(cm)

05 $2\pi\times15=30\pi$(cm)

06 반지름의 길이를 r cm라 하면
　　$2\pi r=12\pi$, $r=6$
　　따라서 원의 반지름의 길이는 6 cm이다.

07 반지름의 길이를 r cm라 하면
　　$2\pi r=26\pi$, $r=13$
　　따라서 원의 반지름의 길이는 13 cm이다.

08 반지름의 길이를 r cm라 하면
　　$2\pi r=34\pi$, $r=17$
　　따라서 원의 반지름의 길이는 17 cm이다.

09 반지름의 길이를 r cm라 하면
　　$2\pi r=40\pi$, $r=20$
　　따라서 원의 반지름의 길이는 20 cm이다.

10 $\pi\times2^2=4\pi$(cm²)

11 $\pi\times8^2=64\pi$(cm²)

12 $\pi\times9^2=81\pi$(cm²)

13 $\pi\times20^2=400\pi$(cm²)

14 반지름의 길이를 r cm라 하면
　　$\pi r^2=25\pi$, $r^2=25$
　　$r>0$이므로 $r=5$
　　따라서 원의 반지름의 길이는 5 cm이다.

15 반지름의 길이를 r cm라 하면

$\pi r^2 = 49\pi$, $r^2 = 49$

$r > 0$이므로 $r = 7$

따라서 원의 반지름의 길이는 7 cm이다.

16 반지름의 길이를 r cm라 하면

$\pi r^2 = 100\pi$, $r^2 = 100$

$r > 0$이므로 $r = 10$

따라서 원의 반지름의 길이는 10 cm이다.

17 반지름의 길이를 r cm라 하면

$\pi r^2 = 144\pi$, $r^2 = 144$

$r > 0$이므로 $r = 12$

따라서 원의 반지름의 길이는 12 cm이다.

18 반지름의 길이를 r cm라 하면

$\pi r^2 = \pi$, $r^2 = 1$

$r > 0$이므로 $r = 1$

따라서 원의 반지름의 길이는 1 cm이므로 둘레의 길이는

$2\pi \times 1 = 2\pi$ (cm)

19 반지름의 길이를 r cm라 하면

$\pi r^2 = 36\pi$, $r^2 = 36$

$r > 0$이므로 $r = 6$

따라서 원의 반지름의 길이는 6 cm이므로 둘레의 길이는

$2\pi \times 6 = 12\pi$ (cm)

20 반지름의 길이를 r cm라 하면

$\pi r^2 = 225\pi$, $r^2 = 225$

$r > 0$이므로 $r = 15$

따라서 원의 반지름의 길이는 15 cm이므로 둘레의 길이는

$2\pi \times 15 = 30\pi$ (cm)

21 반지름의 길이를 r cm라 하면

$\pi r^2 = 900\pi$, $r^2 = 900$

$r > 0$이므로 $r = 30$

따라서 원의 반지름의 길이는 30 cm이므로 둘레의 길이는

$2\pi \times 30 = 60\pi$ (cm)

22 반지름의 길이를 r cm라 하면

$2\pi r = 18\pi$, $r = 9$

따라서 원의 반지름의 길이는 9 cm이므로 넓이는

$\pi \times 9^2 = 81\pi$ (cm^2)

23 (색칠한 부분의 둘레의 길이)

$= 2\pi \times 4 + 2\pi \times 2 = 12\pi$ (cm)

24 (색칠한 부분의 둘레의 길이)

$= 2\pi \times 10 + 2\pi \times 5 = 30\pi$ (cm)

25 (색칠한 부분의 둘레의 길이)

$= 2\pi \times 10 + 2\pi \times 6 + 2\pi \times 4 = 40\pi$ (cm)

26 (색칠한 부분의 둘레의 길이)

$=$ (곡선 부분의 길이) $+$ (직선 부분의 길이)

$= \left(\dfrac{1}{2} \times 2\pi \times 11 + \dfrac{1}{2} \times 2\pi \times 7\right) + 8 = 18\pi + 8$ (cm)

27 (색칠한 부분의 넓이)

$= \pi \times 4^2 - \pi \times 1^2 - \pi \times 3^2 = 6\pi$ (cm^2)

28 (색칠한 부분의 넓이)

$= \pi \times 7^2 - \pi \times 3^2 = 40\pi$ (cm^2)

29 (색칠한 부분의 넓이)

$= \dfrac{1}{2} \times \pi \times 10^2 - \dfrac{1}{2} \times \pi \times 5^2 - \dfrac{1}{2} \times \pi \times 5^2 = 25\pi$ (cm^2)

30 (색칠한 부분의 둘레의 길이)

$= \dfrac{1}{2} \times 2\pi \times 9 + \dfrac{1}{2} \times 2\pi \times 3 + \dfrac{1}{2} \times 2\pi \times 6 = 18\pi$ (cm)

(색칠한 부분의 넓이)

$= \dfrac{1}{2} \times \pi \times 9^2 - \dfrac{1}{2} \times \pi \times 3^2 + \dfrac{1}{2} \times \pi \times 6^2 = 54\pi$ (cm^2)

02 부채꼴의 호의 길이와 넓이 |79~87쪽|

01 3π cm	**02** 5π cm	**03** 2π cm	**04** 10π cm
05 24π cm	**06** 10π cm^2	**07** 48π cm^2	**08** 2π cm^2
09 10π cm^2	**10** 84π cm^2	**11** $120°$	**12** $90°$
13 $72°$	**14** $36°$	**15** $144°$	**16** 12 cm
17 9 cm	**18** 12 cm	**19** 8 cm	**20** ⑤
21 $90°$	**22** $135°$	**23** $100°$	**24** $80°$
25 $210°$	**26** 2 cm	**27** 10 cm	**28** 5 cm
29 6 cm	**30** 4 cm	**31** 6π cm^2	**32** 15π cm^2
33 8π cm^2	**34** 75π cm^2	**35** 96π cm^2	**36** 6π cm
37 12π cm	**38** 10 cm	**39** 8 cm	**40** 16 cm
41 ⑤		**42** $(9\pi+12)$ cm	
43 $(8\pi+16)$ cm		**44** $(12\pi+8)$ cm	
45 24π cm^2		**46** 25π cm^2	
47 ③		**48** 8π cm	
49 $(7\pi+28)$ cm		**50** $(5\pi+20)$ cm	
51 $(72-18\pi)$ cm^2		**52** $(200-50\pi)$ cm^2	
53 $(144-36\pi)$ cm^2		**54** 18π cm	
55 16π cm		**56** $(8\pi+24)$ cm	
57 $(72\pi-144)$ cm^2		**58** $(32\pi-64)$ cm^2	
59 $(200-50\pi)$ cm^2		**60** $(6\pi+6)$ cm	
61 $(14\pi+14)$ cm		**62** $(10\pi+30)$ cm	
63 50π cm^2		**64** 32π cm^2	
65 $(16-2\pi)$ cm^2		**66** 18π cm^2	
67 98 cm^2		**68** 2π cm^2	
69 $(4\pi-8)$ cm^2		**70** 72 cm^2	
71 ②			

01 (호의 길이)$=2\pi\times12\times\dfrac{45}{360}=3\pi$(cm)

02 (호의 길이)$=2\pi\times6\times\dfrac{150}{360}=5\pi$(cm)

03 (호의 길이)$=2\pi\times9\times\dfrac{40}{360}=2\pi$(cm)

04 (호의 길이)$=2\pi\times15\times\dfrac{120}{360}=10\pi$(cm)

05 (호의 길이)$=2\pi\times18\times\dfrac{240}{360}=24\pi$(cm)

06 (부채꼴의 넓이)$=\pi\times10^2\times\dfrac{36}{360}=10\pi$(cm²)

07 (부채꼴의 넓이)$=\pi\times8^2\times\dfrac{270}{360}=48\pi$(cm²)

08 (부채꼴의 넓이)$=\pi\times4^2\times\dfrac{45}{360}=2\pi$(cm²)

09 (부채꼴의 넓이)$=\pi\times5^2\times\dfrac{144}{360}=10\pi$(cm²)

10 (부채꼴의 넓이)$=\pi\times12^2\times\dfrac{210}{360}=84\pi$(cm²)

11 부채꼴의 중심각의 크기를 $x°$라 하면
$2\pi\times6\times\dfrac{x}{360}=4\pi$, $x=120$
따라서 부채꼴의 중심각의 크기는 120°이다.

12 부채꼴의 중심각의 크기를 $x°$라 하면
$2\pi\times14\times\dfrac{x}{360}=7\pi$, $x=90$
따라서 부채꼴의 중심각의 크기는 90°이다.

13 부채꼴의 중심각의 크기를 $x°$라 하면
$2\pi\times15\times\dfrac{x}{360}=6\pi$, $x=72$
따라서 부채꼴의 중심각의 크기는 72°이다.

14 부채꼴의 중심각의 크기를 $x°$라 하면
$2\pi\times5\times\dfrac{x}{360}=\pi$, $x=36$
따라서 부채꼴의 중심각의 크기는 36°이다.

15 부채꼴의 중심각의 크기를 $x°$라 하면
$2\pi\times10\times\dfrac{x}{360}=8\pi$, $x=144$
따라서 부채꼴의 중심각의 크기는 144°이다.

16 부채꼴의 반지름의 길이를 r cm라 하면
$2\pi r\times\dfrac{75}{360}=5\pi$, $r=12$
따라서 부채꼴의 반지름의 길이는 12 cm이다.

17 부채꼴의 반지름의 길이를 r cm라 하면
$2\pi r\times\dfrac{160}{360}=8\pi$, $r=9$
따라서 부채꼴의 반지름의 길이는 9 cm이다.

18 부채꼴의 반지름의 길이를 r cm라 하면
$2\pi r\times\dfrac{30}{360}=2\pi$, $r=12$
따라서 부채꼴의 반지름의 길이는 12 cm이다.

19 부채꼴의 반지름의 길이를 r cm라 하면
$2\pi r\times\dfrac{270}{360}=12\pi$, $r=8$
따라서 부채꼴의 반지름의 길이는 8 cm이다.

20 부채꼴의 반지름의 길이를 r cm라 하면
$2\pi r\times\dfrac{60}{360}=3\pi$, $r=9$
따라서 반지름의 길이는 9 cm이므로 부채꼴의 둘레의 길이는
$3\pi+9+9=3\pi+18$(cm)

21 부채꼴의 중심각의 크기를 $x°$라 하면
$\pi\times2^2\times\dfrac{x}{360}=\pi$, $x=90$
따라서 부채꼴의 중심각의 크기는 90°이다.

22 부채꼴의 중심각의 크기를 $x°$라 하면
$\pi\times8^2\times\dfrac{x}{360}=24\pi$, $x=135$
따라서 부채꼴의 중심각의 크기는 135°이다.

23 부채꼴의 중심각의 크기를 $x°$라 하면
$\pi\times12^2\times\dfrac{x}{360}=40\pi$, $x=100$
따라서 부채꼴의 중심각의 크기는 100°이다.

24 부채꼴의 중심각의 크기를 $x°$라 하면
$\pi\times3^2\times\dfrac{x}{360}=2\pi$, $x=80$
따라서 부채꼴의 중심각의 크기는 80°이다.

25 부채꼴의 중심각의 크기를 $x°$라 하면
$\pi\times6^2\times\dfrac{x}{360}=21\pi$, $x=210$
따라서 부채꼴의 중심각의 크기는 210°이다.

26 부채꼴의 반지름의 길이를 r cm라 하면
$\pi r^2\times\dfrac{90}{360}=\pi$, $r^2=4$
$r>0$이므로 $r=2$
따라서 부채꼴의 반지름의 길이는 2 cm이다.

27 부채꼴의 반지름의 길이를 r cm라 하면
$\pi r^2\times\dfrac{72}{360}=20\pi$, $r^2=100$
$r>0$이므로 $r=10$
따라서 부채꼴의 반지름의 길이는 10 cm이다.

28 부채꼴의 반지름의 길이를 r cm라 하면
$\pi r^2\times\dfrac{144}{360}=10\pi$, $r^2=25$
$r>0$이므로 $r=5$
따라서 부채꼴의 반지름의 길이는 5 cm이다.

29 부채꼴의 반지름의 길이를 r cm라 하면

$\pi r^2 \times \dfrac{30}{360} = 3\pi$, $r^2 = 36$

$r > 0$이므로 $r = 6$

따라서 부채꼴의 반지름의 길이는 6 cm이다.

30 부채꼴의 반지름의 길이를 r cm라 하면

$\pi r^2 \times \dfrac{270}{360} = 12\pi$, $r^2 = 16$

$r > 0$이므로 $r = 4$

따라서 부채꼴의 반지름의 길이는 4 cm이다.

31 (부채꼴의 넓이)$= \dfrac{1}{2} \times 4 \times 3\pi = 6\pi \,(\mathrm{cm}^2)$

32 (부채꼴의 넓이)$= \dfrac{1}{2} \times 6 \times 5\pi = 15\pi \,(\mathrm{cm}^2)$

33 (부채꼴의 넓이)$= \dfrac{1}{2} \times 8 \times 2\pi = 8\pi \,(\mathrm{cm}^2)$

34 (부채꼴의 넓이)$= \dfrac{1}{2} \times 15 \times 10\pi = 75\pi \,(\mathrm{cm}^2)$

35 (부채꼴의 넓이)$= \dfrac{1}{2} \times 12 \times 16\pi = 96\pi \,(\mathrm{cm}^2)$

36 부채꼴의 호의 길이를 l cm라 하면

$\dfrac{1}{2} \times 6 \times l = 18\pi$, $l = 6\pi$

따라서 부채꼴의 호의 길이는 6π cm이다.

37 부채꼴의 호의 길이를 l cm라 하면

$\dfrac{1}{2} \times 7 \times l = 42\pi$, $l = 12\pi$

따라서 부채꼴의 호의 길이는 12π cm이다.

38 부채꼴의 반지름의 길이를 r cm라 하면

$\dfrac{1}{2} \times r \times 3\pi = 15\pi$, $r = 10$

따라서 부채꼴의 반지름의 길이는 10 cm이다.

39 부채꼴의 반지름의 길이를 r cm라 하면

$\dfrac{1}{2} \times r \times 6\pi = 24\pi$, $r = 8$

따라서 부채꼴의 반지름의 길이는 8 cm이다.

40 부채꼴의 반지름의 길이를 r cm라 하면

$\dfrac{1}{2} \times r \times 10\pi = 80\pi$, $r = 16$

따라서 부채꼴의 반지름의 길이는 16 cm이다.

41 부채꼴의 반지름의 길이를 r cm라 하면

$\dfrac{1}{2} \times r \times 2\pi = 3\pi$, $r = 3$

부채꼴의 중심각의 크기를 $x°$라 하면

$2\pi \times 3 \times \dfrac{x}{360} = 2\pi$, $x = 120$

따라서 부채꼴의 중심각의 크기는 $120°$이다.

[다른 풀이] 부채꼴의 반지름의 길이가 3 cm이고, 중심각의 크기를 $x°$라 하면

$\pi \times 3^2 \times \dfrac{x}{360} = 3\pi$, $x = 120$

따라서 부채꼴의 중심각의 크기는 $120°$이다.

42 (색칠한 부분의 둘레의 길이)

$= 2\pi \times 12 \times \dfrac{90}{360} + 2\pi \times 6 \times \dfrac{90}{360} + 6 \times 2$

$= 6\pi + 3\pi + 12$

$= 9\pi + 12 \,(\mathrm{cm})$

43 (색칠한 부분의 둘레의 길이)

$= 2\pi \times 20 \times \dfrac{45}{360} + 2\pi \times 12 \times \dfrac{45}{360} + 8 \times 2$

$= 5\pi + 3\pi + 16$

$= 8\pi + 16 \,(\mathrm{cm})$

44 (색칠한 부분의 둘레의 길이)

$= 2\pi \times 10 \times \dfrac{135}{360} + 2\pi \times 6 \times \dfrac{135}{360} + 4 \times 2$

$= \dfrac{15}{2}\pi + \dfrac{9}{2}\pi + 8$

$= 12\pi + 8 \,(\mathrm{cm})$

45 (색칠한 부분의 넓이)

$= \pi \times 18^2 \times \dfrac{30}{360} - \pi \times 6^2 \times \dfrac{30}{360}$

$= 27\pi - 3\pi = 24\pi \,(\mathrm{cm}^2)$

46 (색칠한 부분의 넓이)

$= \pi \times 10^2 \times \dfrac{120}{360} - \pi \times 5^2 \times \dfrac{120}{360}$

$= \dfrac{100}{3}\pi - \dfrac{25}{3}\pi = 25\pi \,(\mathrm{cm}^2)$

47 부채꼴의 중심각의 크기를 $x°$라 하면

$2\pi \times 9 \times \dfrac{x}{360} = 4\pi$, $x = 80$

따라서 부채꼴의 중심각의 크기는 $80°$이므로

(색칠한 부분의 넓이)

$= \pi \times 9^2 \times \dfrac{80}{360} - \pi \times 3^2 \times \dfrac{80}{360}$

$= 18\pi - 2\pi = 16\pi \,(\mathrm{cm}^2)$

48 (색칠한 부분의 둘레의 길이)

$= \left(2\pi \times 8 \times \dfrac{1}{4} \right) \times 2$

$= 8\pi \,(\mathrm{cm})$

49 (색칠한 부분의 둘레의 길이)

$=$ (곡선 부분의 길이) $+$ (직선 부분의 길이)

$= 2\pi \times 14 \times \dfrac{1}{4} + 14 \times 2$

$= 7\pi + 28 \,(\mathrm{cm})$

50 (색칠한 부분의 둘레의 길이)
$=$(곡선 부분의 길이)$+$(직선 부분의 길이)
$=\left(2\pi \times 5 \times \dfrac{1}{4}\right) \times 2 + 5 \times 4$
$=5\pi+20\,(\text{cm})$

51 (색칠한 부분의 넓이)
$=\left(6 \times 6 - \pi \times 6^2 \times \dfrac{1}{4}\right) \times 2$
$=72-18\pi\,(\text{cm}^2)$

52 (색칠한 부분의 넓이)
$=\left(10 \times 10 - \pi \times 10^2 \times \dfrac{1}{4}\right) \times 2$
$=200-50\pi\,(\text{cm}^2)$

53 (색칠한 부분의 넓이)
$=12 \times 12 - \left(\pi \times 6^2 \times \dfrac{1}{2}\right) \times 2$
$=144-36\pi\,(\text{cm}^2)$

54 (색칠한 부분의 둘레의 길이)
$=\left(2\pi \times \dfrac{9}{2} \times \dfrac{1}{4}\right) \times 8 = 18\pi\,(\text{cm})$

55 (색칠한 부분의 둘레의 길이)
$=\left(2\pi \times 8 \times \dfrac{1}{4}\right) \times 4 = 16\pi\,(\text{cm})$

56 (색칠한 부분의 둘레의 길이)
$=$(곡선 부분의 길이)$+$(직선 부분의 길이)
$=\left(2\pi \times 4 \times \dfrac{1}{4}\right) \times 4 + 4 \times 2 + 8 \times 2$
$=8\pi+24\,(\text{cm})$

57 (색칠한 부분의 넓이)
$=\left(\pi \times 6^2 \times \dfrac{1}{4} - \dfrac{1}{2} \times 6 \times 6\right) \times 8$
$=72\pi-144\,(\text{cm}^2)$

58 (색칠한 부분의 넓이)
$=\left(\pi \times 4^2 \times \dfrac{1}{4} - \dfrac{1}{2} \times 4 \times 4\right) \times 8$
$=32\pi-64\,(\text{cm}^2)$

59 (색칠한 부분의 넓이)
$=\left(5 \times 5 - \pi \times 5^2 \times \dfrac{1}{4}\right) \times 8$
$=200-50\pi\,(\text{cm}^2)$

60 (색칠한 부분의 둘레의 길이)
$=2\pi \times 6 \times \dfrac{1}{4} + 2\pi \times 3 \times \dfrac{1}{2} + 6$
$=6\pi+6\,(\text{cm})$

61 (색칠한 부분의 둘레의 길이)
$=2\pi \times 14 \times \dfrac{1}{4} + 2\pi \times 7 \times \dfrac{1}{2} + 14$
$=14\pi+14\,(\text{cm})$

62 (색칠한 부분의 둘레의 길이)
$=2\pi \times 10 \times \dfrac{1}{4} + 2\pi \times 5 \times \dfrac{1}{2} + 10 \times 3$
$=10\pi+30\,(\text{cm})$

63 (색칠한 부분의 넓이)
$=\pi \times 20^2 \times \dfrac{1}{4} - \pi \times 10^2 \times \dfrac{1}{2}$
$=100\pi-50\pi=50\pi\,(\text{cm}^2)$

64 (색칠한 부분의 넓이)
$=\pi \times 16^2 \times \dfrac{1}{4} - \pi \times 8^2 \times \dfrac{1}{2}$
$=64\pi-32\pi=32\pi\,(\text{cm}^2)$

65 (색칠한 부분의 넓이)
$=4 \times 4 - \pi \times 4^2 \times \dfrac{1}{4} + \pi \times 2^2 \times \dfrac{1}{2}$
$=16-4\pi+2\pi$
$=16-2\pi\,(\text{cm}^2)$

66
(색칠한 부분의 넓이)
$=\pi \times 6^2 \times \dfrac{1}{2}$
$=18\pi\,(\text{cm}^2)$

67
(색칠한 부분의 넓이)
$=14 \times 7$
$=98\,(\text{cm}^2)$

68
(색칠한 부분의 넓이)
$=\pi \times 2^2 \times \dfrac{1}{2}$
$=2\pi\,(\text{cm}^2)$

69
(색칠한 부분의 넓이)
$=\pi \times 4^2 \times \dfrac{1}{4} - \dfrac{1}{2} \times 4 \times 4$
$=4\pi-8\,(\text{cm}^2)$

70
(색칠한 부분의 넓이)
$=\dfrac{1}{2} \times 12 \times 12$
$=72\,(\text{cm}^2)$

71 (색칠한 부분의 넓이)
$=\pi \times 10^2 \times \dfrac{1}{2}$
$=50\pi\,(\text{cm}^2)$

01 9 **02** ③ **03** ② **04** ④ **05** $(8\pi+16)$ cm
06 50 cm²

01 (원의 둘레의 길이)$=2\pi\times5=10$(cm)
원의 둘레의 길이와 부채꼴의 호의 길이가 같으므로
$2\pi\times x\times\dfrac{200}{360}=10\pi$, $x=9$

02 (색칠한 부분의 둘레의 길이)
$=$(곡선 부분의 길이)$+$(직선 부분의 길이)
$=\left(\dfrac{1}{2}\times2\pi\times6+\dfrac{1}{2}\times2\pi\times3\right)+3+3$
$=9\pi+6$(cm)

03 부채꼴의 호의 길이를 l cm라 하면
$\dfrac{1}{2}\times8\times l=12\pi$, $l=3\pi$
따라서 부채꼴의 호의 길이는 3π cm이다.

04 부채꼴의 중심각의 크기를 $x°$라 하면
$\pi\times12^2\times\dfrac{x}{360}-\pi\times6^2\times\dfrac{x}{360}=9\pi$
$\dfrac{3}{10}\pi x=9\pi$, $x=30$
따라서 부채꼴의 중심각의 크기는 30°이므로
(색칠한 부분의 둘레의 길이)
$=2\pi\times12\times\dfrac{30}{360}+2\pi\times6\times\dfrac{30}{360}+6\times2$
$=2\pi+\pi+12$
$=3\pi+12$(cm)

05 (색칠한 부분의 둘레의 길이)
$=$(곡선 부분의 길이)$+$(직선 부분의 길이)
$=\left(2\pi\times4\times\dfrac{1}{2}\right)\times2+8+8$
$=8\pi+16$(cm)

06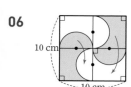
(색칠한 부분의 넓이)
$=10\times5=50$(cm²)

---

5 다면체와 회전체

1. 다면체

01 다면체 | 90쪽 |

01 ○ **02** × **03** ○ **04** × **05** 5, 오면체
06 6, 육면체 **07** 6, 육면체 **08** 8, 팔면체

02 다면체의 종류 | 91~92쪽 |

01~**08** 풀이 참조 **09** 사각기둥 **10** 오각뿔
11 칠각뿔대 **12** ③

01

밑면의 모양	사각형
각기둥의 이름	사각기둥
옆면의 모양	직사각형
모서리의 개수	12
꼭짓점의 개수	8
면의 개수	6

사각기둥의 모서리의 개수는 $4\times3=12$
꼭짓점의 개수는 $4\times2=8$
면의 개수는 $4+2=6$

02

밑면의 모양	오각형
각기둥의 이름	오각기둥
옆면의 모양	직사각형
모서리의 개수	15
꼭짓점의 개수	10
면의 개수	7

오각기둥의 모서리의 개수는 $5\times3=15$
꼭짓점의 개수는 $5\times2=10$
면의 개수는 $5+2=7$

03

밑면의 모양	사각형
각뿔의 이름	사각뿔
옆면의 모양	삼각형
모서리의 개수	8
꼭짓점의 개수	5
면의 개수	5

사각뿔의 모서리의 개수는 $4\times2=8$
꼭짓점의 개수는 $4+1=5$
면의 개수는 $4+1=5$

04

밑면의 모양	육각형
각뿔의 이름	육각뿔
옆면의 모양	삼각형
모서리의 개수	12
꼭짓점의 개수	7
면의 개수	7

육각뿔의 모서리의 개수는 $6 \times 2 = 12$
꼭짓점의 개수는 $6 + 1 = 7$
면의 개수는 $6 + 1 = 7$

05

밑면의 모양	삼각형
각뿔대의 이름	삼각뿔대
옆면의 모양	사다리꼴
모서리의 개수	9
꼭짓점의 개수	6
면의 개수	5

삼각뿔대의 모서리의 개수는 $3 \times 3 = 9$
꼭짓점의 개수는 $3 \times 2 = 6$
면의 개수는 $3 + 2 = 5$

06

밑면의 모양	사각형
각뿔대의 이름	사각뿔대
옆면의 모양	사다리꼴
모서리의 개수	12
꼭짓점의 개수	8
면의 개수	6

사각뿔대의 모서리의 개수는 $4 \times 3 = 12$
꼭짓점의 개수는 $4 \times 2 = 8$
면의 개수는 $4 + 2 = 6$

07

밑면의 모양	오각형
각뿔대의 이름	오각뿔대
옆면의 모양	사다리꼴
모서리의 개수	15
꼭짓점의 개수	10
면의 개수	7

오각뿔대의 모서리의 개수는 $5 \times 3 = 15$
꼭짓점의 개수는 $5 \times 2 = 10$
면의 개수는 $5 + 2 = 7$

08

밑면의 모양	육각형
각뿔대의 이름	육각뿔대
옆면의 모양	사다리꼴
모서리의 개수	18
꼭짓점의 개수	12
면의 개수	8

육각뿔대의 모서리의 개수는 $6 \times 3 = 18$
꼭짓점의 개수는 $6 \times 2 = 12$
면의 개수는 $6 + 2 = 8$

09 조건 (가)에서 각기둥, 조건 (나)에서 각기둥, 조건 (다)에서 사각기둥 또는 사각뿔 또는 사각뿔대이므로 조건을 모두 만족시키는 다면체는 사각기둥이다.

10 조건 (가)에서 각뿔, 조건 (나)에서 각뿔, 조건 (다)에서 오각기둥 또는 오각뿔 또는 오각뿔대이므로 조건을 모두 만족시키는 다면체는 오각뿔이다.

11 조건 (가)에서 각뿔대, 조건 (나)에서 각뿔대, 조건 (다)에서 칠각기둥 또는 칠각뿔 또는 칠각뿔대이므로 조건을 모두 만족시키는 다면체는 칠각뿔대이다.

12 각 다면체의 꼭짓점의 개수와 면의 개수를 차례로 구하면
① 6, 5 　② 8, 6 　③ 6, 6
④ 10, 7 　⑤ 12, 8
따라서 꼭짓점의 개수와 면의 개수가 같은 것은 ③이다.

03 정다면체
|93~94쪽|

01 ○ 　02 × 　03 × 　04 ○ 　05 ×
06 정사면체, 정팔면체, 정이십면체 　07 정육면체
08 정십이면체 　09 정사면체, 정육면체, 정십이면체
10 정팔면체 　11 정이십면체 　12~16 풀이 참조
17 정이십면체 　18 정십이면체 　19 정육면체
20 ⑤

02 정다면체의 한 꼭짓점에서 3개 이상의 면이 만나야 한다.

03 정다면체는 정사면체, 정육면체, 정팔면체, 정십이면체, 정이십면체의 5가지뿐이다.

05 정다면체의 한 면이 될 수 있는 다각형은 정삼각형, 정사각형, 정오각형뿐이다.

12

정다면체의 이름	정사면체
면의 개수	4
모서리의 개수	6
꼭짓점의 개수	4

13

정다면체의 이름	정육면체
면의 개수	6
모서리의 개수	12
꼭짓점의 개수	8

14

정다면체의 이름	정팔면체
면의 개수	8
모서리의 개수	12
꼭짓점의 개수	6

15

정다면체의 이름	정십이면체
면의 개수	12
모서리의 개수	30
꼭짓점의 개수	20

16

정다면체의 이름	정이십면체
면의 개수	20
모서리의 개수	30
꼭짓점의 개수	12

17 조건 (가)에서 정사면체 또는 정팔면체 또는 정이십면체, 조건 (나)에서 정십이면체 또는 정이십면체이므로 조건을 모두 만족시키는 정다면체는 정이십면체이다.

18 조건 (가)에서 정사면체 또는 정육면체 또는 정십이면체, 조건 (나)에서 정십이면체이므로 조건을 모두 만족시키는 정다면체는 정십이면체이다.

19 조건 (가)에서 정육면체, 조건 (나)에서 정육면체이므로 조건을 모두 만족시키는 정다면체는 정육면체이다.

20 ⑤ 정이십면체 - 정삼각형

---

04 정다면체의 전개도

| 95~96쪽 |

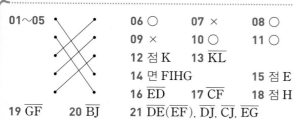

01~05
06 ○   07 ×   08 ○
09 ×   10 ○   11 ○
12 점 K   13 $\overline{KL}$
14 면 FIHG   15 점 E
16 $\overline{ED}$ 17 $\overline{CF}$ 18 점 H
19 $\overline{GF}$ 20 $\overline{BJ}$ 21 $\overline{DE(EF)}$, $\overline{DJ}$, $\overline{CJ}$, $\overline{EG}$
22 면 GFE   23 ③

07

색칠한 면이 겹치므로 정육면체를 만들 수 없다.

09

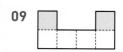

색칠한 면이 겹치므로 정육면체를 만들 수 없다.

12~14

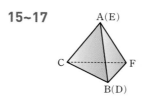

15~17

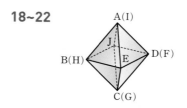

18~22

23 주어진 전개도로 만든 정다면체는 정팔면체이다.
③ 정팔면체의 모서리의 개수는 12이다.

확인 문제

| 97쪽 |

01 ⑤ 곡면으로 둘러싸인 입체도형은 다면체가 아니다.

02 각 다면체와 그 옆면의 모양은 다음과 같다.
① 사각뿔 - 삼각형   ② 삼각기둥 - 직사각형
③ 사각뿔대 - 사다리꼴   ④ 오각뿔 - 삼각형
⑤ 육각뿔대 - 사다리꼴
따라서 바르게 짝 지어진 것은 ③이다.

03 각 다면체의 모서리의 개수는 다음과 같다.
① 오각뿔: 10   ② 사각뿔대: 12
③ 오각기둥: 15   ④ 육각뿔대: 18
⑤ 팔각뿔: 16
따라서 모서리의 개수가 가장 많은 것은 ④이다.

04 ⑤ 정다면체의 면의 모양은 정삼각형, 정사각형, 정오각형뿐이므로 면의 모양이 정육각형인 정다면체는 없다.

05 조건 (가)에서 정사면체 또는 정팔면체 또는 정이십면체, 조건 (나)에서 정사면체 또는 정육면체 또는 정십이면체이므로 조건을 모두 만족시키는 정다면체는 정사면체이다.

06 주어진 전개도로 만들어지는 정다면체는 정십이면체이다.
정십이면체의 모서리의 개수는 30이므로 $a=30$
꼭짓점의 개수는 20이므로 $b=20$
따라서 $a+b=30+20=50$

2. 회전체

01 회전체
|98~99쪽|

01 ×　　02 ○　　03 ○　　04 ×

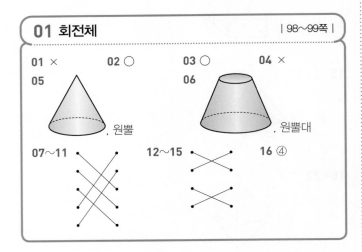

05 . 원뿔
06 . 원뿔대
07~11
12~15
16 ④

16 회전축을 기준으로 선대칭도형을 그린 후, 입체적인 모양이 되도록 원을 그린다.

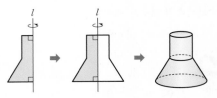

02 회전체의 성질
|100~101쪽|

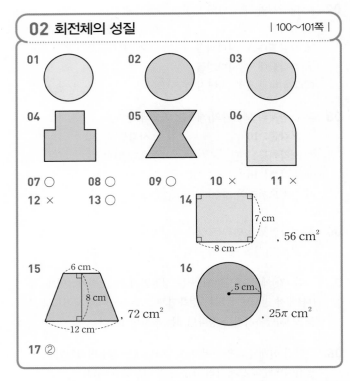

01　02　03
04　05　06
07 ○　　08 ○　　09 ○　　10 ×　　11 ×
12 ×　　13 ○
14 , 56 cm²
15 , 72 cm²
16 , 25π cm²
17 ②

10 원뿔을 회전축에 수직인 평면으로 자를 때 생기는 단면은 원이지만 합동인 것은 아니다.

11 원뿔대를 회전축에 수직인 평면으로 자를 때 생기는 단면은 원이다.

12 구의 회전축은 무수히 많다.

14 (단면의 넓이)=8×7=56(cm²)

15 (단면의 넓이)=$\frac{1}{2}$×(6+12)×8=72(cm²)

16 (단면의 넓이)=π×5²=25π(cm²)

17 주어진 평면도형을 직선 l을 회전축으로 하여 1회전 시킬 때 생기는 회전체는 원뿔이고, 회전축을 포함하는 평면으로 자른 단면은 오른쪽 그림과 같으므로

(단면의 넓이)=$\frac{1}{2}$×16×10=80(cm²)

03 회전체의 전개도
|102~103쪽|

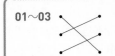

01~03
04 $a=3$, $b=7$, $c=6\pi$
05 $a=6$, $b=15$, $c=12\pi$
06 $a=9$, $b=4$, $c=8\pi$
07 $a=10$, $b=5$, $c=10\pi$
08 $a=12$, $b=8$, $c=16\pi$
09 $a=4$, $b=10$, $c=20\pi$
10 $a=12$, $b=12\pi$, $c=24\pi$
11 ②

04 $c=2\pi×3=6\pi$

05 $c=2\pi×6=12\pi$

06 $c=2\pi×4=8\pi$

07 $c=2\pi×5=10\pi$

08 $c=2\pi×8=16\pi$

09 $c=2\pi×10=20\pi$

10 $b=2\pi×6=12\pi$
$c=2\pi×12=24\pi$

11 주어진 원뿔의 전개도는 오른쪽 그림과 같으므로
(옆면인 부채꼴의 호의 길이)
$=2\pi×7=14\pi$(cm)
따라서 옆면의 둘레의 길이는
$18+18+14\pi=36+14\pi$(cm)

확인 문제

01 ②, ⑤	02 ③	03 ②	04 99 cm²
05 ④	06 (20π+26) cm		

01 ② 입체도형이 아니다.
⑤ 다각형인 면으로 둘러싸인 다면체이다.

02 회전축을 기준으로 선대칭도형을 그린 후, 입체적인 모양이 되도록 원을 그린다.

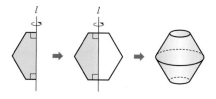

03 ② 원뿔 ─ 이등변삼각형

04 주어진 평면도형을 직선 l을 회전축으로 하여 1회전 시킬 때 생기는 회전체는 원뿔대이고, 회전축을 포함하는 평면으로 자른 단면은 오른쪽 그림과 같으므로

(단면의 넓이)$=\dfrac{1}{2}\times(8+14)\times9$
$=99(\text{cm}^2)$

05 두 밑면 중에서 작은 원의 둘레의 길이는 전개도에서 $\overparen{BC}$의 길이와 같다.

06 주어진 원기둥의 전개도는 오른쪽 그림과 같으므로
(옆면의 둘레의 길이)
$=(2\pi\times5)\times2+13\times2$
$=20\pi+26(\text{cm})$

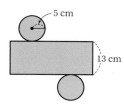

6 입체도형의 겉넓이와 부피

1. 기둥의 겉넓이와 부피

01 기둥의 겉넓이
| 106~109쪽 |

01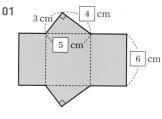
(1) 6 cm²
(2) 72 cm²
(3) 84 cm²

02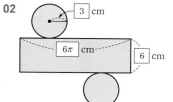
(1) 9π cm²
(2) 36π cm²
(3) 54π cm²

03 (1) 16 cm² (2) 112 cm² (3) 144 cm²
04 (1) 24 cm² (2) 168 cm² (3) 216 cm²
05 (1) 15 cm² (2) 160 cm² (3) 190 cm²
06 (1) π cm² (2) 8π cm² (3) 10π cm²
07 (1) 16π cm² (2) 72π cm² (3) 104π cm²

08 186 cm²	**09** 180 cm²	**10** 206 cm²
11 500 cm²	**12** 336π cm²	**13** (72+52π) cm²
14 (144+36π) cm²		**15** (24+24π) cm²
16 144 cm²	**17** 256 cm²	**18** 264 cm²
19 162π cm²	**20** 364π cm²	**21** 154π cm²
22 66π cm²	**23** 84π cm²	**24** ②

01 (1) (밑넓이)$=\dfrac{1}{2}\times3\times4=6(\text{cm}^2)$

(2) (옆넓이)$=(3+5+4)\times6=72(\text{cm}^2)$

(3) (겉넓이)$=6\times2+72=84(\text{cm}^2)$

02 (1) (밑넓이)$=\pi\times3^2=9\pi(\text{cm}^2)$

(2) (옆넓이)$=6\pi\times6=36\pi(\text{cm}^2)$

(3) (겉넓이)$=9\pi\times2+36\pi=54\pi(\text{cm}^2)$

03 (1) (밑넓이)$=4\times4=16(\text{cm}^2)$

(2) (옆넓이)$=(4+4+4+4)\times7=112(\text{cm}^2)$

(3) (겉넓이)$=16\times2+112=144(\text{cm}^2)$

04 (1) (밑넓이)$=\dfrac{1}{2}\times6\times8=24(\text{cm}^2)$

(2) (옆넓이)$=(6+8+10)\times7=168(\text{cm}^2)$

(3) (겉넓이)$=24\times2+168=216(\text{cm}^2)$

05 (1) (밑넓이)$=5\times3=15(\text{cm}^2)$

(2) (옆넓이)$=(5+3+5+3)\times10=160(\text{cm}^2)$

(3) (겉넓이)$=15\times2+160=190(\text{cm}^2)$

06 (1) (밑넓이)$=\pi \times 1^2=\pi(\text{cm}^2)$
(2) (옆넓이)$=2\pi \times 4=8\pi(\text{cm}^2)$
(3) (겉넓이)$=\pi \times 2+8\pi=10\pi(\text{cm}^2)$

07 (1) (밑넓이)$=\pi \times 4^2=16\pi(\text{cm}^2)$
(2) (옆넓이)$=8\pi \times 9=72\pi(\text{cm}^2)$
(3) (겉넓이)$=16\pi \times 2+72\pi=104\pi(\text{cm}^2)$

08 (밑넓이)$=\dfrac{1}{2}\times 8\times 3=12(\text{cm}^2)$이고
(옆넓이)$=(5+8+5)\times 9=162(\text{cm}^2)$이므로
(겉넓이)$=12\times 2+162=186(\text{cm}^2)$

09 (밑넓이)$=\dfrac{1}{2}\times 12\times 5=30(\text{cm}^2)$이고
(옆넓이)$=(5+12+13)\times 4=120(\text{cm}^2)$이므로
(겉넓이)$=30\times 2+120=180(\text{cm}^2)$

10 (밑넓이)$=\dfrac{1}{2}\times(8+5)\times 4=26(\text{cm}^2)$이고
(옆넓이)$=(5+5+8+4)\times 7=154(\text{cm}^2)$이므로
(겉넓이)$=26\times 2+154=206(\text{cm}^2)$

11 (밑넓이)$=\dfrac{1}{2}\times(10+16)\times 4=52(\text{cm}^2)$이고
(옆넓이)$=(10+5+16+5)\times 11=396(\text{cm}^2)$이므로
(겉넓이)$=52\times 2+396=500(\text{cm}^2)$

12 밑면의 반지름의 길이가 $\dfrac{1}{2}\times 16=8(\text{cm})$이므로
(밑넓이)$=\pi \times 8^2=64\pi(\text{cm}^2)$이고
(옆넓이)$=16\pi \times 13=208\pi(\text{cm}^2)$이므로
(겉넓이)$=64\pi \times 2+208\pi=336\pi(\text{cm}^2)$

13 (밑넓이)$=\pi \times 4^2\times\dfrac{1}{2}=8\pi(\text{cm}^2)$
옆면의 가로의 길이는
$8+\left(2\pi\times 4\times\dfrac{1}{2}\right)=8+4\pi(\text{cm})$이므로
(옆넓이)$=(8+4\pi)\times 9=72+36\pi(\text{cm}^2)$
따라서 (겉넓이)$=8\pi\times 2+(72+36\pi)$
$\qquad\qquad\qquad=72+52\pi(\text{cm}^2)$

14 (밑넓이)$=\pi \times 6^2\times\dfrac{60}{360}=6\pi(\text{cm}^2)$
옆면의 가로의 길이는
$6+\left(2\pi\times 6\times\dfrac{60}{360}\right)+6=12+2\pi(\text{cm})$이므로
(옆넓이)$=(12+2\pi)\times 12=144+24\pi(\text{cm}^2)$
따라서 (겉넓이)$=6\pi\times 2+(144+24\pi)$
$\qquad\qquad\qquad=144+36\pi(\text{cm}^2)$

15 (밑넓이)$=\pi \times 2^2\times\dfrac{270}{360}=3\pi(\text{cm}^2)$
옆면의 가로의 길이는
$2+\left(2\pi\times 2\times\dfrac{270}{360}\right)+2=4+3\pi(\text{cm})$이므로

(옆넓이)$=(4+3\pi)\times 6=24+18\pi(\text{cm}^2)$
따라서 (겉넓이)$=3\pi\times 2+(24+18\pi)$
$\qquad\qquad\qquad=24+24\pi(\text{cm}^2)$

16 (밑넓이)$=4\times 4-2\times 2=12(\text{cm}^2)$이고
(옆넓이)$=16\times 5+8\times 5$
$\qquad\qquad=80+40=120(\text{cm}^2)$이므로
(겉넓이)$=12\times 2+120=144(\text{cm}^2)$

17 (밑넓이)$=5\times 5-3\times 3=16(\text{cm}^2)$이고
(옆넓이)$=20\times 7+12\times 7$
$\qquad\qquad=140+84=224(\text{cm}^2)$이므로
(겉넓이)$=16\times 2+224=256(\text{cm}^2)$

18 (밑넓이)$=6\times 6-2\times 3=30(\text{cm}^2)$이고
(옆넓이)$=24\times 6+10\times 6$
$\qquad\qquad=144+60=204(\text{cm}^2)$이므로
(겉넓이)$=30\times 2+204=264(\text{cm}^2)$

19 (밑넓이)$=\pi \times 6^2-\pi \times 3^2=27\pi(\text{cm}^2)$이고
(옆넓이)$=12\pi \times 6+6\pi \times 6$
$\qquad\qquad=72\pi+36\pi=108\pi(\text{cm}^2)$이므로
(겉넓이)$=27\pi \times 2+108\pi=162\pi(\text{cm}^2)$

20 (밑넓이)$=\pi \times 9^2-\pi \times 4^2=65\pi(\text{cm}^2)$이고
(옆넓이)$=18\pi \times 9+8\pi \times 9$
$\qquad\qquad=162\pi+72\pi=234\pi(\text{cm}^2)$이므로
(겉넓이)$=65\pi \times 2+234\pi=364\pi(\text{cm}^2)$

21 (밑넓이)$=\pi \times 5^2-\pi \times 2^2=21\pi(\text{cm}^2)$이고
(옆넓이)$=10\pi \times 8+4\pi \times 8$
$\qquad\qquad=80\pi+32\pi=112\pi(\text{cm}^2)$이므로
(겉넓이)$=21\pi \times 2+112\pi=154\pi(\text{cm}^2)$

22 주어진 평면도형을 직선 l을 회전축으로 하여 1회전 시킬 때 생기는 입체도형은 오른쪽 그림과 같다.
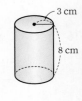
따라서 (겉넓이)$=(\pi \times 3^2)\times 2+(2\pi \times 3)\times 8$
$\qquad\qquad\qquad=18\pi+48\pi$
$\qquad\qquad\qquad=66\pi(\text{cm}^2)$

23 주어진 평면도형을 직선 l을 회전축으로 하여 1회전 시킬 때 생기는 입체도형은 오른쪽 그림과 같다.
따라서
(겉넓이)
$=(\pi \times 4^2-\pi \times 2^2)\times 2+(2\pi \times 4)\times 5+(2\pi \times 2)\times 5$
$=24\pi+40\pi+20\pi$
$=84\pi(\text{cm}^2)$

24 (밑넓이)$=\frac{1}{2}\times6\times8=24(\text{cm}^2)$이고

(옆넓이)$=(10+8+6)\times10=240(\text{cm}^2)$이므로

(겉넓이)$=24\times2+240=288(\text{cm}^2)$

02 기둥의 부피

| 110~112쪽 |

01 (1) 15 cm² (2) 8 cm (3) 120 cm³
02 (1) 30 cm² (2) 15 cm (3) 450 cm³
03 (1) 16 cm² (2) 6 cm (3) 96 cm³
04 (1) 16π cm² (2) 10 cm (3) 160π cm³
05 (1) 64π cm² (2) 5 cm (3) 320π cm³
06 (1) 9π cm² (2) 9 cm (3) 81π cm³
07 42 cm³　　**08** 192 cm³　　**09** 320 cm³
10 60 cm³　　**11** 216 cm³　　**12** 36π cm³
13 3π cm³　　**14** 15π cm³　　**15** 528π cm³
16 200π cm³　　**17** 136 cm³　　**18** 56π cm³
19 81π cm³　　**20** 900π cm³　　**21** 112π cm³
22 126π cm³　　**23** ③

01 (1) (밑넓이)$=5\times3=15(\text{cm}^2)$

(3) (부피)$=15\times8=120(\text{cm}^3)$

02 (1) (밑넓이)$=\frac{1}{2}\times5\times12=30(\text{cm}^2)$

(3) (부피)$=30\times15=450(\text{cm}^3)$

03 (1) (밑넓이)$=4\times4=16(\text{cm}^2)$

(3) (부피)$=16\times6=96(\text{cm}^3)$

04 (1) (밑넓이)$=\pi\times4^2=16\pi(\text{cm}^2)$

(3) (부피)$=16\pi\times10=160\pi(\text{cm}^3)$

05 (1) (밑넓이)$=\pi\times8^2=64\pi(\text{cm}^2)$

(3) (부피)$=64\pi\times5=320\pi(\text{cm}^3)$

06 (1) 밑면의 반지름의 길이가 $\frac{1}{2}\times6=3(\text{cm})$이므로

(밑넓이)$=\pi\times3^2=9\pi(\text{cm}^2)$

(3) (부피)$=9\pi\times9=81\pi(\text{cm}^3)$

07 (밑넓이)$=\frac{1}{2}\times6\times2=6(\text{cm}^2)$이고 높이가 7 cm이므로

(부피)$=6\times7=42(\text{cm}^3)$

08 (밑넓이)$=\frac{1}{2}\times6\times8=24(\text{cm}^2)$이고 높이가 8 cm이므로

(부피)$=24\times8=192(\text{cm}^3)$

09 (밑넓이)$=\frac{1}{2}\times(10+6)\times4=32(\text{cm}^2)$이고

높이가 10 cm이므로

(부피)$=32\times10=320(\text{cm}^3)$

10 (밑넓이)$=\frac{1}{2}\times(2+6)\times5=20(\text{cm}^2)$이고

높이가 3 cm이므로

(부피)$=20\times3=60(\text{cm}^3)$

11 (밑넓이)$=\frac{1}{2}\times8\times2+\frac{1}{2}\times8\times4=24(\text{cm}^2)$이고

높이가 9 cm이므로

(부피)$=24\times9=216(\text{cm}^3)$

12 밑면의 반지름의 길이가 $\frac{1}{2}\times6=3(\text{cm})$이므로

(밑넓이)$=\frac{1}{2}\times(\pi\times3^2)=\frac{9}{2}\pi(\text{cm}^2)$

높이가 8 cm이므로

(부피)$=\frac{9}{2}\pi\times8=36\pi(\text{cm}^3)$

13 (밑넓이)$=\pi\times2^2\times\frac{45}{360}=\frac{1}{2}\pi(\text{cm}^2)$

높이가 6 cm이므로

(부피)$=\frac{1}{2}\pi\times6=3\pi(\text{cm}^3)$

14 (밑넓이)$=\pi\times3^2\times\frac{120}{360}=3\pi(\text{cm}^2)$

높이가 5 cm이므로

(부피)$=3\pi\times5=15\pi(\text{cm}^3)$

15 (밑넓이)$=\pi\times8^2\times\frac{270}{360}=48\pi(\text{cm}^2)$

높이가 11 cm이므로

(부피)$=48\pi\times11=528\pi(\text{cm}^3)$

16 (작은 원기둥의 부피)$=(\pi\times2^2)\times5=20\pi(\text{cm}^3)$

(큰 원기둥의 부피)$=(\pi\times6^2)\times5=180\pi(\text{cm}^3)$

따라서 주어진 입체도형의 부피는

$20\pi+180\pi=200\pi(\text{cm}^3)$

17 (밑넓이)$=5\times5-2\times4=17(\text{cm}^2)$이고

높이가 8 cm이므로

(부피)$=17\times8=136(\text{cm}^3)$

18 (밑넓이)$=\pi\times3^2-\pi\times1^2=8\pi(\text{cm}^2)$이고

높이가 7 cm이므로

(부피)$=8\pi\times7=56\pi(\text{cm}^3)$

19 (밑넓이)$=\pi\times5^2-\pi\times4^2=9\pi(\text{cm}^2)$이고

높이가 9 cm이므로

(부피)$=9\pi\times9=81\pi(\text{cm}^3)$

20 주어진 평면도형을 직선 l을 회전축으로 하여 1회전 시킬 때 생기는 입체도형은 오른쪽 그림과 같다.

따라서 (부피)$=(\pi\times10^2)\times9=900\pi(\text{cm}^3)$

21 주어진 평면도형을 직선 l을 회전축으로 하여 1회전 시킬 때 생기는 입체도형은 오른쪽 그림과 같다.

따라서 (부피)$=(\pi \times 4^2) \times 7 = 112\pi(\text{cm}^3)$

22 주어진 평면도형을 직선 l을 회전축으로 하여 1회전 시킬 때 생기는 입체도형은 오른쪽 그림과 같다.

따라서 (부피)$=(\pi \times 5^2 - \pi \times 2^2) \times 6$
$\qquad\qquad = 126\pi(\text{cm}^3)$

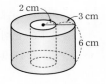

23 원기둥 A의 부피는
$(\pi \times 3^2) \times 4 = 36\pi(\text{cm}^3)$
이때 두 원기둥 A, B의 부피가 같으므로 원기둥 B의 높이를 h cm라 하면
$(\pi \times 2^2) \times h = 36\pi$
따라서 $h=9$, 즉 원기둥 B의 높이는 9 cm이다.

확인 문제

| 113쪽 |

01 ④   **02** ⑤   **03** ①   **04** ③   **05** ③   **06** ④

01 (밑넓이)$=\dfrac{1}{2} \times (10+2) \times 3 = 18(\text{cm}^2)$이고
(옆넓이)$=(10+5+2+5) \times 13 = 286(\text{cm}^2)$이므로
(겉넓이)$=18 \times 2 + 286 = 322(\text{cm}^2)$

02 원기둥의 밑면인 원의 반지름의 길이를 r cm라 하면
$2\pi r \times 10 = 120\pi$이므로 $r=6$
따라서 이 원기둥의 겉넓이는
$36\pi \times 2 + 120\pi = 192\pi(\text{cm}^2)$

03 (부피)$=\left(\pi \times 8^2 \times \dfrac{90}{360}\right) \times 14 = 224\pi(\text{cm}^3)$

04 주어진 각기둥의 높이를 h cm라 하면
$(4 \times 5) \times h = 160$이므로 $h=8$
따라서 높이는 8 cm이다.

05 (밑넓이)$=7 \times 7 - \pi \times 3^2 = 49 - 9\pi(\text{cm}^2)$이고
높이가 7 cm이므로
(부피)$=(49-9\pi) \times 7 = 343 - 63\pi(\text{cm}^3)$
[다른 풀이]
(부피)$=$(사각기둥의 부피)$-$(원기둥의 부피)
$\qquad\quad =(7 \times 7) \times 7 - (\pi \times 3^2) \times 7$
$\qquad\quad = 343 - 63\pi(\text{cm}^3)$

06 주어진 평면도형을 직선 l을 회전축으로 하여 1회전 시킬 때 생기는 입체도형은 오른쪽 그림과 같다.

따라서
(부피)$=(\pi \times 5^2) \times 12 = 300\pi(\text{cm}^3)$

2. 뿔과 구의 겉넓이와 부피

01 뿔의 겉넓이

| 114~115쪽 |

01
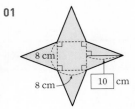
(1) 64 cm²
(2) 160 cm²
(3) 224 cm²

02
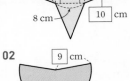
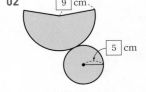
(1) 25π cm²
(2) 45π cm²
(3) 70π cm²

03 (1) 4 cm²   (2) 12 cm²   (3) 16 cm²
04 (1) 16 cm²   (2) 48 cm²   (3) 64 cm²
05 (1) 100 cm²   (2) 260 cm²   (3) 360 cm²
06 (1) 9π cm²   (2) 24π cm²   (3) 33π cm²
07 (1) 36π cm²   (2) 60π cm²   (3) 96π cm²
08 20π cm²   **09** 340π cm²   **10** 36π cm²
11 200π cm²

01 (1) (밑넓이)$=8 \times 8 = 64(\text{cm}^2)$
    (2) (옆넓이)$=\left(\dfrac{1}{2} \times 8 \times 10\right) \times 4 = 160(\text{cm}^2)$
    (3) (겉넓이)$=64+160 = 224(\text{cm}^2)$

02 (1) (밑넓이)$=\pi \times 5^2 = 25\pi(\text{cm}^2)$
    (2) (옆넓이)$=\dfrac{1}{2} \times 9 \times 10\pi = 45\pi(\text{cm}^2)$
    (3) (겉넓이)$=25\pi + 45\pi = 70\pi(\text{cm}^2)$

03 (1) (밑넓이)$=2 \times 2 = 4(\text{cm}^2)$
    (2) (옆넓이)$=\left(\dfrac{1}{2} \times 2 \times 3\right) \times 4 = 12(\text{cm}^2)$
    (3) (겉넓이)$=4+12 = 16(\text{cm}^2)$

04 (1) (밑넓이)$=4 \times 4 = 16(\text{cm}^2)$
    (2) (옆넓이)$=\left(\dfrac{1}{2} \times 4 \times 6\right) \times 4 = 48(\text{cm}^2)$
    (3) (겉넓이)$=16+48 = 64(\text{cm}^2)$

05 (1) (밑넓이)$=10 \times 10 = 100(\text{cm}^2)$
    (2) (옆넓이)$=\left(\dfrac{1}{2} \times 10 \times 13\right) \times 4 = 260(\text{cm}^2)$
    (3) (겉넓이)$=100+260 = 360(\text{cm}^2)$

06 (1) (밑넓이)$=\pi \times 3^2 = 9\pi(\text{cm}^2)$
    (2) (옆넓이)$=\dfrac{1}{2} \times 8 \times 6\pi = 24\pi(\text{cm}^2)$
    (3) (겉넓이)$=9\pi + 24\pi = 33\pi(\text{cm}^2)$

07 (1) (밑넓이)$=\pi\times 6^2=36\pi\,(\text{cm}^2)$

(2) (옆넓이)$=\dfrac{1}{2}\times 10\times 12\pi=60\pi\,(\text{cm}^2)$

(3) (겉넓이)$=36\pi+60\pi=96\pi\,(\text{cm}^2)$

08 밑면인 원의 반지름의 길이를 r cm라 하면

$2\pi\times 8\times\dfrac{90}{360}=2\pi\times r$이므로 $r=2$

따라서 주어진 전개도로 만들어지는 원뿔의 겉넓이는

$\pi\times 2^2+\dfrac{1}{2}\times 8\times 4\pi=20\pi\,(\text{cm}^2)$

09 밑면인 원의 반지름의 길이를 r cm라 하면

$2\pi\times 24\times\dfrac{150}{360}=2\pi\times r$이므로 $r=10$

따라서 주어진 전개도로 만들어지는 원뿔의 겉넓이는

$\pi\times 10^2+\dfrac{1}{2}\times 24\times 20\pi=340\pi\,(\text{cm}^2)$

10 주어진 평면도형을 직선 l을 회전축으로 하여 1회전 시킬 때 생기는 입체도형은 오른쪽 그림과 같다.

따라서 원뿔의 겉넓이는

$\pi\times 4^2+\dfrac{1}{2}\times 5\times 8\pi=36\pi\,(\text{cm}^2)$

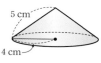
5 cm
4 cm

11 주어진 평면도형을 직선 l을 회전축으로 하여 1회전 시킬 때 생기는 입체도형은 오른쪽 그림과 같다.

따라서 원뿔의 겉넓이는

$\pi\times 8^2+\dfrac{1}{2}\times 17\times 16\pi=200\pi\,(\text{cm}^2)$

17 cm
8 cm

02 뿔의 부피
| 116~117쪽 |

01 (1) 12 cm² (2) 5 cm (3) 20 cm³
02 (1) 36 cm² (2) 8 cm (3) 96 cm³
03 (1) $\dfrac{25}{2}$ cm² (2) 12 cm (3) 50 cm³
04 (1) 4π cm² (2) 4 cm (3) $\dfrac{16}{3}\pi$ cm³
05 (1) 25π cm² (2) 9 cm (3) 75π cm³
06 (1) 16π cm² (2) 10 cm (3) $\dfrac{160}{3}\pi$ cm³
07 14 cm³　　**08** $\dfrac{105}{2}$ cm³　　**09** 80 cm³
10 125 cm³　　**11** 96π cm³　　**12** 45π cm³
13 128 cm³　　**14** 100π cm³　　**15** ③

01 (1) (밑넓이)$=3\times 4=12\,(\text{cm}^2)$

(3) (부피)$=\dfrac{1}{3}\times 12\times 5=20\,(\text{cm}^3)$

02 (1) (밑넓이)$=6\times 6=36\,(\text{cm}^2)$

(3) (부피)$=\dfrac{1}{3}\times 36\times 8=96\,(\text{cm}^3)$

03 (1) (밑넓이)$=\dfrac{1}{2}\times 5\times 5=\dfrac{25}{2}\,(\text{cm}^2)$

(3) (부피)$=\dfrac{1}{3}\times\dfrac{25}{2}\times 12=50\,(\text{cm}^3)$

04 (1) (밑넓이)$=\pi\times 2^2=4\pi\,(\text{cm}^2)$

(3) (부피)$=\dfrac{1}{3}\times 4\pi\times 4=\dfrac{16}{3}\pi\,(\text{cm}^3)$

05 (1) (밑넓이)$=\pi\times 5^2=25\pi\,(\text{cm}^2)$

(3) (부피)$=\dfrac{1}{3}\times 25\pi\times 9=75\pi\,(\text{cm}^3)$

06 (1) (밑넓이)$=\pi\times 4^2=16\pi\,(\text{cm}^2)$

(3) (부피)$=\dfrac{1}{3}\times 16\pi\times 10=\dfrac{160}{3}\pi\,(\text{cm}^3)$

07 (밑넓이)$=\dfrac{1}{2}\times 3\times 4=6\,(\text{cm}^2)$이고

높이가 7 cm이므로

(부피)$=\dfrac{1}{3}\times 6\times 7=14\,(\text{cm}^3)$

08 (밑넓이)$=\dfrac{1}{2}\times 5\times 7=\dfrac{35}{2}\,(\text{cm}^2)$이고

높이가 9 cm이므로

(부피)$=\dfrac{1}{3}\times\dfrac{35}{2}\times 9=\dfrac{105}{2}\,(\text{cm}^3)$

09 (밑넓이)$=4\times 6=24\,(\text{cm}^2)$이고

높이가 10 cm이므로

(부피)$=\dfrac{1}{3}\times 24\times 10=80\,(\text{cm}^3)$

10 사각뿔의 부피는

$\dfrac{1}{3}\times(5\times 5)\times 3=25\,(\text{cm}^3)$

사각기둥의 부피는

$(5\times 5)\times 4=100\,(\text{cm}^3)$

따라서 주어진 입체도형의 부피는

$25+100=125\,(\text{cm}^3)$

11 밑면의 반지름의 길이가 $\dfrac{1}{2}\times 12=6\,(\text{cm})$이므로

(밑넓이)$=\pi\times 6^2=36\pi\,(\text{cm}^2)$

높이가 8 cm이므로

(부피)$=\dfrac{1}{3}\times 36\pi\times 8=96\pi\,(\text{cm}^3)$

12 위쪽 원뿔의 부피는

$\dfrac{1}{3}\times(\pi\times 3^2)\times 6=18\pi\,(\text{cm}^3)$

아래쪽 원뿔의 부피는

$\dfrac{1}{3}\times(\pi\times 3^2)\times 9=27\pi\,(\text{cm}^3)$

따라서 주어진 입체도형의 부피는
$18\pi + 27\pi = 45\pi (\text{cm}^3)$

13 주어진 평면도형을 직선 l을 회전축
으로 하여 1회전 시킬 때 생기는 입
체도형은 오른쪽 그림과 같다.

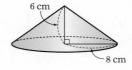

따라서 (부피)$=\dfrac{1}{3} \times (\pi \times 8^2) \times 6$

$\qquad\qquad\quad = 128\pi (\text{cm}^3)$

14 주어진 평면도형을 직선 l을 회전축으로
하여 1회전 시킬 때 생기는 입체도형은 오
른쪽 그림과 같다.

따라서 (부피)$=\dfrac{1}{3} \times (\pi \times 5^2) \times 12$

$\qquad\qquad\quad = 100\pi (\text{cm}^3)$

15 주어진 원뿔의 높이를 h cm라 하면 부피가 96π cm³이므로
$\dfrac{1}{3} \times (\pi \times 6^2) \times h = 96\pi$

따라서 $h=8$, 즉 원뿔의 높이는 8 cm이다.

---

03 뿔대의 겉넓이
| 118쪽 |

01 (1) 17 cm² (2) 30 cm² (3) 47 cm²
02 (1) 89 cm² (2) 130 cm² (3) 219 cm²
03 (1) 20π cm² (2) 42π cm² (3) 62π cm²
04 (1) 52π cm² (2) 40π cm² (3) 92π cm²

01 (1) (두 밑넓이의 합)$=1 \times 1 + 4 \times 4 = 17 (\text{cm}^2)$

(2) (옆넓이)$=\left\{\dfrac{1}{2} \times (1+4) \times 3\right\} \times 4 = 30 (\text{cm}^2)$

(3) (겉넓이)$=17 + 30 = 47 (\text{cm}^2)$

02 (1) (두 밑넓이의 합)$=5 \times 5 + 8 \times 8 = 89 (\text{cm}^2)$

(2) (옆넓이)$=\left\{\dfrac{1}{2} \times (5+8) \times 5\right\} \times 4 = 130 (\text{cm}^2)$

(3) (겉넓이)$=89 + 130 = 219 (\text{cm}^2)$

03 (1) (두 밑넓이의 합)$=\pi \times 2^2 + \pi \times 4^2 = 20\pi (\text{cm}^2)$

(2) (옆넓이)$=\dfrac{1}{2} \times 14 \times 8\pi - \dfrac{1}{2} \times 7 \times 4\pi = 42\pi (\text{cm}^2)$

(3) (겉넓이)$=20\pi + 42\pi = 62\pi (\text{cm}^2)$

04 (1) (두 밑넓이의 합)$=\pi \times 4^2 + \pi \times 6^2 = 52\pi (\text{cm}^2)$

(2) (옆넓이)$=\dfrac{1}{2} \times 12 \times 12\pi - \dfrac{1}{2} \times 8 \times 8\pi = 40\pi (\text{cm}^2)$

(3) (겉넓이)$=52\pi + 40\pi = 92\pi (\text{cm}^2)$

---

04 뿔대의 부피
| 119쪽 |

01 28 cm³　　**02** 468 cm³　　**03** 312 cm³
04 105π cm³　　**05** $\dfrac{234}{3}\pi$ cm³　　**06** $\dfrac{38}{3}\pi$ cm³

01 (각뿔대의 부피)

$=\dfrac{1}{3} \times (4 \times 4) \times 6 - \dfrac{1}{3} \times (2 \times 2) \times 3$

$=32 - 4 = 28 (\text{cm}^3)$

02 (각뿔대의 부피)

$=\dfrac{1}{3} \times (10 \times 10) \times 15 - \dfrac{1}{3} \times (4 \times 4) \times 6$

$=500 - 32 = 468 (\text{cm}^3)$

03 (각뿔대의 부피)

$=\dfrac{1}{3} \times (9 \times 9) \times 12 - \dfrac{1}{3} \times (3 \times 3) \times 4$

$=324 - 12 = 312 (\text{cm}^3)$

04 (원뿔대의 부피)

$=\dfrac{1}{3} \times (\pi \times 6^2) \times 10 - \dfrac{1}{3} \times (\pi \times 3^2) \times 5$

$=120\pi - 15\pi = 105\pi (\text{cm}^3)$

05 (원뿔대의 부피)

$=\dfrac{1}{3} \times (\pi \times 5^2) \times 10 - \dfrac{1}{3} \times (\pi \times 2^2) \times 4$

$=\dfrac{250}{3}\pi - \dfrac{16}{3}\pi = \dfrac{234}{3}\pi (\text{cm}^3)$

06 주어진 평면도형을 직선 l을 회전축으
로 하여 1회전 시킬 때 생기는 입체도
형은 오른쪽 그림과 같다.

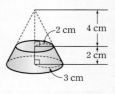

따라서 구하는 원뿔대의 부피는

$\dfrac{1}{3} \times (\pi \times 3^2) \times 6 - \dfrac{1}{3} \times (\pi \times 2^2) \times 4$

$=18\pi - \dfrac{16}{3}\pi = \dfrac{38}{3}\pi (\text{cm}^3)$

---

05 구의 겉넓이
| 120~121쪽 |

01 16π cm²	**02** 100π cm²	**03** 64π cm²
04 27π cm²	**05** 108π cm²	**06** 192π cm²
07 36π cm²	**08** 68π cm²	**09** 5π cm²
10 200π cm²	**11** 32π cm²	**12** 39π cm²
13 64π cm²	**14** 75π cm²	**15** ③

01 (겉넓이)=$4\pi \times 2^2 = 16\pi\,(\text{cm}^2)$

02 (겉넓이)=$4\pi \times 5^2 = 100\pi\,(\text{cm}^2)$

03 구의 반지름의 길이가 $8 \times \dfrac{1}{2} = 4\,(\text{cm})$이므로

(겉넓이)=$4\pi \times 4^2 = 64\pi\,(\text{cm}^2)$

04 (겉넓이)=$\dfrac{1}{2} \times (4\pi \times 3^2) + \pi \times 3^2 = 27\pi\,(\text{cm}^2)$

05 (겉넓이)=$\dfrac{1}{2} \times (4\pi \times 6^2) + \pi \times 6^2 = 108\pi\,(\text{cm}^2)$

06 (겉넓이)=$\dfrac{1}{2} \times (4\pi \times 8^2) + \pi \times 8^2 = 192\pi\,(\text{cm}^2)$

07 (겉넓이)=$\dfrac{3}{4} \times (4\pi \times 3^2) + \pi \times 3^2 = 36\pi\,(\text{cm}^2)$

08 (겉넓이)=$\dfrac{7}{8} \times (4\pi \times 4^2) + \dfrac{3}{4} \times \pi \times 4^2 = 68\pi\,(\text{cm}^2)$

09 (겉넓이)=$\dfrac{1}{8} \times (4\pi \times 2^2) + \dfrac{3}{4} \times \pi \times 2^2 = 5\pi\,(\text{cm}^2)$

10 (겉넓이)=$\dfrac{1}{4} \times (4\pi \times 10^2) + \pi \times 10^2 = 200\pi\,(\text{cm}^2)$

11 위쪽 반구의 겉넓이는

$\dfrac{1}{2} \times (4\pi \times 2^2) = 8\pi\,(\text{cm}^2)$

아래쪽 원기둥의 겉넓이는

$4\pi \times 5 + \pi \times 2^2 = 24\pi\,(\text{cm}^2)$

따라서 주어진 입체도형의 겉넓이는

$8\pi + 24\pi = 32\pi\,(\text{cm}^2)$

12 위쪽 반구의 겉넓이는

$\dfrac{1}{2} \times (4\pi \times 3^2) = 18\pi\,(\text{cm}^2)$

아래쪽 원뿔의 겉넓이는

$\dfrac{1}{2} \times 7 \times 6\pi = 21\pi\,(\text{cm}^2)$

따라서 주어진 입체도형의 겉넓이는

$18\pi + 21\pi = 39\pi\,(\text{cm}^2)$

13 주어진 평면도형을 직선 l을 회전축으로 하여 1회전 시킬 때 생기는 입체도형은 오른쪽 그림과 같다.

따라서 구하는 겉넓이는

$4\pi \times 4^2 = 64\pi\,(\text{cm}^2)$

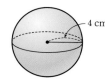
4 cm

14 주어진 평면도형을 직선 l을 회전축으로 하여 1회전 시킬 때 생기는 입체도형은 오른쪽 그림과 같다.

따라서 구하는 겉넓이는

$\dfrac{1}{2} \times (4\pi \times 5^2) + \pi \times 5^2 = 75\pi\,(\text{cm}^2)$

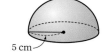
5 cm

15 구의 반지름의 길이를 r cm라 하면

$4\pi \times r^2 = 36\pi$이므로 $r^2 = 9$

따라서 $r = 3$, 즉 구의 반지름의 길이는 3 cm이다.

---

06 구의 부피
| 122~123쪽 |

01 $\dfrac{256}{3}\pi\,\text{cm}^3$	**02** $288\pi\,\text{cm}^3$	**03** $972\pi\,\text{cm}^3$
04 $\dfrac{16}{3}\pi\,\text{cm}^3$	**05** $\dfrac{224}{3}\pi\,\text{cm}^3$	**06** $72\pi\,\text{cm}^3$
07 $99\pi\,\text{cm}^3$	**08** $\dfrac{550}{3}\pi\,\text{cm}^3$	**09** $\dfrac{266}{3}\pi\,\text{cm}^3$
10 $135\pi\,\text{cm}^3$	**11** ③	**12** $\dfrac{500}{3}\pi\,\text{cm}^3$
13 $240\pi\,\text{cm}^3$	**14** $18\pi\,\text{cm}^3$	**15** $36\pi\,\text{cm}^3$
16 $54\pi\,\text{cm}^3$	**17** $1:2:3$	

01 (부피)=$\dfrac{4}{3}\pi \times 4^3 = \dfrac{256}{3}\pi\,(\text{cm}^3)$

02 (부피)=$\dfrac{4}{3}\pi \times 6^3 = 288\pi\,(\text{cm}^3)$

03 구의 반지름의 길이가 $18 \times \dfrac{1}{2} = 9\,(\text{cm})$이므로

(부피)=$\dfrac{4}{3}\pi \times 9^3 = 972\pi\,(\text{cm}^3)$

04 (부피)=$\dfrac{1}{2} \times \left(\dfrac{4}{3}\pi \times 2^3\right) = \dfrac{16}{3}\pi\,(\text{cm}^3)$

05 (부피)=$\dfrac{7}{8} \times \left(\dfrac{4}{3}\pi \times 4^3\right) = \dfrac{224}{3}\pi\,(\text{cm}^3)$

06 (부피)=$\dfrac{1}{4} \times \left(\dfrac{4}{3}\pi \times 6^3\right) = 72\pi\,(\text{cm}^3)$

07 위쪽 반구의 부피는

$\dfrac{1}{2} \times \left(\dfrac{4}{3}\pi \times 3^3\right) = 18\pi\,(\text{cm}^3)$

아래쪽 원기둥의 부피는

$(\pi \times 3^2) \times 9 = 81\pi\,(\text{cm}^3)$

따라서 주어진 입체도형의 부피는

$18\pi + 81\pi = 99\pi\,(\text{cm}^3)$

08 위쪽 반구의 부피는

$\dfrac{1}{2} \times \left(\dfrac{4}{3}\pi \times 5^3\right) = \dfrac{250}{3}\pi\,(\text{cm}^3)$

아래쪽 원뿔의 부피는

$\dfrac{1}{3} \times (\pi \times 5^2) \times 12 = 100\pi\,(\text{cm}^3)$

따라서 주어진 입체도형의 부피는

$\dfrac{250}{3}\pi + 100\pi = \dfrac{550}{3}\pi\,(\text{cm}^3)$

09 위쪽 반구의 부피는

$$\frac{1}{2} \times \left(\frac{4}{3}\pi \times 2^3 \right) = \frac{16}{3}\pi \, (\text{cm}^3)$$

아래쪽 반구의 부피는

$$\frac{1}{2} \times \left(\frac{4}{3}\pi \times 5^3 \right) = \frac{250}{3}\pi \, (\text{cm}^3)$$

따라서 주어진 입체도형의 부피는

$$\frac{16}{3}\pi + \frac{250}{3}\pi = \frac{266}{3}\pi \, (\text{cm}^3)$$

10 양쪽 두 반구의 부피의 합은

$$\frac{4}{3}\pi \times 3^3 = 36\pi \, (\text{cm}^3)$$

가운데 원기둥의 부피는

$$(\pi \times 3^2) \times 11 = 99\pi \, (\text{cm}^3)$$

따라서 주어진 입체도형의 부피는

$$36\pi + 99\pi = 135\pi \, (\text{cm}^3)$$

11 구의 반지름의 길이를 r cm라 하면

$$4\pi \times r^2 = 64\pi \text{ 이므로 } r^2 = 16$$

따라서 $r=4$이므로 주어진 구의 부피는

$$\frac{4}{3}\pi \times 4^3 = \frac{256}{3}\pi \, (\text{cm}^3)$$

12 주어진 평면도형을 직선 l을 회전축으로 하여 1회전 시킬 때 생기는 입체도형은 오른쪽 그림과 같다.

따라서 구하는 부피는

$$\frac{4}{3}\pi \times 5^3 = \frac{500}{3}\pi \, (\text{cm}^3)$$

13 주어진 평면도형을 직선 l을 회전축으로 하여 1회전 시킬 때 생기는 입체도형은 오른쪽 그림과 같다.

따라서 구하는 부피는

$$\frac{1}{3} \times (\pi \times 6^2) \times 8 + \frac{1}{2} \times \left(\frac{4}{3}\pi \times 6^3 \right)$$
$$= 96\pi + 144\pi = 240\pi \, (\text{cm}^3)$$

14 원뿔의 부피는

$$\frac{1}{3} \times (\pi \times 3^2) \times 6 = 18\pi \, (\text{cm}^3)$$

15 구의 부피는

$$\frac{4}{3}\pi \times 3^3 = 36\pi \, (\text{cm}^3)$$

16 원기둥의 부피는

$$(\pi \times 3^2) \times 6 = 54\pi \, (\text{cm}^3)$$

17 원뿔, 구, 원기둥의 부피의 비는

$$18\pi : 36\pi : 54\pi = 1 : 2 : 3$$

확인 문제 | 124쪽 |

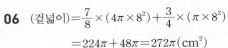

01 105 cm² **02** ④　　**03** ②　　**04** ①　　**05** ⑤
06 ③　　**07** ④

01 (밑넓이)$= 5 \times 5 = 25 \, (\text{cm}^2)$이고

(옆넓이)$= \left(\frac{1}{2} \times 5 \times 8 \right) \times 4 = 80 \, (\text{cm}^2)$이므로

(겉넓이)$= 25 + 80 = 105 \, (\text{cm}^2)$

02 $\pi \times 2^2 + \frac{1}{2} \times l \times 4\pi = 24\pi$ 에서

$2\pi l = 20\pi$이므로 $l = 10$

03 밑면인 원의 반지름의 길이를 r cm라 하면

$2\pi r = 8\pi$이므로 $r = 4$

따라서 원뿔의 부피는

$$\frac{1}{3} \times (\pi \times 4^2) \times 6 = 32\pi \, (\text{cm}^3)$$

04 (밑넓이)$= 6 \times 6 + 10 \times 10 = 136 \, (\text{cm}^2)$이고

(옆넓이)$= \left\{ \frac{1}{2} \times (6 + 10) \times 7 \right\} \times 4 = 224 \, (\text{cm}^2)$이므로

(겉넓이)$= 136 + 224 = 360 \, (\text{cm}^2)$

05 주어진 평면도형을 직선 l을 회전축으로 하여 1회전 시킬 때 생기는 입체도형은 오른쪽 그림과 같다.

따라서 원뿔대의 부피는

$$\frac{1}{3} \times (\pi \times 3^2) \times 9 - \frac{1}{3} \times (\pi \times 2^2) \times 6$$
$$= 27\pi - 8\pi = 19\pi \, (\text{cm}^3)$$

06 (겉넓이)$= \frac{7}{8} \times (4\pi \times 8^2) + \frac{3}{4} \times (\pi \times 8^2)$

$$= 224\pi + 48\pi = 272\pi \, (\text{cm}^2)$$

07 (겉넓이)$= 4\pi \times 12^2 = 576\pi \, (\text{cm}^2)$

(부피)$= \frac{4}{3}\pi \times 12^3 = 2304\pi \, (\text{cm}^3)$

7 자료의 정리와 해석

1. 표와 그래프

01 줄기와 잎 그림

| 126~127쪽 |

01~03 풀이 참조	04 5	05 3	06 21
07 30	08 5	09 9	10 141 cm	11 176 cm
12 150 cm	13 53회	14 8	15 42회

02 도수분포표

| 128~131쪽 |

01~03 풀이 참조	04 4, 8 m	05 5, 20분	06 6, 5 g
07 6권 이상 9권 미만	08 12권 이상 15권 미만
09 9권 이상 12권 미만	10 6권 이상 9권 미만
11 3권 이상 6권 미만	12 9권 이상 12권 미만
13 5	14 7	15 13	16 9	17 12
18 5분 이상 10분 미만	19 6	20 10
21 30점 이상 40점 미만	22 (1) 40 % (2) 30 %
23 (1) 24 % (2) 28 %	24 8	25 20 %	26 12
27 30 %	28 ③

01

수학 성적

(6|4는 64점)

줄기	잎
6	4 7
7	3 5 6 8 8
8	2 2 2 2 5 6 9
9	0 1

02

통화 시간

(1|6은 16분)

줄기	잎
1	6
2	3 5 6 6 7 8
3	2 3 4 5 7 9
4	8
5	0 0

03

몸무게

(3|2는 32 kg)

줄기	잎
3	2 3 6 7 8
4	2 3 4 5 6 7 8 9 9
5	0 1 2 2 3 4 5 8
6	0 4

06 $2+5+8+6=21$

07 $7+10+8+5=30$

08 40살 이상은 40살, 43살, 44살, 45살, 45살의 5명이다.

09 25살 이상 35살 미만은 25살, 27살, 27살, 28살, 29살, 30살, 32살, 33살, 34살의 9명이다.

12 키가 작은 쪽부터 141 cm, 142 cm, 144 cm, 149 cm, 150 cm이므로 키가 5번째로 작은 학생의 키는 150 cm이다.

15 줄넘기 기록이 좋은 쪽부터 53회, 51회, 46회, 46회, 45회, 45회, 44회, 42회이므로 줄넘기 기록이 8번째로 좋은 학생의 줄넘기 기록은 42회이다.

01

운동 시간(분)	도수(명)	
$10^{이상} \sim 20^{미만}$	//	2
20 ~ 30	卌	5
30 ~ 40	卌 ///	8
40 ~ 50	卌 /	6
50 ~ 60	///	3
합계		24

02

최고 기온(℃)	도수(일)
$12^{이상} \sim 16^{미만}$	2
16 ~ 20	5
20 ~ 24	8
24 ~ 28	3
합계	18

03

발의 길이(mm)	도수(명)
$220^{이상} \sim 230^{미만}$	1
230 ~ 240	4
240 ~ 250	5
250 ~ 260	8
260 ~ 270	3
합계	21

04 계급의 크기는 $20-12=8$(m)

05 계급의 크기는 $30-10=20$(분)

06 계급의 크기는 $45-40=5$(g)

11 읽은 책의 수가 3권 미만인 학생 수는 5, 6권 미만인 학생 수는 $5+8=13$이므로 읽은 책이 12번째로 적은 학생이 속하는 계급은 3권 이상 6권 미만이다.

12 읽은 책의 수가 12권 이상인 학생 수는 4, 9권 이상인 학생 수는 $6+4=10$이므로 읽은 책이 10번째로 많은 학생이 속하는 계급은 9권 이상 12권 미만이다.

13 $A=25-(4+9+7)=5$

14 $A=36-(6+13+8+2)=7$

15 $A=40-(1+6+15+5)=13$

16 $A=43-(3+11+14+6)=9$

17 대기 시간이 5분 미만인 버스의 수는 3, 10분 미만인 버스의 수는 3+9=12이다.

18 대기 시간이 10분 미만인 버스의 수는 12이므로 대기 시간이 5번째로 짧은 버스가 속하는 계급은 5분 이상 10분 미만이다.

19 $A=32-(2+8+12+4)=6$

20 수행 평가 점수가 40점 이상인 학생 수는 4, 30점 이상인 학생 수는 4+6=10이다.

21 수행 평가 점수가 30점 이상인 학생 수는 10이므로 수행 평가 점수가 10번째로 높은 학생이 속하는 계급은 30점 이상 40점 미만이다.

22 ⑴ 전체 학생 수는 30이고, 국어 성적이 70점 이상 80점 미만인 학생 수는 12이므로 전체의

$$\frac{12}{30}\times100=40(\%)$$

⑵ 국어 성적이 70점 미만인 학생 수는 3+6=9이므로 전체의

$$\frac{9}{30}\times100=30(\%)$$

23 ⑴ 전체 학생 수는 50이고, 용돈이 3만 원 이상 4만 원 미만인 학생 수는 12이므로 전체의

$$\frac{12}{50}\times100=24(\%)$$

⑵ 용돈이 4만 원 이상인 학생 수는 10+4=14이므로 전체의

$$\frac{14}{50}\times100=28(\%)$$

24 허리둘레가 65 cm 이상 70 cm 미만인 학생 수는
$$40-(5+13+10+4)=8$$

25 전체 학생 수는 40이고, 허리둘레가 65 cm 이상 70 cm 미만인 학생 수는 8이므로 전체의

$$\frac{8}{40}\times100=20(\%)$$

26 허리둘레가 70 cm 이상인 학생 수는 4, 65 cm 이상인 학생 수는 4+8=12이다.

27 전체 학생 수는 40이고, 허리둘레가 65 cm 이상인 학생 수는 12이므로 전체의

$$\frac{12}{40}\times100=30(\%)$$

28 전체 학생 수는 36이고,
운동 시간이 20분 이상 40분 미만인 학생 수는
$$36-(5+11+8+3)=9$$
이므로 전체의
$$\frac{9}{36}\times100=25(\%)$$

---

03 히스토그램 | 132~135쪽 |

01~05 풀이 참조　　**06** 5, 5분　**07** 6, 30 g　**08** 7, 6회
09 36 m 이상 48 m 미만　**10** 72 m 이상 84 m 미만
11 24 m 이상 36 m 미만　**12** 48 m 이상 60 m 미만
13 24 m 이상 36 m 미만　**14** 48 m 이상 60 m 미만
15 21일　**16** 30명　**17** 34명　**18** ⑴ 32 %　⑵ 40 %
19 ⑴ 20 %　⑵ 40 %　**20** 6　　**21** 15 %　**22** 10
23 25 %　　**24** ④

01
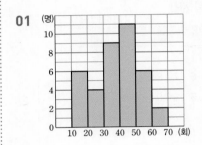

02
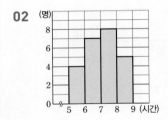

03
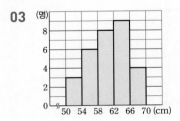

04

관람객 수(명)	도수(일)
5^{이상} ~ 10^{미만}	6
10　~ 15	4
15　~ 20	10
20　~ 25	8
25　~ 30	2
합계	30

05

과학 점수(점)	도수(명)
$40^{이상}$ ~ $50^{미만}$	3
50 ~ 60	6
60 ~ 70	9
70 ~ 80	13
80 ~ 90	7
90 ~ 100	4
합계	42

06 계급의 크기는 $10-5=5$(분)

07 계급의 크기는 $30-0=30$(g)

08 계급의 크기는 $6-0=6$(회)

13 멀리 던지기 기록이 24 m 미만인 학생 수는 3, 36 m 미만인 학생 수는 $3+6=9$이므로 멀리 던지기 기록이 8번째로 짧은 학생이 속하는 계급은 24 m 이상 36 m 미만이다.

14 멀리 던지기 기록이 72 m 이상인 학생 수는 1, 60 m 이상인 학생 수는 $1+2=3$, 48 m 이상인 학생 수는 $3+4=7$이므로 멀리 던지기 기록이 6번째로 좋은 학생이 속하는 계급은 48 m 이상 60 m 미만이다.

15 (도수의 총합)$=3+5+7+4+2=21$(일)

16 (도수의 총합)$=4+3+5+6+8+4=30$(명)

17 (도수의 총합)$=2+6+10+9+4+3=34$(명)

18 (1) 전체 학생 수는 $2+5+8+6+4=25$이고, 횟수가 9회 이상 12회 미만인 학생 수는 8이므로 전체의
$\frac{8}{25}\times100=32$(%)

(2) 횟수가 12회 이상인 학생 수는 $6+4=10$이므로 전체의
$\frac{10}{25}\times100=40$(%)

19 (1) 전체 입장객의 수는 $4+10+8+7+4+2=35$이고, 40살 이상 50살 미만인 입장객의 수는 7이므로 전체의
$\frac{7}{35}\times100=20$(%)

(2) 30살 미만인 입장객의 수는 $4+10=14$이므로 전체의
$\frac{14}{35}\times100=40$(%)

21 전체 학생 수는 $3+7+11+10+6+3=40$이고, 몸무게가 56 kg 이상 60 kg 미만인 학생 수는 6이므로 전체의
$\frac{6}{40}\times100=15$(%)

23 몸무게가 48 kg 미만인 학생 수는 $3+7=10$이므로 전체의
$\frac{10}{40}\times100=25$(%)

24 영어 듣기 평가 성적이 25점 이상인 학생 수는 2, 20점 이상인 학생 수는 $2+5=7$이므로 영어 듣기 평가 성적이 5번째로 높은 학생이 속하는 계급은 20점 이상 25점 미만이다.

---

04 히스토그램의 특징 | 136쪽 |

01 14   **02** 80   **03** 45   **04** 170   **05** 50
06 5배

01 계급의 크기는 $14-12=2$(℃), 16 ℃ 이상 18 ℃ 미만인 계급의 도수는 7일이므로
(구하는 직사각형의 넓이)$=2\times7=14$

02 계급의 크기는 $10-0=10$(분), 40분 이상 50분 미만인 계급의 도수는 8명이므로
(구하는 직사각형의 넓이)$=10\times8=80$

03 계급의 크기는 $10-5=5$(시간), 독서 시간이 20시간 이상 25시간 미만인 계급의 도수는 9명이므로
(구하는 직사각형의 넓이)$=5\times9=45$

04 도수의 총합은 $2+6+10+9+4+3=34$(명)이므로
(모든 직사각형의 넓이의 합)$=5\times34=170$

05 도수가 가장 큰 계급은 15시간 이상 20시간 미만이고 이 계급의 도수는 10명이므로
(구하는 직사각형의 넓이)$=5\times10=50$

06 도수가 가장 큰 계급의 직사각형의 넓이는 50,
도수가 가장 작은 계급은 5시간 이상 10시간 미만이고 이 계급의 도수는 2명이므로 이 계급의 직사각형의 넓이는 $5\times2=10$
따라서 $50\div10=5$(배)
[다른 풀이]
각 직사각형의 넓이는 각 계급의 도수에 정비례하고, 도수가 가장 큰 계급의 도수는 10명, 도수가 가장 작은 계급의 도수는 2명이므로 $10\div2=5$(배)

---

05 도수분포다각형 | 137~140쪽 |

01~06 풀이 참조	**07** 5, 5분 **08** 4, 8 cm
09 6, 10점	**10** 23 ℃ 이상 25 ℃ 미만
11 27 ℃ 이상 29 ℃ 미만	**12** 21 ℃ 이상 23 ℃ 미만
13 19 ℃ 이상 21 ℃ 미만	**14** 19 ℃ 이상 21 ℃ 미만
15 23 ℃ 이상 25 ℃ 미만	**16** 24명 **17** 26일
18 39명	**19** (1) 30 % (2) 25 %
20 (1) 35 % (2) 20 %	**21** 9 **22** 30 %
23 12	**24** 40 % **25** ③

01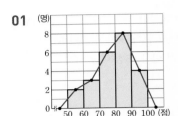

02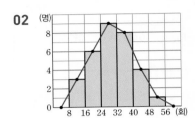

03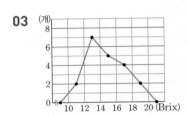

04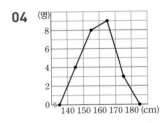

05

봉사 활동 시간(시간)	도수(명)
$3^{이상} \sim 6^{미만}$	6
6 ~ 9	9
9 ~ 12	7
12 ~ 15	3
15 ~ 18	2
합계	27

06

팔 굽혀 펴기 횟수(회)	도수(명)
$4^{이상} \sim 10^{미만}$	4
10 ~ 16	6
16 ~ 22	9
22 ~ 28	12
28 ~ 34	7
34 ~ 40	5
합계	43

07 계급의 크기는 $10-5=5$(분)

08 계급의 크기는 $148-140=8$(cm)

09 계급의 크기는 $50-40=10$(점)

14 낮 평균 기온이 19 ℃ 미만인 날은 2일, 21 ℃ 미만인 날은 $2+7=9$(일)이므로 낮 평균 기온이 7번째로 낮은 날이 속하는 계급은 19 ℃ 이상 21 ℃ 미만이다.

15 낮 평균 기온이 27 ℃ 이상인 날은 1일, 25 ℃ 이상인 날은 $1+3=4$(일), 23 ℃ 이상인 날은 $4+9=13$(일)이므로 낮 평균 기온이 5번째로 높은 날이 속하는 계급은 23 ℃ 이상 25 ℃ 미만이다.

16 (도수의 총합)$=3+4+6+8+3=24$(명)

17 (도수의 총합)$=2+5+7+6+3+3=26$(일)

18 (도수의 총합)$=5+7+10+6+7+4=39$(명)

19 ⑴ 전체 관람객의 수는 $3+2+7+6+2=20$이고, 40살 이상 50살 미만인 관람객의 수는 6이므로 전체의
$$\frac{6}{20}\times100=30(\%)$$

⑵ 30살 미만인 관람객의 수는 $3+2=5$이므로 전체의
$$\frac{5}{20}\times100=25(\%)$$

20 ⑴ 전체 학생 수는 $7+6+8+11+5+3=40$이고, 6개 이상 12개 미만인 학생 수는 $6+8=14$이므로 전체의
$$\frac{14}{40}\times100=35(\%)$$

⑵ 15개 이상인 학생 수는 $5+3=8$이므로 전체의
$$\frac{8}{40}\times100=20(\%)$$

22 전체 학생 수는 $4+5+9+10+2=30$이고, 키가 150 cm 이상 160 cm 미만인 학생 수는 9이므로 전체의
$$\frac{9}{30}\times100=30(\%)$$

24 키가 160 cm 이상인 학생 수는 $10+2=12$이므로 전체의
$$\frac{12}{30}\times100=40(\%)$$

25 전체 선수의 수는 $2+5+8+4+1=20$이고, 블로킹이 16개 이상인 선수의 수는 $1+4=5$이므로 블로킹을 16개 이상 성공한 선수는 전체의
$$\frac{5}{20}\times100=25(\%)$$

06 도수분포다각형의 특징 | 141쪽 |

01 85	**02** 230	**03** 480	**04** 70	**05** 450

01 계급의 크기는 $20-15=5$(m),
도수의 총합은 $1+5+7+3+1=17$(명)이므로
(도수분포다각형과 가로축으로 둘러싸인 부분의 넓이)
$=5\times17=85$

02 계급의 크기는 $60-50=10$(점),

도수의 총합은 $3+4+8+6+2=23$(명)이므로

(도수분포다각형과 가로축으로 둘러싸인 부분의 넓이)

$=10\times23=230$

03 계급의 크기는 $40-20=20$(분)

도수의 총합은 $1+4+5+7+3+4=24$(명)이므로

(도수분포다각형과 가로축으로 둘러싸인 부분의 넓이)

$=20\times24=480$

04 계급의 크기는 $16-14=2$(℃)

도수의 총합은 $4+6+10+8+5+2=35$(일)이므로

(도수분포다각형과 가로축으로 둘러싸인 부분의 넓이)

$=2\times35=70$

05 계급의 크기는 $115-100=15$(cm)

도수의 총합은 $2+5+4+9+7+3=30$(개)이므로

(도수분포다각형과 가로축으로 둘러싸인 부분의 넓이)

$=15\times30=450$

확인 문제
| 142쪽 |

| 142쪽 |

01 11 **02** ④ **03** 10회 이상 15회 미만 **04** ④

05 30 **06** 16 %

01 줄기가 3인 잎이 7개, 줄기가 4인 잎이 4개이므로 제기차기 횟수가 30회 이상인 학생 수는 $7+4=11$

02 ④ 도수가 가장 작은 계급은 도수가 2명인 40점 이상 50점 미만이다.

03 전체 학생 수가 38이므로 도서관을 이용한 횟수가 10회 이상 15회 미만인 계급의 도수는 $38-(3+6+13+5)=11$(명)

따라서 도수가 두 번째로 큰 계급은 도수가 11명인 10회 이상 15회 미만이다.

04 ① 전체 학생 수는 $5+4+8+6+2=25$

② 계급의 개수는 5이다.

③ 계급의 크기는 $8-4=4$(개)이다.

⑤ 받은 문자 메시지의 개수가 20개 이상인 학생 수는 2, 16개 이상인 학생 수는 $2+6=8$이므로 문자 메시지를 8번째로 많이 받은 학생이 속한 계급은 16개 이상 20개 미만이고 이 계급의 도수는 6명이다.

따라서 옳은 것은 ④이다.

05 (계급의 크기)$=30-24=6$(살)

도수가 가장 큰 계급은 42살 이상 48살 미만이고 그 계급의 도수는 8명이므로 $a=6\times8=48$

도수가 가장 작은 계급은 30살 이상 36살 미만이고 그 계급의 도수는 3명이므로 $b=6\times3=18$

따라서 $a-b=48-18=30$

[다른 풀이]

도수가 가장 큰 계급의 도수는 8명, 도수가 가장 작은 계급의 도수는 3명이므로 그 차는 $8-3=5$(명)

따라서 $a-b=6\times5=30$

06 전체 간식의 수는 $2+6+8+5+3+1=25$이고,

칼로리가 700 kcal 이상인 간식의 수는 $1+3=4$이므로 칼로리가 700 kcal 이상인 간식은 전체의

$$\frac{4}{25}\times100=16(\%)$$

2. 상대도수와 그 그래프

01 상대도수
| 143~146쪽 |

| 143~146쪽 |

01~04 풀이 참조 **05** 0.24 **06** 24 % **07** 56 %

08 24 % **09** 20 % **10** 1 **11** 0.14 **12** 14 %

13 22 % **14** 48 % **15** 50 **16** 32 **17** 150

18 25 **19** 10 **20** 5 **21** × **22** ×

23 ○ **24** ○ **25** ○ **26** × **27** ○

28 40, 0.3, 0.2, 1 **29** 50, 0.12, 0.08, 1 **30** 80

31 $A=80$, $B=0.3$, $C=0.25$, $D=1$ **32** 55 %

33 28 **34** ③

01

성적(점)	도수(명)	상대도수
$50^{이상}$ ~ $60^{미만}$	4	$\frac{4}{40}=0.1$
60 ~ 70	8	$\frac{8}{40}=0.2$
70 ~ 80	12	$\frac{12}{40}=0.3$
80 ~ 90	10	$\frac{10}{40}=0.25$
90 ~ 100	6	$\frac{6}{40}=0.15$
합계	40	1

02

나이(살)	도수(명)	상대도수
$10^{이상}$ ~ $15^{미만}$	7	$\frac{7}{50}=0.14$
15 ~ 20	9	$\frac{9}{50}=0.18$
20 ~ 25	15	$\frac{15}{50}=0.3$
25 ~ 30	11	$\frac{11}{50}=0.22$
30 ~ 35	8	$\frac{8}{50}=0.16$
합계	50	1

03

독서 시간(분)	도수(명)	상대도수
$0^{이상} \sim 6^{미만}$	$20 \times 0.15 = 3$	0.15
6 ~ 12	$20 \times 0.2 = 4$	0.2
12 ~ 18	$20 \times 0.3 = 6$	0.3
18 ~ 24	$20 \times 0.25 = 5$	0.25
24 ~ 30	$20 \times 0.1 = 2$	0.1
합계	20	1

04

키(cm)	도수(명)	상대도수
$120^{이상} \sim 130^{미만}$	$100 \times 0.08 = 8$	0.08
130 ~ 140	$100 \times 0.12 = 12$	0.12
140 ~ 150	$100 \times 0.4 = 40$	0.4
150 ~ 160	$100 \times 0.26 = 26$	0.26
160 ~ 170	$100 \times 0.14 = 14$	0.14
합계	100	1

05 기록이 260초 이상 280초 미만인 계급의 상대도수는
$1 - (0.06 + 0.18 + 0.32 + 0.16 + 0.04) = 0.24$

06 기록이 260초 이상 280초 미만인 계급의 상대도수는 0.24이므로 이 계급의 학생은 전체의
$0.24 \times 100 = 24(\%)$

07 기록이 260초 이상 300초 미만인 계급의 상대도수는
$0.24 + 0.32 = 0.56$
이므로 이 계급의 학생은 전체의
$0.56 \times 100 = 56(\%)$

08 기록이 260초 미만인 계급의 상대도수는
$0.06 + 0.18 = 0.24$
이므로 이 계급의 학생은 전체의
$0.24 \times 100 = 24(\%)$

09 기록이 300초 이상인 계급의 상대도수는
$0.16 + 0.04 = 0.2$
이므로 이 계급의 학생은 전체의
$0.2 \times 100 = 20(\%)$

10 상대도수의 총합은 항상 1이다.

11 머리둘레가 58 cm 이상 60 cm 미만인 계급의 상대도수는
$1 - (0.1 + 0.16 + 0.22 + 0.3 + 0.08) = 0.14$
이므로 $B = 0.14$

12 머리둘레가 58 cm 이상 60 cm 미만인 계급의 상대도수는
0.14이므로 이 계급의 학생은 전체의
$0.14 \times 100 = 14(\%)$

13 머리둘레가 58 cm 이상인 계급의 상대도수는
$0.14 + 0.08 = 0.22$
이므로 이 계급의 학생은 전체의
$0.22 \times 100 = 22(\%)$

14 머리둘레가 56 cm 미만인 계급의 상대도수는
$0.1 + 0.16 + 0.22 = 0.48$
이므로 이 계급의 학생은 전체의
$0.48 \times 100 = 48(\%)$

15 (도수의 총합) $= \dfrac{15}{0.3} = 50$

16 (도수의 총합) $= \dfrac{8}{0.25} = 32$

17 (도수의 총합) $= \dfrac{24}{0.16} = 150$

18 과학 성적이 60점 이상 70점 미만인 계급의 도수가 3명, 상대도수가 0.12이므로
(전체 학생 수) $= \dfrac{3}{0.12} = 25$

19 전체 학생 수는 25이고, 과학 성적이 80점 이상 90점 미만인 계급의 상대도수는 0.4이므로 구하는 학생 수는
$25 \times 0.4 = 10$

20 전체 학생 수는 25이고, 과학 성적이 90점 이상 100점 미만인 계급의 상대도수는 0.2이므로 구하는 학생 수는
$25 \times 0.2 = 5$

21 상대도수는 0 이상 1 이하이다.

22 상대도수의 총합은 항상 1이다.

26 도수의 총합이 다르면 도수가 같아도 상대도수는 다르다.

28 공부 시간이 10시간 이상 13시간 미만인 계급의 도수가 10명, 상대도수가 0.25이므로
$A = \dfrac{10}{0.25} = 40$
도수의 총합은 40명이고, 공부 시간이 13시간 이상 16시간 미만인 계급의 도수가 12명이므로
$B = \dfrac{12}{40} = 0.3$
상대도수의 총합은 항상 1이므로 $D = 1$
$C = 1 - (0.1 + 0.25 + 0.3 + 0.15) = 0.2$

29 줄넘기 기록이 40회 이상 60회 미만인 계급의 도수가 20명, 상대도수가 0.4이므로
$A = \dfrac{20}{0.4} = 50$
도수의 총합은 50명이고, 줄넘기 기록이 0회 이상 20회 미만인 계급의 도수가 6명이므로
$B = \dfrac{6}{50} = 0.12$
상대도수의 총합은 항상 1이므로 $D = 1$
$C = 1 - (0.12 + 0.24 + 0.4 + 0.16) = 0.08$

30 몸무게가 50 kg 이상 55 kg 미만인 계급의 도수가 16명, 상대도수가 0.2이므로 조사한 전체 학생 수는

$$\frac{16}{0.2}=80$$

31 도수의 총합은 80명이므로 $A=80$

$$B=\frac{24}{80}=0.3$$

$D=1$이므로

$$C=1-(0.15+0.2+0.3+0.1)=0.25$$

32 몸무게가 55 kg 이상 65 kg 미만인 계급의 상대도수는

$$0.3+0.25=0.55$$

이므로 이 계급의 학생은 전체의

$$0.55\times100=55(\%)$$

33 몸무게가 55 kg 미만인 계급의 상대도수는

$$0.15+0.2=0.35$$

이므로 이 계급에 속하는 학생 수는

$$80\times0.35=28$$

[다른 풀이]

몸무게가 45 kg 이상 50 kg 미만인 계급의 도수는

$$80\times0.15=12(명)$$

이므로 구하는 학생 수는 $12+16=28$

34 최고 기온이 20 ℃ 이상 22 ℃ 미만인 계급의 상대도수는

$$1-(0.25+0.3+0.15)=0.3$$

이므로 전체의

$$0.3\times100=30(\%)$$

02 상대도수의 분포를 나타낸 그래프 | 147~149쪽 |

01~04 풀이 참조	**05** 0.35	**06** 0.25	**07** 10 %
08 25 %	**09** 15 %	**10** 9명	**11** 1명	**12** 5
13 4	**14** (1) 300 (2) 90명	**15** (1) 240 (2) 48
16 (1) 180 (2) 45	**17** 50	**18** 26	**19** 11
20 ④			

01

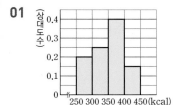

02

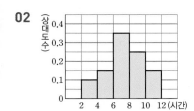

03

04

06 도서관 방문 횟수가 5회 이상 10회 미만인 계급의 상대도수는 0.1, 10회 이상 15회 미만인 계급의 상대도수는 0.15이므로 도서관 방문 횟수가 15회 미만인 계급의 상대도수는

$$0.1+0.15=0.25$$

07 도서관 방문 횟수가 25회 이상 30회 미만인 계급의 상대도수는 0.1이므로 이 계급의 학생은 전체의

$$0.1\times100=10(\%)$$

08 도서관 방문 횟수가 15회 미만인 계급의 상대도수는 0.25이므로 이 계급의 학생은 전체의

$$0.25\times100=25(\%)$$

09 도서관 방문 횟수가 25회 이상인 계급의 상대도수는

$$0.1+0.05=0.15$$

이므로 이 계급의 학생은 전체의

$$0.15\times100=15(\%)$$

10 상대도수가 가장 큰 계급은 60분 이상 80분 미만이고, 이 계급의 상대도수는 0.36이므로 구하는 도수는

$$25\times0.36=9(명)$$

11 가족과 대화 시간이 가장 긴 학생이 속하는 계급은 120분 이상 140분 미만이고, 이 계급의 상대도수는 0.04이므로 구하는 도수는

$$25\times0.04=1(명)$$

12 가족과 대화 시간이 40분 이상 60분 미만인 계급의 상대도수는 0.2이므로 구하는 학생 수는

$$25\times0.2=5$$

13 가족과 대화 시간이 100분 이상인 계급의 상대도수는

$$0.12+0.04=0.16$$이므로 구하는 학생 수는

$$25\times0.16=4$$

14 (1) 읽은 책의 쪽수가 24쪽 이상 32쪽 미만인 계급의 상대도수가 0.25이므로 문학 동아리 전체 회원 수는

$$\frac{75}{0.25}=300$$

(2) 상대도수가 가장 큰 계급은 32쪽 이상 40쪽 미만이고, 이 계급의 상대도수가 0.3이므로 구하는 도수는

$$300\times0.3=90(명)$$

15 (1) 읽은 책의 쪽수가 48쪽 이상 56쪽 미만인 계급의 상대도수가 0.05이므로 문학 동아리 전체 회원 수는

$$\frac{12}{0.05}=240$$

(2) 읽은 책의 쪽수가 24쪽 미만인 계급의 상대도수가

$$0.05+0.15=0.2$$이므로 구하는 회원 수는

$$240\times0.2=48$$

16 (1) 읽은 책의 쪽수가 16쪽 이상 24쪽 미만인 계급의 상대도수가 0.15이므로 문학 동아리 전체 회원 수는

$$\frac{27}{0.15}=180$$

(2) 읽은 책의 쪽수가 40쪽 이상인 계급의 상대도수가

$$0.2+0.05=0.25$$이므로 구하는 회원 수는

$$180\times0.25=45$$

17 열량이 400 kcal 이상 450 kcal 미만인 계급의 도수가 10개, 상대도수가 0.2이므로 전체 과자의 개수는

$$\frac{10}{0.2}=50$$

18 열량이 300 kcal 이상 400 kcal 미만인 계급의 상대도수는

$$0.18+0.34=0.52$$

이므로 구하는 과자의 개수는

$$50\times0.52=26$$

19 열량이 300 kcal 미만인 계급의 상대도수는

$$0.1+0.12=0.22$$

이므로 구하는 과자의 개수는

$$50\times0.22=11$$

20 볼펜의 수가 8자루 이상인 계급의 상대도수는

$$0.2+0.15=0.35$$

이므로 구하는 학생 수는

$$40\times0.35=14$$

---

03 도수의 총합이 다른 두 자료의 비교 | 150~151쪽 |

01 풀이 참조	**02** A 중학교	**03** 풀이 참조	**04** A 중학교
05 B 중학교	**06** B 중학교	**07** 여학생	**08** 남학생
09 56	**10** 33	**11** 여학생	**12** ×
13 ○	**14** ○	**15** ×	**16** ×

01

통학 시간(분)	A 중학교	B 중학교
	상대도수	상대도수
10^{이상} ~ 15^{미만}	0.08	0.04
15 ~ 20	0.2	0.14
20 ~ 25	0.32	0.16
25 ~ 30	0.24	0.36
30 ~ 35	0.12	0.2
35 ~ 40	0.04	0.1
합계	1	1

02 통학 시간이 15분 이상 20분 미만인 계급의 상대도수는 A 중학교가 0.2, B 중학교가 0.14이므로 A 중학교가 더 높다.

03

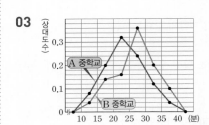

04 통학 시간이 25분 미만인 계급의 상대도수는

A 중학교: $0.08+0.2+0.32=0.6$

B 중학교: $0.04+0.14+0.16=0.34$

따라서 통학 시간이 25분 미만인 학생의 비율은 A 중학교가 더 높다.

05 통학 시간이 30분 이상인 계급의 상대도수는

A 중학교: $0.12+0.04=0.16$

B 중학교: $0.2+0.1=0.3$

따라서 통학 시간이 30분 이상인 학생의 비율은 B 중학교가 더 높다.

06 B 중학교의 그래프가 A 중학교의 그래프보다 오른쪽으로 치우쳐 있으므로 B 중학교가 A 중학교보다 통학 시간이 더 긴 편이다.

07 점수가 80점 이상 90점 미만인 계급의 상대도수는 남학생이 0.18, 여학생이 0.3이므로 여학생이 더 높다.

08 점수가 70점 미만인 계급의 상대도수는

남학생: $0.12+0.3=0.42$

여학생: $0.08+0.16=0.24$

따라서 점수가 70점 미만인 학생의 비율은 남학생이 더 높다.

09 여학생 중에서 70점 이상 90점 미만인 계급의 상대도수는

$$0.26+0.3=0.56$$

이므로 구하는 학생 수는

$$100\times0.56=56$$

10 남학생 중에서 80점 이상인 계급의 상대도수는

$0.18+0.04=0.22$

이므로 구하는 학생 수는

$150×0.22=33$

11 여학생의 그래프가 남학생의 그래프보다 오른쪽으로 치우쳐 있으므로 여학생이 남학생보다 미술 실기 점수가 더 높은 편이다.

12 도수의 총합은 알 수 없다.

13 성공한 3점 슛이 20개 이상 25개 미만인 계급의 상대도수는 A 팀이 0.3, B 팀이 0.24이므로 선수의 비율은 A 팀이 B 팀보다 더 높다.

14 성공한 3점 슛이 20개 미만인 계급의 상대도수는

A 팀: $0.1+0.12+0.18=0.4$

B 팀: $0.12+0.16+0.34=0.62$

이므로 선수의 비율은 B 팀이 A 팀보다 더 높다.

15 도수의 총합을 알 수 없으므로 성공한 3점 슛이 25개 이상 30개 미만인 선수의 수는 알 수 없다.

16 A 팀의 그래프가 B 팀의 그래프보다 오른쪽으로 치우쳐 있으므로 A 팀이 B 팀보다 3점 슛의 개수가 더 많은 편이다.

🔖 확인 문제

| 152쪽 |

01 ②　　**02** 150　　**03** ④　　**04** ③　　**05** 35　　**06** 2반

01 (상대도수)$=\dfrac{24}{75}=0.32$

02 (전체 학생 수)$=\dfrac{21}{0.14}=150$

03 수학 성적이 80점 이상 90점 미만인 계급의 상대도수가 0.15이므로 구하는 학생 수는

$300×0.15=45$

04 $B=\dfrac{6}{0.12}=50$, $A=50×0.18=9$, $C=\dfrac{12}{50}=0.24$,

$E=1$이므로 $D=1-(0.12+0.18+0.24+0.36)=0.1$

따라서 옳지 않은 것은 ③이다.

05 일주일 동안의 공부 시간이 20시간 이상 25시간 미만인 계급의 상대도수가 0.25이므로 이 계급의 학생은 전체의

$0.25×100=25(\%)$, $a=25$

전체 학생 수는 40이므로 이 계급의 학생 수는

$40×0.25=10$, $b=10$

따라서 $a+b=25+10=35$

06 2반의 그래프가 1반의 그래프보다 오른쪽으로 치우쳐 있으므로 2반 학생들의 몸무게가 1반보다 더 무거운 편이다.

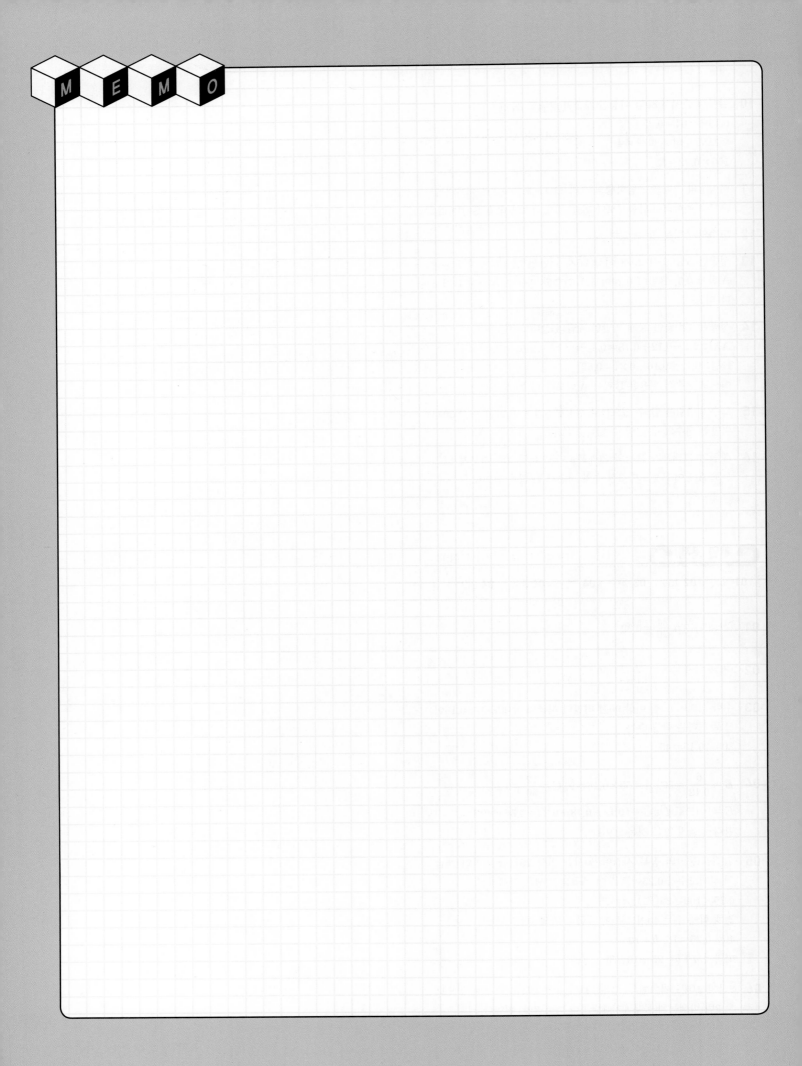

수학 마스터

중학 수학의 기초력 강화

연산 3 엡실론

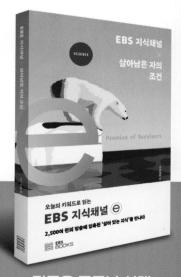